池田大作

新・人間革命

第4巻

聖教新聞社

目次

目次

新・人間革命

第4巻

装画　東山魁夷
挿画　内田健一郎

春《しゅん》　嵐《らん》

民衆《みんしゅう》のなかへ。
この不滅《ふめつ》の魂《たましい》の炎《ほのお》の連帯《れんたい》のなかにこそ、新《あたら》しき歴史《れきし》は生まれゆく。

民衆ほど、偉大《いだい》な力《ちから》はない。
民衆ほど、確固《かっこ》たる土台《どだい》はない。
民衆の叫《さけ》びほど、恐《おそ》ろしきものはない。
民衆の前には、いかなる権力者《けんりょくしゃ》も、富豪《ふごう》も、名声《めいせい》も、煙《けむり》のようなものである。

一九六一年（昭和《しょうわ》三十六年）二月十四日、アジア訪問《ほうもん》から帰《かえ》った山本伸一《やまもとしんいち》は、早《はや》くも十六日には、愛知《あいち》県《けん》の豊橋市《とよはしし》で行《おこな》われた豊城支部《ほうじょうしぶ》の結成大会《けっせいたいかい》に出席《しゅっせき》した。
帰《き》国直後《こくちょくご》の結成大会とあって、地元《じもと》のメンバーには、山本会長《かいちょう》の出席はないかもしれないという思《おも》いがあった。それだけに、伸一《しんいち》が会場《かいじょう》の豊橋市《とよはしし》公会堂《こうかいどう》に姿《すがた》を現《あらわ》すと、大歓声《だいかんせい》と嵐《あらし》のような拍手《はくしゅ》が起《お》こった。

この日、伸一は、常識《じょうしき》ある行動《こうどう》の大切《たいせつ》さを訴《うった》えた。

「仏法《ぶっぽう》は最高《さいこう》の道理《どうり》であります。その仏法を信奉《しんぽう》する私たちは、常《つね》に、礼儀《れいぎ》正《ただ》しい行動を心《こころ》がけていかなくてはなりません。たとえば、座談会《ざだんかい》に行《い》っても、まるで自分《じぶん》の家《いえ》のように振《ふ》る舞《ま》い、会場を提供《ていきょう》してくださっているご家族《かぞく》に、迷惑《めいわく》をかけたりするようなことは、あってはならないと思います。さらに、折伏《しゃくぶく》をするにしても、また、指導《しどう》をする場合《ばあい》も、暴言《ぼうげん》を用《もち》いて、人を見下《みくだ》したような態度《たいど》は、絶対《ぜったい》に慎《つつし》まなければならない。

そうした非常識な言動《げんどう》というものが、どれだけ学会《がっかい》に対《たい》する誤解《ごかい》を生んでいるか、計《はか》り知れません。周囲《しゅうい》の人が見ても、〝学会の人は礼儀正しく、立派《りっぱ》であるな〟と思えるようでなければ、本当《ほんとう》の信仰《しんこう》の姿とはいえないと思います」

伸一は、このあと、御本尊《ごほんぞん》は、わが胸中《きょうちゅう》にあることを述《の》べ、一人《ひとり》ひとりが信心《しんじん》で生命《せいめい》の宝塔《ほうとう》を開き、幸福《こうふく》な一生《いっしょう》を送《おく》るよう念願《ねんがん》して話《はなし》を結《むす》んだ。

彼《かれ》がここで、あえて「常識」を強調《きょうちょう》したのは、信仰の深化《しんか》は人格《じんかく》を磨《みが》き、周囲に信頼《しんらい》と安《あん》心《しん》を広《ひろ》げていく最高《さいこう》の常識を育《はぐく》む力《ちから》となるからである。

また、このころ各地《かくち》で、学会員《がっかいいん》に対《たい》する村八分《むらはちぶ》などの排斥《はいせき》の動《うご》きが激《はげ》しさを増《ま》していたからでもあった。その経過《けいか》を見ると、ちょっとした非常識《ひじょうしき》な言動《げんどう》が誤解《ごかい》をもたらし、それが、排撃《はいげき》の糸口《いとぐち》にされることが少《すく》なくなかった。

もちろん、そのことが、村八分などの仕《し》打ちの本当《ほんとう》の原因《げんいん》ではなかった。より根本的《こんぽんてき》には、学会への無理解《むりかい》と偏見《へんけん》による感情的《かんじょうてき》な反発《はんぱつ》であった。さらに、学会の折伏《しゃくぶく》を恐《おそ》れる他教団《たきょうだん》の意図《いと》もあった。

山本伸一《やまもとしんいち》が会長《かいちょう》に就任《しゅうにん》して以来《いらい》、折伏の波《なみ》は、怒濤《どとう》となって広《ひろ》がっていった。ゆえに「魔競《まきそ》はずは正法《しょうぼう》と知るべからず」(御書《ごしょ》一〇八七ジ《ペー》)との御聖訓《ごせいくん》のうえからも、法難《ほうなん》が競い起《お》こるのは当然《とうぜん》であり、それは、避《さ》けることのできない試練《しれん》でもあろう。しかし、非常識な言動から、社会《しゃかい》の誤解を招《まね》き、無用《むよう》な摩擦《まさつ》をもたらすようなことは、あまりにも愚《おろ》かといえよう。仏法《ぶっぽう》は本来《ほんらい》、最高《さいこう》の道理《どうり》であるからだ。

伸一は、支部結成大会《しぶけっせいたいかい》の終了後《しゅうりょうご》、幹部《かんぶ》との懇談《こんだん》の機会《きかい》をもった。彼《かれ》は、支部の新出発《しんしゅっぱつ》を祝福《しゅくふく》して言った。

「豊城《ほうじょう》支部というのは、すばらしい名前《なまえ》です。皆《みな》で力《ちから》を合わせて、福運《ふくうん》に満《み》ち満ちた豊《ゆた》かな城《しろ》を築《きず》いていってください」

それから、皆《みな》の質問《しつもん》を受けた。伸一《しんいち》のアジア訪問《ほうもん》の直後《ちょくご》だけに、世界広布《せかいこうふ》に関《かん》する質問が多かった。

一人《ひとり》の青年《せいねん》が尋《たず》ねた。

「世界の広宣流布《こうせんるふ》ができた場合《ばあい》、戸田先生《とだせんせい》の言われた地球民族主義《ちきゅうみんぞくしゅぎ》という考《かんが》え方《かた》からすれば、世界連邦《れんぽう》のような形態《けいたい》がつくられていくのでしょうか」

質問した青年は、まだ学生《がくせい》のようであった。観念的《かんねんてき》といえば、あまりにも観念的な質問であったが、伸一は微笑《ほほえ》みながら答《こた》えた。

「どうすればよいかは、君《きみ》に任《まか》せます。よく考えておいてください。そして、その時には、世界連邦長になれるぐらい、しっかり勉強《べんきょう》し、力《ちから》をつけておくことです」

さらに、こう付《つ》け加《くわ》えることを忘《わす》れなかった。

「壮大《そうだい》な未来《みらい》をめざすためには、現実《げんじつ》の日々《ひび》の戦《たたか》いが大切《たいせつ》です。固《かた》めるべきは足元《あしもと》です。人生《じんせい》には、さまざまな環境《かんきょう》の変化《へんか》もある。また、学会《がっかい》が難《なん》を受けることもあるでしょう。しかし、何があっても、退《しりぞ》かないことだ。決《けっ》して逃《に》げないことだ。生涯《しょうがい》、学会員の誇《ほこ》りを忘《わす》れず、傍観者《ぼうかんしゃ》となるのではなく、広宣流布の責任《せきにん》をもって、主体《しゅたい》者《しゃ》として生き抜いていくことが大事《だいじ》です」

伸一《しんいち》は、関西《かんさい》に次《つ》ぐ広宣流布《こうせんるふ》の柱《はしら》として、中部《ちゅうぶ》の建設《けんせつ》に心《こころ》を砕《くだ》いていた。そのために、青《せい》年《ねん》の育成《いくせい》に、ともかく力《ちから》を注《そそ》ごうとしていたのである。

翌《よく》十七日、伸一は総本山《そうほんざん》に向かった。今後《こんご》の総本山の建設計画《けいかく》の打ち合わせを行《おこな》うとともに、墓参《ぼさん》して戸田城聖《とだじょうせい》に帰国《きこく》の報告《ほうこく》をするためである。

戸田の墓前《ぼぜん》で、彼《かれ》は東洋広布《とうようこうふ》の扉《とびら》が開かれたことを報告し、さらに、不二《ふに》なる師弟《してい》の道《みち》を行くことを決意《けつい》するのであった。

総本山から東京《とうきょう》に戻《もど》った山本《やまもと》伸一は、十八日から始《はじ》まる東北《とうほく》六支部《しぶ》の結成大会《けっせいたいかい》に出席《しゅっせき》するため、直《ただ》ちに東北へ向かう予定《よてい》でいた。

しかし、アジアへの長《なが》い旅《たび》のあととあって、早急《そうきゅう》になさねばならぬ仕事《しごと》が山積《さんせき》していた。やむなく、十八日の会津《あいづ》と平《たいら》の二支部合同《ごうどう》の結成大会は理事長《りじちょう》らに任《まか》せて、伸一は、十九日の仙北《せんぼく》と石巻《いしのまき》の二支部合同の結成大会から出席することにした。

しかし、福島《ふくしま》の会津・平の友《とも》が落胆《らくたん》するのではないかと思《おも》うと、彼は身をきられるように辛《つら》かった。

会える同志《どうし》より、会えない同志を、功徳《くどく》の喜《よろこ》びを語《かた》る友より、いまだ苦悩《くのう》にあえいでいる友《とも》のことを、彼《かれ》はいつも考《かんが》えていた。

十九日、伸一《しんいち》は仙台《せんだい》に向かった。列車《れっしゃ》が福島《ふくしま》の県内《けんない》を通過《つうか》する間《あいだ》、彼は、そっと心《こころ》で題目《だいもく》を送《おく》った。福島の同志《どうし》の新《あら》たな旅立《たびだ》ちを祝《しゅく》しての唱題《しょうだい》であった。

仙北《せんぼく》、石巻《いしのまき》の両支部《りょうしぶ》の結成大会《けっせいたいかい》は、午後《ごご》六時から、仙台市公会堂《こうかいどう》で行《おこな》われた。

宮城《みやぎ》は、戸《と》田城聖《だじょうせい》が第二代会長《かいちょう》に就任《しゅうにん》して、最初《さいしょ》の地方《ちほう》支部の仙台支部が誕生《たんじょう》したところである。そこに、新たにまた、二つの支部が生まれたのである。

会場《かいじょう》は熱気《ねつき》と歓喜《かんき》に満《み》ちあふれていた。壇上《だんじょう》に並《なら》んだ支部の幹部《かんぶ》のなかで、石巻支部の支部長の吉成靖司《よしなりやすじ》が、何やら、盛《さか》んに口《くち》を動《うご》かしていることに、伸一は気づいた。おそらく小《こ》声《ごえ》で唱題しているのであろう。吉成は、実直《じっちょく》な人柄《ひとがら》であったが、口べたで、人前《ひとまえ》に立つと、いつも上がってしまうのである。

支部長の抱負《ほうふ》を前に、いたく緊張《きんちょう》しているにちがいなかった。伸一は、壇上で吉成と目が合うと、微笑《ほほえ》んだ。彼もホッとしたように、笑みを返した。

吉成は、石巻の広布《こうふ》の先駆者《せんくしゃ》であった。

戦時中《せんじちゅう》の一九四二年（昭和《しょうわ》十七年）、東京《とうきょう》にいた長兄《ちょうけい》の泰造《たいぞう》が、初代《しょだい》会長の牧口常三郎《まきぐちつねさぶろう》が出《しゅっ》席《せき》した座《ざ》談会《だんかい》で入会《にゅうかい》。そして、翌年《よくねん》の四三年（昭和十八年）に、この長兄の折伏《しゃくぶく》で、六人兄弟《きょうだい》の三男《なん》である靖司《やすじ》が信心《しんじん》を始《はじ》め、二人《ふたり》の弟《おとうと》も仏法《ぶっぽう》に目覚《めざ》めていった。

その直後《ちょくご》、軍部《ぐんぶ》政府《せいふ》の学会《がっかい》への大弾圧《だいだんあつ》が始まった。牧口会長《まきぐちかいちょう》、戸田《とだ》理事長《りじちょう》以下《いか》、幹部《かんぶ》が相《あい》次《つ》ぎ投獄《とうごく》されていったのである。

しかし、この暗黒《あんこく》の時代《じだい》にあっても、彼《かれ》らは揺《ゆ》るがなかった。温厚《おんこう》で寡黙《かもく》だが、こうと腹《はら》を決めたら一歩《いっぽ》も退《しりぞ》かない東北人《とうほくじん》の気性《きしょう》を、吉成《よしなり》の兄弟《きょうだい》はそのまま受け継《つ》いでいた。その信《しん》仰《こう》の炎《ほのお》は戦後《せんご》になると、いよいよ強《つよ》く燃《も》え盛《さか》った。

戦後、仙台支部《せんだいしぶ》が誕生《たんじょう》すると、吉成兄弟は、広布《こうふ》の戦野《せんや》を駆《か》けめぐった。

その後、長男《ちょうなん》の泰造《たいぞう》は、戸田城聖《じょうせい》の指導《しどう》を受けて出家《しゅっけ》し、学会出身《がっかいしゅっしん》の最初《さいしょ》の僧侶《そうりょ》となった。次いで、山本伸一《やまもとしんいち》が会長に就任《しゅうにん》した年の秋《あき》には、四男の宣正《のぶまさ》が出家し、さらに、戦後に入会《にゅうかい》した末弟《まってい》も、後《のち》に出家している。

この三人は、学会に脈打《みゃくう》つ護法《ごほう》の精神《せいしん》を貫《つらぬ》き、腐敗堕落《ふはいだらく》し、権威化《けんいか》していく宗門《しゅうもん》のなかで敢然《かんぜん》と戦《たたか》い、正法正義《しょうぼうしょうぎ》を守《まも》り抜いていったのである。

支部結成大会《けっせいたいかい》は、石巻《いしのまき》支部長の吉成靖司の抱負《ほうふ》となった。

「皆《みな》さん、私は決意《けつい》しました。折伏《しゃくぶく》の王者《おうじゃ》の支部をつくります。皆さんのために働《はたら》かせてもらいます。一緒《いっしょ》に戦ってください。そして、一緒に泣《な》いて、一緒に功徳《くどく》の喜《よろこ》びに包《つつ》まれようではありませんか！」

朴訥《ぼくとつ》とした口《くち》ぶりではあったが、大確信《だいかくしん》にあふれ、温《あたた》かい人柄《ひとがら》のにじみ出る抱負《ほうふ》であった。参加者《さんかしゃ》は、弾《はじ》けるような大拍手《だいはくしゅ》で応《こた》えた。

伸一《しんいち》のあいさつとなった。彼《かれ》は、ここでも、「常識《じょうしき》」の大切《たいせつ》さを語《かた》り、信心即生活《しんじんそくせいかつ》、仏法《ぶっぽう》即社会《しゃかい》の原理《げんり》を示《しめ》していった。

「私どもが信心をしているということは、あくまでも『信心即生活』のためであります。観念論《かんねんろん》でもなければ、精神修養《せいしんしゅうよう》のためでもありません。

仏法とは生活法なり――これが、牧口先生《まきぐちせんせい》、戸田《とだ》先生の達見《たつけん》でありました。生活のなかで、最高《さいこう》の価値《かち》を創造《そうぞう》していく根本法《こんぽんほう》が仏法です。大聖人《だいしょうにん》は『一切《いっさい》の法は皆是《みなこ》れ仏法』とお説《と》きになっていますが、これを現代的《げんだいてき》に申《もう》せば、『信心即生活』ということです。

であるならば、私どもの行動《こうどう》は、社会人として、人間《にんげん》として、誰《だれ》が見ても納得《なっとく》するというものでなくてはなりません。そこで、大切になってくるのが、私たちの『常識』です。信心をしているのだから、何をしてもかまわないなどと考《かんが》え違《ちが》いをし、思《おも》い上がった行動をして、批判《ひはん》されるならば、法を下《さ》げることになります」

鳥《とり》には鳥の道《みち》がある。魚《さかな》にも魚の道がある。そして、人間には、人間の生きるべき道がある。その最高《さいこう》の人間《にんげん》の道《みち》が仏法《ぶっぽう》である。

日蓮大聖人《にちれんだいしょうにん》は「教主釈尊《きょうしゅしゃくそん》の出世《しゅっせ》の本懐《ほんかい》は人の振舞《ふるまい》にて候《そうらい》けるぞ」（御書《ごしょ》一一七四ページ）と仰《おお》せである。仏《ほとけ》の悟《さと》りといっても、現実生活《げんじつせいかつ》のうえに、行動《こうどう》のうえに現《あらわ》れるのである。

ゆえに、仏の別名《べつみょう》を「世雄《せおう》」というように、仏法を実践《じっせん》する人は、人間社会《しゃかい》の王者《おうじゃ》であり、最高の常識人《じょうしきじん》でなければならない。

伸一《しんいち》は、さらに、身近《みぢか》な具体例《ぐたいれい》をあげながら、常識の大切《たいせつ》さを語《かた》っていった。

「信心《しんじん》していない親類《しんるい》や友人《ゆうじん》のところで、葬儀《そうぎ》があった場合《ばあい》、他宗《たしゅう》だから葬儀には行きたくないと、思《おも》う人もいるかもしれません。しかし、それは社会の常識に反《はん》します。

私たちは、他宗に祈《いの》りを捧《ささ》げに行くわけではありません。人間として、親類や友人の死《し》を悼《いた》み、冥福《めいふく》を祈るために葬儀に参加《さんか》するのです。

どのような葬式《そうしき》であっても、そこへ行《い》って、故人《こじん》のために題目《だいもく》を唱《とな》えること自体《じたい》が、最高の供養《くよう》であります。いかなる場合でも題目を唱えていけば、強《つよ》い信心であれば、いっさいの人に仏縁《ぶつえん》を結《むす》ぶことになるし、亡《な》くなった方《かた》の生命《せいめい》に、題目を送《おく》ってあげることができるのです。

また、たとえば、折伏《しゃくぶく》に熱《ねつ》が入《はい》り、夜遅《よるおそ》く人の家《いえ》を訪《たず》ねる。そして、相手《あいて》の方が休《やす》もうとしているのに、深夜《しんや》の十一時、十二時になっても話《はな》し込《こ》んでいるとすれば、これも非常識《ひじょうしき》です。自分《じぶん》では一生懸命《いっしょうけんめい》に、真心《まごころ》を込めて話しているつもりでも、結局《けっきょく》、相手《あいて》にとっては、ただ、迷惑《めいわく》な話《はなし》でしかありません。

しかし、それがわからずに、〝なぜ、あの人は素直《すなお》に信心《しんじん》できないのだろう〟などと頭《あたま》をひねっている人もいる。これでは信心などできるわけがありません。もちろん、このなかには、そんな方《かた》はいないと思《おも》いますが……」

爆笑《ばくしょう》が、会場《かいじょう》を包《つつ》んだ。多少《たしょう》、覚《おぼ》えがあるのか、頭を掻《か》いている人もいる。

「相手のことを思い、折伏《しゃくぶく》をするのは仏法者《ぶっぽうしゃ》として当然《とうぜん》ですが、あくまでも常識のうえに立ち、知恵《ちえ》を働《はたら》かせていくことです。非常識な行動《こうどう》があれば、どんなによい話をしても、その人を心《こころ》から納得《なっとく》させることはできません。理屈《りくつ》ではわかっても、やっぱり学会《がっかい》は嫌《きら》いだ、ということになってしまう。それが人情《にんじょう》というものです。

だからこそ、私どもは、知恵を磨《みが》き、人格《じんかく》を輝《かがや》かせて、常識豊《ゆた》かに、誰《だれ》からも尊敬《そんけい》されていく一人《ひとり》ひとりになることが大事《だいじ》であると申《もう》し上げたいのであります」

伸一《しんいち》の講演《こうえん》は終《お》わった。話しておきたいことはたくさんあったが、遠方《えんぽう》からの参加者《さんかしゃ》のことも考《かんが》え、早《はや》めに話を切り上げた。

この日はメーン会場《かいじょう》となった公会堂《こうかいどう》の大《だい》ホールのほか、小会議室《しょうかいぎしつ》など三部屋《へや》が、第二会場から第四会場として使《つか》われていた。

伸一《しんいち》はそこにも、直《ただ》ちに足《あし》を運《はこ》んだ。短《たん》時間でも、直接《ちょくせつ》、会って激励《げきれい》したかったからである。メーン会場以外《いがい》の人たちは、彼《かれ》の話《はなし》を、スピーカーを通《とお》して聞いていたにすぎない。伸一は、その人たちに、寂《さび》しい思《おも》いをさせたくなかった。

彼は、各《かく》会場に顔《かお》を出すと、笑顔《えがお》で語《かた》りかけた。

「どうも、お寒《さむ》いなか、ご苦労様《くろうさま》でございます。どうか、風邪《かぜ》を引かないようにお帰《かえ》りください」

突然《とつぜん》の山本会長《やまもとかいちょう》の登場《とうじょう》に、どよめきが起《お》こった。

「ご婦人《ふじん》の方《かた》は、妙法《みょうほう》に照《て》らされて、美《うつく》しく個性豊《こせいゆた》かに輝《かがや》き、そして、ご主人《しゅじん》や子供《こども》さんには、このうえなく優《やさ》しく、信心《しんじん》はどこまでも素直《すなお》に、さらに誤《あやま》った宗教《しゅうきょう》には敢然《かんぜん》と戦《たたか》う、お一人《ひとり》おひとりであってください。ただし、これを間違《まちが》えないようにお願《ねが》いしますね。ご主人や子供さんに、阿修羅《あしゅら》のごとく強《つよ》く挑《いど》み、信心は我見《がけん》に走《はし》るというのでは、皆《みな》さんも、周《まわ》りも不幸《ふこう》になってしまいますから」

どっと笑《わら》いが広《ひろ》がった。

「それから、壮年《そうねん》の方《かた》はうんと働《はたら》いて、奥《おく》さんに楽《らく》をさせてあげてください。そして、たまには、奥さんにお小遣《こづか》いをあげて、『これでインドに折伏《しゃくぶく》に行《い》ってらっしゃい』『アメリカに指導《しどう》に行ってらっしゃい』と言えるぐらいの境涯《きょうがい》になってください。

また、壮年は、奥さんに言われなくても、自分《じぶん》で勤行《ごんぎょう》をしましょう」

再《ふたた》び、笑《わら》いが弾《はじ》けた。

「ともかく、一生涯《いっしょうがい》、御本尊様《ごほんぞんさま》を離《はな》さず、学会《がっかい》とともに、広宣流布《こうせんるふ》のために生き抜いてください。私が申《もう》し上げたいことは、それだけです。それさえ覚《おぼ》えてもらえれば、あとの指導は、いっさい忘《わす》れても結構《けっこう》です。では、お気をつけて！」

参加者《さんかしゃ》のなかには、県北《けんほく》から、三時間、四時間とバスに揺《ゆ》られてやって来た人もいた。伸《しん》一《いち》は、もし、時間があるならば、全参加者と握手《あくしゅ》を交《か》わし、一人《ひとり》ひとりに励《はげ》ましの言葉《ことば》をかけて、送《おく》り出したかった。

ここにいる時は、周囲《しゅうい》はみんな同志《どうし》であり、心強《こころづよ》いにちがいない。しかし、ひとたび、それぞれの地域《ちいき》に戻《もど》れば、集落《しゅうらく》で学会員は、たった一人というケースもあろう。また、根雪《ねゆき》にも増《ま》して深《ふか》い旧習《きゅうしゅう》のなかで、一身《いっしん》に学会批判《ひはん》の矢面《やおもて》に立たねばならぬ場合《ばあい》もあろう。

それぞれの置《お》かれた厳《きび》しい立場《たちば》を思《おも》うと、伸一はせめて、温《あたた》かく、和《なご》やかに、愉快《ゆかい》に、友《とも》

を励《はげ》まし、確信《かくしん》と希望《きぼう》を与《あた》えたかった。

伸一《しんいち》は、バスの駐車場《ちゆうしやじよう》にも足《あし》を運《はこ》んだ。厳寒《げんかん》の空《そら》に星《ほし》が瞬《またた》いていた。

彼《かれ》は、心《こころ》で〝頑張《がんば》れ！　負《ま》けるな！〟と声援《せいえん》を送《おく》り、手を振《ふ》りながら、仏子《ぶつし》を抱《だ》き締《し》める思《おも》いで見送《みおく》るのであった。


翌《よく》二月二十日、山本《やまもと》伸一は、八戸支部《はちのへしぶ》の結成大会《けつせいたいかい》に出席《しゆつせき》するため、青森県《あおもりけん》の八戸にやって来た。

この日は好天《こうてん》に恵《めぐ》まれ、日中《につちゆう》は、白銀《はくぎん》の積雪《せきせつ》の上で、太陽《たいよう》の光《ひかり》がキラキラと名演技《めいえんぎ》をしていた。それでも、しばらく前まで、東南《とうなん》アジアの炎暑《えんしよ》の地域《ちいき》を訪問《ほうもん》していた伸一には、北国《きたぐに》の寒《さむ》さは身にしみた。しかし、これから大勢《おおぜい》の同志《どうし》と会えるかと思うと、彼の心は、熱《あつ》く燃《も》えるのであった。

会場《かいじよう》は、八戸城址《じようし》の一角《いつかく》に建《た》つ、八戸市民会館《しみんかいかん》であった。

夕方《ゆうがた》、伸一が会場に到着《とうちやく》すると、青年部《せいねんぶ》の役員《やくいん》が、元気《げんき》に会場の整理《せいり》にあたっていた。

「ゴクローサマデス！　アシモトニ、気ヲツケテクダサイ」

伸一の耳《みみ》に、少《すこ》したどたどしい日本語が聞こえた。見れば、数人のアメリカ人らしいメンバーがいた。黄色《きいろ》い腕章《わんしょう》をつけ、大柄《おおがら》な体《からだ》で機敏《きびん》に行動《こうどう》している。伸一《しんいち》は、目を細《ほそ》めた。

八戸支部《はちのへしぶ》の組織《そしき》は、米軍基地《べいぐんきち》のある三沢《みさわ》を擁《よう》していることから、アメリカ人のメンバーも誕生《たんじょう》しており、その数《かず》は五十人ほどにのぼっていたのである。

「オー、サンキュー！　本当《ほんとう》にご苦労様《くろうさま》」

伸一はこう言うと、右手《みぎて》を目の位置《いち》まであげて敬礼《けいれい》して見せ、それから、力《ちから》を込《こ》めて握手《あくしゅ》を交《か》わした。

伸一が、一人《ひとり》ひとりの手を強《つよ》く握《にぎ》り締《し》めると、彼《かれ》らはさらに強い力で握り返した。

軍務《ぐんむ》が終《お》わって帰国《きこく》すれば、今度《こんど》はアメリカの天地《てんち》で、広宣流布《こうせんるふ》の先駆《さきが》けとなる、大切《たいせつ》な創価《そうか》の宝《たから》ともいうべき青年たちである。一瞬《いっしゅん》の出会いではあったが、伸一は彼らの魂《たましい》に〝何か〟を植《う》えつけたかったのである。

強く、強く握手を交わした伸一の手は痛《いた》み、赤《あか》く腫《は》れた。しかし、そこに、熱《あつ》い心《こころ》が通《かよ》い合った。

四千余《よ》の友《とも》が集《つど》った結成大会《けっせいたいかい》では、伸一は、学会《がっかい》こそ、個人《こじん》の幸福《こうふく》と全人類《ぜんじんるい》の平和《へいわ》のために戦《たたか》っている、最《もっと》も尊《とうと》い団体《だんたい》であると訴《うった》え、八戸の同志《どうし》の健闘《けんとう》を念願《ねんがん》した。

大会終了後《しゅうりょうご》の懇談《こんだん》の折《おり》、彼は支部の幹部《かんぶ》に、家族《かぞく》のことを尋《たず》ねた。すると、支部の婦人《ふじん》部長《ぶちょう》になった、笠山愛子《かさやまあいこ》という婦人《ふじん》が、申《もう》し訳《わけ》なさそうに言った。

「主人《しゅじん》は出張《しゅっちょう》で、今日《きょう》は参加《さんか》することができませんでした……」

笠山が住《す》んでいるのは、十和田《とわだ》であったが、支部《しぶ》の中心《ちゅうしん》は八戸《はちのへ》となるため、今後《こんご》、かなりの負担《ふたん》をかけることになる。

伸一《しんいち》は、できれば彼女《かのじょ》の夫《おっと》にも会い、その旨《むね》を話《はな》し、よく理解《りかい》してもらおうと考《かんが》えていたのである。

翌朝《よくちょう》、彼《かれ》が宿泊《しゅくはく》した旅館《りょかん》に、笠山愛子たちが訪《たず》ねて来た。

笠山は、伸一に会うと、「実《じつ》は、主人のことですが……」と切り出した。

――彼女の夫は、勤行《ごんぎょう》もし、妻《つま》の活動《かつどう》も積極的《せっきょくてき》に応援《おうえん》してくれたが、仕事《しごと》が多忙《たぼう》なこともあり、会合《かいごう》には、ほとんど顔《かお》を出さなかった。

ある時、地元《じもと》の壮年《そうねん》の幹部《かんぶ》が、彼女に言った。

「お宅《たく》のご主人は、活動に参加しないが、それは*単己《たんご》の菩薩《ぼさつ》というんだよ。それじゃあ、だめだね」

単己の菩薩というのは、法華経《ほけきょう》の従地涌出品《じゅうじゆじゅっぽん》で、*地涌《じゆ》の菩薩が出現《しゅつげん》する際《さい》、眷属《けんぞく》をもたず、単独《たんどく》で出現してきた菩薩である。

〝単己《たんご》〟といっても、地涌《じゆ》の菩薩《ぼさつ》に変わりはないのだが、彼女《かのじょ》は、夫《おっと》が幸福《こうふく》になれないような気がして、その言葉《ことば》が頭《あたま》から離《はな》れないというのである。

「夫は、やはり単己の菩薩で、だめなのでしょうか」

笠山《かさやま》が、緊張《きんちょう》した顔《かお》で尋《たず》ねると、伸一《しんいち》は微笑《ほほえ》みながら答《こた》えた。

「大丈夫《だいじょうぶ》、心配《しんぱい》ありません。奥《おく》さんの学会活動《がっかいかつどう》を応援《おうえん》し、しっかり勤行《ごんぎょう》もしているんだから、立派《りっぱ》な地涌の菩薩です。そのうちに、必《かなら》ず活動にも励《はげ》むようになりますよ。ご主人《しゅじん》には、『ご苦労《くろう》をおかけしますが、くれぐれもよろしくお願《ねが》いします』とお伝《つた》えください」

笠山は、安心《あんしん》したように顔を赤《あか》らめた。

人間《にんげん》は、たった一言《ひとこと》の言葉で、悩《なや》むこともあれば、傷《きず》つくこともある。また安《やす》らぎも感《かん》じれば、勇気《ゆうき》を奮《ふる》い起《お》こしもする。ゆえに、言葉が大事《だいじ》になる。言葉への気遣《きづか》いは、人間としての配慮《はいりょ》の深《ふか》さにほかならない。友《とも》に〝希望《きぼう》の言葉〟〝勇気の言葉〟〝励ましの言葉〟〝正義《せいぎ》の言葉〟を発《はっ》し続《つづ》け、深き信仰《しんこう》へと導《みちび》く人こそ、まことの仏《ほとけ》の使《つか》いの姿《すがた》といえよう。

笠山は、この機会《きかい》に、支部婦人部長《しぶふじんぶちょう》としての心構《こころがま》えなど、伸一に、もっとたくさん指導《しどう》を受けたかった。

「先生《せんせい》、お願いがあるんです。私たちも、秋田《あきた》まで、ご一緒《いっしょ》させていただいて、よろしいでしょうか」

仲一《しんいち》は、これから十和田支部《とわだしぶ》の結成大会《けっせいたいかい》に出席《しゅっせき》するため、秋田《あきた》の大館《おおだて》に向かうところであった。

「いろいろ指導《しどう》して差《さ》し上げたいが、ご婦人《ふじん》は家庭《かてい》が大事《だいじ》ですから、今日《きょう》は、お帰《かえ》りなさい」

「家族《かぞく》にも断《ことわ》ってきていますので、大丈夫《だいじょうぶ》です。ぜひ、お願《ねが》いします」

「では、みんなで行きましょう」

こう言うと、笠山《かさやま》の顔《かお》に微笑《びしょう》が浮《う》かんだ。

仲一は、八戸支部《はちのへ》の数人の幹部《かんぶ》たちと一緒《いっしょ》に、大館に向かった。途中《とちゅう》、奥羽本線《おううほんせん》に乗《の》り換《か》えのため、青森駅《あおもりえき》に降《お》りると、地元《じもと》の青森支部の同志《どうし》が待《ま》っていた。

「先生《せんせい》!」

仲一の姿《すがた》を見つけ、青森支部の支部長の金木正《かねきただし》が駆《か》け寄《よ》って来た。

「八戸の支部結成、おめでとう。青森県は、また強《つよ》くなるね」

八戸支部は、青森支部から分かれ、誕生《たんじょう》した支部であった。

仲一が言うと、周囲《しゅうい》にいた青森支部の同志が、金木とともに一斉《いっせい》に「はい!」と元気《げんき》な返《へん》事《じ》をした。そのピタリと合った呼吸《こきゅう》が、伸一《しんいち》は嬉《うれ》しかった。

彼《かれ》は、前回《ぜんかい》、青森《あおもり》を訪問《ほうもん》した時のことが思《おも》い出された。

それは、伸一が総務《そうむ》であった一九五八年（昭和《しょうわ》三十三年）の十一月三日のことである。彼が青森にやって来たのは、青森支部《しぶ》結成《けっせい》の準備《じゅんび》のためであった。

伸一は、まず、金木《かねき》の自宅《じたく》で開かれた、男女青年部《だんじょせいねんぶ》の幹部《かんぶ》の人事《じんじ》面接《めんせつ》をした。そこで、彼は訴《うった》えた。

「このたび、青森支部が結成されますが、皆《みな》さんの手で、新《あたら》しい広布《こうふ》の扉《とびら》を開いてほしい。青森の〝青〟は青年の青です。また〝森〟は人材《じんざい》が陸続《りくぞく》と育《そだ》ちゆく森です。若《わか》き闘将《とうしょう》が世《せ》界《かい》に先駆《さきが》けて立ち上がる天地《てんち》こそ、この青森であると、私は信《しん》じております」

さらに、このあと、支部結成の打ち合わせがもたれた。

青森支部の誕生《たんじょう》により、これまで幾《いく》つかの支部に所属《しょぞく》していた青森県の組織《そしき》は、一つに統《とう》合《ごう》されることになる。そして、支部長は金木正《ただし》、支部婦人部長《ふじんぶちょう》は妻《つま》のキヨに内定《ないてい》し、支部には九つの地区《ちく》がつくられることになった。

しかし、一言《ひとこと》に青森県といっても多様《たよう》であり、古《ふる》くは津軽藩《つがるはん》と南部藩《なんぶはん》の二藩に属《ぞく》し、伝統《でんとう》的《てき》に双方《そうほう》は、犬猿《けんえん》の仲《なか》とも、ライバル同士《どうし》とも言われてきた。もともとは、豊臣秀吉《とよとみひでよし》の時代《じだい》に、津軽《つがる》に領地《りょうち》を持《も》つ、南部氏《なんぶうじ》の武将《ぶしょう》が独立《どくりつ》してしまったことから、それが住民感情《じゅうみんかんじょう》にもなり、尾《お》を引いてきたのである。

いい意味《いみ》での競《きそ》い合いは発展《はってん》の力《ちから》となるが、感情的な対立《たいりつ》は、広布《こうふ》の組織《そしき》を破壊《はかい》する要因《よういん》となる。それだけに、新支部《しんしぶ》が、一つにまとまり、触発《しょくはつ》し合っていけるかどうかに、今後《こんご》のいっさいがかかっていた。

伸一《しんいち》は、内定《ないてい》した人事《じんじ》を発表《はっぴょう》すると、言った。

「長時間の会合《かいごう》で腰《こし》も痛《いた》そうですので、金木《かねき》さんと地区部長《ちくぶちょう》になられる皆《みな》さんは、立って前に来ていただけますか」

金木を含《ふく》め、十人の壮年《そうねん》が前に進《すす》んだ。

伸一は、その壮年たちに言った。

「では、金木さんを真《ま》ん中《なか》にして、みんなで囲《かこ》み、肩《かた》を組《く》んでください」

皆、不可解《ふかかい》そうな顔《かお》をしながら、金木を囲んで、円陣《えんじん》を組んだ。

会場《かいじょう》にいた、ほかの参加者《さんかしゃ》も、何が始《はじ》まるのかと、目を光《ひか》らせていた。

壮年の一人《ひとり》が確認《かくにん》した。

「これで、いいんでしょうか」

「はい。結構《けっこう》です。皆《みな》さん、どうか、この姿《すがた》を忘《わす》れないでください。これが、今後《こんご》、青森《あおもり》支部《しぶ》がめざす団結《だんけつ》の姿です。支部長を中心《ちゅうしん》にして、九人の地区部長《ちくぶちょう》が、しっかりと肩《かた》を組《く》み合う。そうすれば、この輪《わ》を、誰《だれ》も乱《みだ》すことはできません。しかし、円陣《えんじん》が崩《くず》れて、九人の地区部長がバラバラになれば、すぐに攪乱《かくらん》されてしまいます。団結が力《ちから》なんです」

金木《かねき》たちは、ここに至《いた》って、伸一《しんいち》の真意《しんい》を、ようやく理解《りかい》し始《はじ》めた。

伸一は言葉《ことば》をついだ。

「地区部長になられる皆さんは、どこまでも支部長を守《まも》ってください。また、支部長になられる金木さんは、地区部長のために、支部の全員《ぜんいん》のために、尽《つ》くしていってください。同《どう》志《し》を守れば、自分《じぶん》が守られます。それが仏法《ぶっぽう》の因果《いんが》の理法《りほう》です。学会《がっかい》は仏意仏勅《ぶついぶっちょく》の目標《もくひょう》をもった組織《そしき》です。それを、幹部《かんぶ》が自分の感情《かんじょう》で仲違《なかたが》いし、団結を乱していくようなことになれば、その罪《つみ》は重《おも》いといえます。これから先、何かあったら、この円陣を思《おも》い出して、青森は信心根本《しんじんこんぽん》に、団結第一で、日本一仲の良《よ》い支部をつくっていってください」

十人は声《こえ》をそろえ、「はい!」と力強《ちからづよ》く応《こた》えた。

「団結」が大切《たいせつ》であるということは、皆、頭《あたま》では、わかっていた。伸一は、それを生命《せいめい》に刻《きざ》んでほしかったのである。

この日の夜《よる》、市内《しない》の会場《かいじょう》に、青森県下《あおもりけんか》の幹部《かんぶ》が集《つど》って、指導会《しどうかい》が開かれた。伸一《しんいち》は、ここでも、広宣流布《こうせんるふ》の大指導者である戸田城聖《とだじょうせい》の弟子《でし》として、仲良《なかよ》く、どこまでも団結《だんけつ》第一で前進《ぜんしん》していこうと呼《よ》びかけた。

青森支部《しぶ》は、十一月九日の第十九回本部《ほんぶ》総会《そうかい》で誕生《たんじょう》することになるが、これが事実上《じじつじょう》の、支部の出発《しゅつぱつ》となったのである。

支部結成《けつせい》の喜《よろこ》びは、爆発的《ばくはつてき》な折伏《しゃくぶく》の波《なみ》となり、わずか一年後には、青森支部は結成時の七千五百世帯《せたい》から、倍増《ばいぞう》の一万五千世帯に発展《はってん》。この大飛躍《だいひやく》が、八戸《はちのへ》支部の誕生につながっていったのである。

青森駅《えき》での、青森支部の同志《どうし》との語《かた》らいのあと、山本《やまもと》伸一は秋田《あきた》の大館《おおだて》に向かった。

一面《いちめん》の雪景色《ゆきげしき》のなかを、列車《れっしゃ》は疾走《しっそう》していった。しばらく行くと、降《ふ》っていた雪も止《や》み、雲間《くもま》から日の光《ひかり》が差《さ》し始《はじ》めた。それが、地上《ちじょう》と天空《てんくう》とを結《むす》ぶ梯子《はしご》のようでもあった。

大館駅に着《つ》くと、十和田《とわだ》支部長の島津達夫《しまづたつお》たちが車《くるま》で迎《むか》えに来てくれていた。

早速《さっそく》、秋田の県北一帯《けんほくいったい》から集った同志が待《ま》つ、市内の会場をめざした。

ところが、道路《どうろ》は著《いちじる》しい渋滞《じゅうたい》であった。気温《きおん》が上がって積雪《せきせつ》がとけ出し、車《くるま》の往来《おうらい》で深《ふか》い轍《わだち》ができたために、どの車も徐行運転《じょこううんてん》していたからである。

車内《しゃない》で伸一《しんいち》は、島津《しまづ》に語《かた》りかけた。

「その後《ご》、体《からだ》の方《ほう》はどうですか」

「はい。もう、すっかりよくなりました。この通《とお》りピンピンしています」

「それはよかった……」

島津は、一九五一年（昭和二十六年《しょうわ》）の入会《にゅうかい》であった。秋田《あきた》の草分《くさわ》けの一人《ひとり》として活躍《かつやく》してきたが、五年が過《す》ぎた五六年（昭和三十一年）の十月の早朝《そうちょう》、縁側《えんがわ》で貧血《ひんけつ》を起《お》こした。そして、頭《あたま》から地面《じめん》に転落《てんらく》してしまったのである。

その音《おと》に家人《かじん》が跳《と》び起きると、仰向《あおむ》けに島津が倒《たお》れていた。病院《びょういん》に運《はこ》び込《こ》んだが、頸椎《けいつい》（首《くび》の骨《ほね》）や胸椎《きょうつい》、腰椎《ようつい》の一部《いちぶ》が圧迫骨折《あっぱくこっせつ》していた。重傷《じゅうしょう》である。手術《しゅじゅつ》にあたった医師《いし》は、とても全快《ぜんかい》は望《のぞ》めないと首を振《ふ》った。伸一もその知らせを聞き、心配《しんぱい》でならなかった。

しかし、島津は、医師の予測《よそく》を覆《くつがえ》した。彼《かれ》には、広宣流布《こうせんるふ》の使命《しめい》を果《は》たすために生きたいという、強《つよ》い決意《けつい》があった。島津は、わずか三カ月後には退院《たいいん》するまでに回復《かいふく》した。その喜《よろこ》び御本尊《ごほんぞん》への感謝《かんしゃ》を胸《むね》に、布教《ふきょう》に励《はげ》んだ。

あごから下《した》をコルセットで固定《こてい》し、「まるで、ヨロイ姿《すがた》だな」と笑《わら》いながら、折伏《しゃくぶく》に命《いのち》を燃《も》やした。そして、事故《じこ》から半年後《はんとしご》には、遂《つい》に職場復帰《しょくばふっき》を果《は》たしたのである。

その直後《ちょくご》の一九五七年(昭和三十二年《しょうわ》)五月、当時《とうじ》、青年部《せいねんぶ》の室長《しっちょう》であった伸一《しんいち》が秋田《あきた》を訪問《ほうもん》した。そして、秋田支部《しぶ》の総会《そうかい》に出席《しゅっせき》した翌朝《よくちょう》、伸一は、島津《しまづ》をはじめ、数人の秋田の友《とも》と一緒《いっしょ》に、十和田湖《とわだこ》に向かった。

まばゆい新緑《しんりょく》の道《みち》を、バスは登《のぼ》っていった。伸一は、発荷峠《はっかとうげ》で展望台《てんぼうだい》に立った。この時、初《はじ》めて十和田湖を眼下《がんか》にした。青《あお》く澄《す》み切った水面《みなも》に、若葉《わかば》が鮮《あざ》やかに影《かげ》を落《お》としていた。

彼《かれ》は、見事《みごと》に蘇生《そせい》した島津に話《はな》しかけた。

「島津さんが、元気《げんき》になってよかった。宿命《しゅくめい》を一つ乗《の》り越《こ》えましたね」

「はい。医者《いしゃ》も驚《おどろ》いています。今回《こんかい》の体験《たいけん》で、私は信心《しんじん》のすばらしさを、心《こころ》の底《そこ》から感《かん》じました」

伸一は、静《しず》かに頷《うなず》くと言った。

「それは、あなたが純粋《じゅんすい》に、広宣流布《こうせんるふ》のために生きようとしてきたからです。宿業《しゅくごう》を転換《てんかん》していく力《ちから》は、広布《こうふ》への強《つよ》い一念《いちねん》と実践《じっせん》です。そこに、地涌《じゆ》の菩薩《ぼさつ》の清浄《しょうじょう》にして強靭《きょうじん》な大生《だいせい》命《めい》が涌現《ゆげん》していくからです」

伸一《しんいち》は、視線《しせん》を湖面《こめん》に落《お》とした。そして、島津《しまづ》を見て言った。

「この湖《みずうみ》の水《みず》はきれいだ……。しかし、今の世の中《なか》は、あまりにも濁《にご》っている。利己主義《りこしゅぎ》、利害《りがい》ばかりです。その社会《しゃかい》を浄化《じょうか》していくのが広宣流布《こうせんるふ》です。島津さん、これからも、この十和田湖《とわだこ》の水のように、清《きよ》い信心《しんじん》を貫《つらぬ》いていってください」

その言葉《ことば》は、島津の胸《むね》に突《つ》き刺《さ》さった。

島津は頑固《がんこ》な性格《せいかく》だが、信心には純真《じゅんしん》であった。以来《いらい》、その純真さに磨《みが》きがかかった。そして、このたび十和田支部長《しぶちょう》となって、再《ふたた》び法戦《ほうせん》の最前線《さいぜんせん》に躍《おど》り出たのである。

今、支部結成大会《けっせいたいかい》に向かう車《くるま》の中で、伸一は〝不死鳥《ふしちょう》〟のように蘇《よみがえ》った島津を見ると、嬉《うれ》しくてならなかった。

渋滞《じゅうたい》のなかで、車は歩《ある》くような速度《そくど》でしか進《す》まなかった。ようやく会場近《かいじょうちか》くまで来た時、雪道《ゆきみち》にできた溝《みぞ》に車輪《しゃりん》がはまり、自動車《じどうしゃ》は動《うご》けなくなってしまった。

運転手《うんてんしゅ》は必死《ひっし》にエンジンを噴《ふ》かしたが、車輪は空転《くうてん》するばかりであった。伸一は、同乗《どうじょう》のメンバーと一緒《いっしょ》に車を押《お》し始《はじ》めた。

場外整理《じょうがいせいり》にあたっていた青年部《せいねんぶ》の役員《やくいん》も、応援《おうえん》にやって来た。

「そーれ！」

長靴《ながぐつ》を履《は》いていなかった伸一《しんいち》のズボンは濡《ぬ》れ、靴《くつ》の中《なか》にも水《みず》が染《し》み込《こ》んだ。

車《くるま》が溝《みぞ》を脱《だつ》した時には、開会直前《かいかいちょくぜん》になっていた。伸一は、駆《か》け足《あし》で会場《かいじょう》に入《はい》っていった。

支部結成大会《しぶけっせいたいかい》が始《はじ》まり、やがて、会長《かいちょう》の伸一の講演《こうえん》となった。

彼《かれ》は、ざっくばらんに語《かた》り始めた。

「私の話《はなし》といっても、学会員《がっかいいん》の皆《みな》さんが、御本尊《ごほんぞん》を持《たも》って幸福《こうふく》になること――これに尽《つ》きるんです。その一つのお手本《てほん》が、この島津《しまづ》支部長です。一度《いちど》は、死《し》にかかった方《かた》です。にもかかわらず、こんなに元気《げんき》になり、皆さんの面倒《めんどう》をみる責任《せきにん》ある立場《たちば》になった。この厳然《げんぜん》たる事実《じじつ》は、誰《だれ》も否定《ひてい》できません。

どうか、その姿《すがた》をお手本として、御本尊の功力《くりき》は絶対《ぜったい》であるとの大確信《だいかくしん》で、信心《しんじん》に励《はげ》んでください」

山本《やまもと》伸一が支部長の島津達夫《たつお》について語ると、島津は立ち上がり、参加者《さんかしゃ》に深《ふか》く礼《れい》をした。大拍手《だいはくしゅ》が起《お》こった。

体験《たいけん》を刻《きざ》んだ人は強《つよ》い。その存在《そんざい》には、百万言《ひゃくまんげん》に勝《まさ》る説得力《せっとくりょく》がある。ゆえに、労苦《ろうく》はかけがえのない、人間《にんげん》としての財産《ざいさん》になる。

このあと、伸一《しんいち》が話《はなし》を続《つづ》けようとした時、数百人の人が、名残惜《なごりお》しそうに立ち上がった。列車《れっしゃ》の時間の都合《つごう》で、先に帰《かえ》らなければならない、遠方《えんぽう》のメンバーである。伸一は事前《じぜん》に島《しま》津《づ》から、それを聞いていた。

周囲《しゅうい》を気遣《きづか》いながら席《せき》を立つメンバーに向かって、彼《かれ》はマイクを握《にぎ》って呼《よ》びかけた。

「帰りの列車の時間ですね。今日《きょう》は、本当《ほんとう》に遠《とお》くから、ご苦労様《くろうさま》でした。どうか気をつけてお帰りください。家族《かぞく》の皆《みな》さんにも、よろしく。健闘《けんとう》を祈《いの》ります。

さあ、みんなで、拍手《はくしゅ》で送《おく》りましょう」

彼は、こう語《かた》ると、自《みずか》ら拍手を送った。それに呼応《こおう》して、会場《かいじょう》に拍手が響《ひび》き渡《わた》った。帰る友《とも》も元気《げんき》に手を振《ふ》り、おじぎをし、ある人は残《のこ》った同志《どうし》と握手《あくしゅ》を交《か》わし、会場を後《あと》にした。

会合《かいごう》の途中《とちゅう》で帰らねばならないというのは、心苦《こころぐる》しく、また、寂《さび》しいものだ。伸一は、遠方からの参加者《さんかしゃ》に、決《けっ》して、そんな思《おも》いをさせたくなかった。

一言《ひとこと》、声《こえ》をかけて送り出せば、帰る人の心は晴《は》れ、明《あか》るい気持《きも》ちで、新《あたら》しい出発《しゅっぱつ》ができる。ささいなことのようだが、そうした配慮《はいりょ》こそが、リーダーの大切《たいせつ》な責務《せきむ》といってよい。

温《あたた》かい余韻《よいん》が残るなか、伸一は、再《ふたた》び話を続けた。

彼は、人間《にんげん》として、いかなる思想的《しそうてき》なバックボーン（背骨《せぼね》）をもつかが大事《だいじ》になると語った。そして、日蓮大聖人《にちれんだいしょうにん》の仏法《ぶっぽう》こそ、世界《せかい》の平和《へいわ》と幸福《こうふく》を実現《じつげん》する、最高《さいこう》のバックボーンであることを訴《うった》え、こう話《はなし》を結《むす》んだ。

「全世界が私たちの活躍《かつやく》の舞台《ぶたい》であります。私たちは、仏《ほとけ》のお使《つか》いとして、全地球《ぜんちきゅう》を堂々《どうどう》と闊歩《かっぽ》し、幸福の大道《たいどう》を開いてまいろうではありませんか」

皆《みな》、希望《きぼう》を感《かん》じた。旧習《きゅうしゅう》に縛《しば》られながら、山間《やまあい》の地で、黙々《もくもく》と信心《しんじん》に励《はげ》む同志《どうし》は、その言葉《ことば》に、垂《た》れこめた冬《ふゆ》の雲《くも》を払《はら》い、春《はる》の陽光《ようこう》に照《て》らし出されるような思《おも》いをいだいた。

大きな喜《よろこ》びのなか、支部結成大会《しぶけっせいたいかい》は幕《まく》を閉《と》じた。

水《みず》に濡《ぬ》れた伸一《しんいち》の足《あし》は冷《ひ》えきっていたが、靴《くつ》を乾《かわ》かす間《ま》もなく、彼《かれ》は地区部長会《ちくぶちょうかい》に臨《のぞ》み、ここでも力《ちから》の限《かぎ》り友《とも》を励ますのであった。

東北《とうほく》の指導《しどう》から帰《かえ》った山本《やまもと》伸一は、溜《た》まっていた本部《ほんぶ》の執務《しつむ》に取り組《く》む、慌《あわ》ただしい日が続《つづ》いていた。

二月二十五日には、東京体育館《とうきょうたいいくかん》で二月度の本部幹部会《かんぶかい》が開かれた。場内《じょうない》はアジア指導の帰国報告《きこくほうこく》に沸《わ》いた。

席上《せきじょう》、伸一は、三月初旬《しょじゅん》に行《おこな》われる教学試験《きょうがくしけん》について語《かた》っていった。

「試験《しけん》を前にして、今、皆《みな》さんの頭《あたま》のなかも、非常《ひじょう》に忙《いそが》しいのではないかと思《おも》います。

本日《ほんじつ》、私が申《もう》し上げたいことは、試験に合格《ごうかく》した方《かた》は威張《いば》らず、また、合格しなかった方も、卑屈《ひくつ》になったりしてはならないということです。学会《がっかい》の試験は、日蓮大聖人《にちれんだいしょうにん》の大生命《だいせいめい》哲理《てつり》を、生涯《しょうがい》、研鑽《けんさん》していくための、一つの目安《めやす》、励《はげ》みとして実施《じっし》されるものであります。

したがって、試験に合格しても、慢心《まんしん》を起《お》こして、周囲《しゅうい》の同志《どうし》を見下《みくだ》すようになれば、信心《しんじん》の不合格者となってしまいます。仮《かり》に、試験には、受からないとしても、それを契機《けいき》に奮起《ふんき》して教学《きょうがく》に励み、信心の合格者となっていけばいいんです。むしろ、それが大事《だいじ》なんです。そして、御書《ごしょ》を心肝《しんかん》に染《そ》めて、どのような難《なん》が競《きそ》い起ころうが、微動《びどう》だにしない、強《つよ》い、強い信心を確立《かくりつ》していっていただきたいのであります」

教学の試験は、三月五日の日曜日《にちようび》に、全国《ぜんこく》百二十五都市《とし》で、百八十余《よ》の会場《かいじょう》で行《おこな》われた。

まず午前《ごぜん》九時には、講師《こうし》、助師《じょし》から助教授《じょきょうじゅ》、講師への昇格《しょうかく》試験が、続《つづ》いて午後《ごご》二時からは、新《あら》たに教学部員《ぶいん》となる任用《にんよう》試験が実施された。

昇格、任用を含《ふく》めた、全国の総受験者数《そうじゅけんしゃすう》は十一万余で、それは、一九五九年（昭和《しょうわ》三十四年）に行われた試験の受験者の約《やく》三・三倍《ばい》となっていた。

ここにも、伸一《しんいち》の会長就任後《かいちょうしゅうにんご》の、学会の目覚《めざ》ましい大前進《だいぜんしん》の姿《すがた》があった。

受験者《じゆけんしや》のなかには、主婦《しゆふ》もいれば、会社《かいしや》の社長《しやちよう》も、学生《がくせい》も、教師《きようし》もいた。年齢《ねんれい》も、十代半《だいなか》ばの少年《しようねん》もいれば、高齢者《こうれいしや》もいた。

そうした人たちが仕事《しごと》や学業《がくぎよう》、さらに、学会活動《がつかいかつどう》の合間《あいま》を縫《ぬ》って、御書《ごしよ》に取り組《く》み、最高《さいこう》の仏法哲理《ぶつぽうてつり》の研鑽《けんさん》に励《はげ》んできたのである。

この勉強《べんきよう》を通《とお》し、読《よ》み書《か》きができなかった人が、できるようになったという話《はなし》も、各地《かくち》で聞かれた。

時代《じだい》、社会《しやかい》の建設《けんせつ》は、民衆《みんしゆう》が確固《かつこ》たる生命《せいめい》の哲学《てつがく》をもち、自己《じこ》の使命《しめい》を自覚《じかく》していくことから始《はじ》まる。それは、まさに、民衆の未聞《みもん》の哲学運動《うんどう》であり、大教育《だいきよういく》運動であった。

教学試験《きようがくしけん》が行《おこな》われた日の夜《よる》、山本伸一《やまもとしんいち》は、学会本部《ほんぶ》で、教学部長《ぶちよう》の山平忠平《やまだいらちゆうへい》に、声《こえ》をかけた。

「全国《ぜんこく》の採点《さいてん》は、順調《じゆんちよう》に進《すす》んでいますか」

「ええ。順調です」

伸一は、つぶやくように言った。

「受験者は、みんな頑張《がんば》ったんだから、全員《ぜんいん》、合格《ごうかく》にしてあげたいな……」

「それはできません！」

山平《やまだいら》は、力《ちから》を込《こ》めて答《こた》えた。伸一《しんいち》は、思《おも》わず笑《わら》いを浮《う》かべた。

「当然《とうぜん》だよ。試験《しけん》だもの……。ただ、それが私の気持《きも》ちなんです。たとえば、子育《こそだ》てで忙《いそが》しい婦人《ふじん》が、学会活動《がっかいかつどう》をしながら、そのうえ懸命《けんめい》に御書《ごしょ》を学《まな》ぶ。大変《たいへん》なことです。ゆっくり勉強《べんきょう》しようと思っても、子供《こども》は泣《な》くし、掃除《そうじ》や食事《しょくじ》のしたくもしなければならない。戦場《せんじょう》で御書を開くようなものでしょう。仏道修行《ぶつどうしゅぎょう》だから、当然かもしれないが、そういう人たちを、試験の結果《けっか》で落胆《らくたん》させたくないんです。合格《ごうかく》した人はよい。合格できなかった人を、どうすれば励《はげ》ませるかを、私は、いつも考《かんが》えているんです」

山平は、その言葉《ことば》に感動《かんどう》を覚《おぼ》えた。彼《かれ》は、自分《じぶん》は採点《さいてん》の集計《しゅうけい》の数字《すうじ》ばかり気にしていたが、山本会長《やまもとかいちょう》は数字の向こうにいる人間《にんげん》を、同志《どうし》を見ていたことを知ったのである。

試験の採点は、五日夜《よる》から始《はじ》まって、八日には終《お》わった。このあと、昇格《しょうかく》試験の合格者は、第二次試験の面接《めんせつ》を受けることになる。

山本伸一は、八日にまとめられた採点の結果を、関西本部《かんさいほんぶ》で目にした。これまでに比《くら》べ、平均点《へいきんてん》も高かった。彼が会長就任以来《しゅうにんいらい》、訴《うった》え続《つづ》けてきた教学《きょうがく》の研鑽《けんさん》が、大きく実《み》を結《むす》んでいったのである。

ところで、彼《かれ》は、この時、権力《けんりょく》の魔性《ましょう》との激《はげ》しい攻防戦《こうぼうせん》のさなかにあった。

あの大阪事件《おおさかじけん》の裁判《さいばん》が、いよいよ大きな山場《やまば》に差《さ》しかかっていたのである。

この事件は、一九五七年（昭和《しょうわ》三十二年）四月に行《おこな》われた、参議院議員《さんぎいんぎいん》の大阪地方区《ちほうく》の補欠《ほけつ》選挙《せんきょ》で、東京《とうきょう》から来た一部《いちぶ》の会員《かいいん》が引き起《お》こした買収《ばいしゅう》事件と、熱心《ねっしん》さのあまり、何人《なんにん》かの同《どう》志《し》が戸別訪問《こべつほうもん》し、逮捕《たいほ》されたことから始《はじ》まった事件であった。

伸一《しんいち》が、この選挙の最高責任者《さいこうせきにんしゃ》であったことから、彼にも嫌疑《けんぎ》がかけられ、その年の七月三日から十五日間にわたって逮捕・勾留《こうりゅう》されたのである。

また、買収事件を起こし、逮捕された首謀者《しゅぼうしゃ》らが、当時《とうじ》、理事長《りじちょう》であった小西武雄《こにしたけお》の許可《きょか》を得《え》たかのように供述《きょうじゅつ》したことから、小西も逮捕されたのである。

この大阪事件には、会員の選挙違反《いはん》を契機《けいき》にして、新《あたら》しき民衆勢力《みんしゅうせいりょく》である創価学会《そうかがっかい》の台頭《たいとう》を打ち砕《くだ》こうとする権力の意図《いと》が潜《ひそ》んでいたといってよい。

検察《けんさつ》は、取り調《しら》べの段階《だんかい》で、選挙違反が山本《やまもと》伸一と無関係《むかんけい》であることに、気づき始めたようだ。しかし、違反を伸一の指示《しじ》による組織的犯行《そしきてきはんこう》に仕立《した》てあげるために、検事《けんじ》は、彼が罪《つみ》を認《みと》めなければ、会長《かいちょう》である戸田城聖《とだじょうせい》を逮捕するなどと言い出したのである。

伸一《しんいち》が逮捕《たいほ》されたのは、戸田《とだ》の逝去《せいきょ》の九カ月前のことであった。当時《とうじ》、戸田の体《からだ》は、既《すで》に衰弱《すいじゃく》しており、逮捕は、死《し》にも結《むす》びつきかねなかった。

伸一は、呻吟《しんぎん》の末《すえ》に、ひとたびは一身《いっしん》に罪《つみ》を被《かぶ》り、法廷《ほうてい》で真実《しんじつ》を証明《しょうめい》することを決意《けつい》したのである。

裁判《さいばん》は、一九五七年（昭和三十二年《しょうわ》）十月十八日から始《はじ》まった。起訴《きそ》の段階《だんかい》から、伸一の買《ばい》収関係《しゅうかんけい》の容疑《ようぎ》は外《はず》されていた。

そして、この六一年（昭和三十六年）の二月末《まつ》、買収の嫌疑《けんぎ》がかけられていた、理事長《りじちょう》の小《こ》西武雄《にしたけお》に、判決《はんけつ》が出された。当然《とうぜん》のことながら、小西は無罪《むざい》となった。

判決に対《たい》して、検察《けんさつ》の控訴《こうそ》はなかったが、彼らは会長《かいちょう》の伸一だけは、なんとしても有罪《ゆうざい》に追《お》い込《こ》もうと躍起《やっき》になったようだ。

この三月六日、七日、八日も、大阪地裁《おおさかちさい》で裁判が開かれていたのである。

その間《かん》に、伸一は弁護団《べんごだん》と打ち合わせを行《おこな》った。

その時、弁護士の一人《ひとり》が言った。

「山本《やまもと》さん、事態《じたい》はかなり厳《きび》しい見通《みとお》しです。逮捕されたメンバーの警察調書《けいさつちょうしょ》にも、検事《けんじ》調書にも、あなたの指示《しじ》で選挙違反《せんきょいはん》を行ったという発言《はつげん》がある。

しかも、あなたも、検事《けんじ》に、それを認《みと》める供述《きょうじゅつ》をしている。私どもは一生懸命《いっしょうけんめい》にやりますが、有罪《ゆうざい》は覚悟《かくご》していただきたい」

伸一《しんいち》は、憮然《ぶぜん》とした顔《かお》で言った。

「無実《むじつ》の人間《にんげん》が、どうして断罪《だんざい》されなければならないのでしょうか。真実《しんじつ》を明《あき》らかにして、無罪《むざい》を勝ち取るのが、弁護士《べんごし》の使命《しめい》ではありませんか」

「それは、そうなんですが、検察《けんさつ》は、巧妙《こうみょう》に証言《しょうげん》を積《つ》み上げてきている。それを覆《くつがえ》すことは、容易《ようい》ではないのです」

「私は、自分《じぶん》が有罪になることを恐《おそ》れているのではありません。ただ、検察という国家権《けん》力《りょく》の、そんな横暴《おうぼう》が許《ゆる》されてしまえば、正義《せいぎ》も、人権《じんけん》もなくなってしまうことを恐れるのです。だから、私は戦《たたか》います。断固《だんこ》、無罪を勝ち取ってみせます」

彼《かれ》は弁護士の言葉《ことば》に、孤立無援《こりつむえん》を感《かん》じていた。

大阪事件《おおさかじけん》の裁判《さいばん》は、常《つね》に、重《おも》く伸一の心《こころ》にのしかかっていた。場合《ばあい》によっては、会長《かいちょう》である自分が、無実の罪《つみ》で服役《ふくえき》する事態《じたい》になりかねないのである。弁護士さえ、それを覚悟しろと言うのだ。同志《どうし》の悲《かな》しみを思《おも》うと、たまらなく苦《くる》しかった。

しかし、彼は思った。

〝広宣流布《こうせんるふ》の遥《はる》かな道程《どうてい》を思《おも》えば、こんなことなど、まだ小難《しょうなん》にすぎない。春《はる》の嵐《あらし》だ。未《み》来《らい》には、想像《そうぞう》もできない大難《だいなん》が待《ま》ち受けていよう〟

広宣流布への決定《けつじょう》した一念《いちねん》から発《はっ》する、彼《かれ》の烈々《れつれつ》たる生命力《せいめいりょく》は、その苦難《くなん》をはねのけ、愛《あい》する同志《どうし》への励《はげ》ましの闘魂《とうこん》を燃《も》え上がらせていったのである。

伸一《しんいち》は、大阪《おおさか》に滞在《たいざい》していた三月七日の夜《よる》には、中之島《なかのしま》の中央公会堂《ちゅうおうこうかいどう》で行《おこな》われた関西男子《かんさいだんし》部《ぶ》の幹部会《かんぶかい》と、大手前会館《おおてまえかいかん》での関西女子部《じょしぶ》の幹部会に出席《しゅっせき》した。

さらに、翌《よく》八日の夜は、大阪市中央体育館《たいいくかん》での、関西の三総支部《そうしぶ》の合同《ごうどう》幹部会に臨《のぞ》んだ。

この合同幹部会では、関西の音楽隊《おんがくたい》、鼓笛隊《こてきたい》が、初《はじ》めて正式《せいしき》に出場《しゅつじょう》し、演奏《えんそう》を披露《ひろう》した。

山本会長《やまもとかいちょう》が登壇《とうだん》した時には、多くの幹部の指導《しどう》が続《つづ》いたあとで、開会《かいかい》から、かなりの時間が経過《けいか》していた。

伸一は言った。

「今日《きょう》は、難《むずか》しい話《はなし》よりも、私は歌《うた》の指揮《しき》をとりましょう！」

彼と苦楽《くらく》をともにし、戦《たたか》ってきた関西の同志たちである。多くの言葉《ことば》はいらなかった。また、一つの振《ふ》る舞《ま》いが、万言《まんげん》に勝《まさ》る励ましになることもある。

『躍進《やくしん》の年』だから、『躍進の歌《うた》』にしよう」

伸一《しんいち》は扇《おうぎ》を手にすると、音楽隊《おんがくたい》、鼓笛隊《こてきたい》の奏《かな》でる勇壮《ゆうそう》な調《しら》べに乗《の》って、舞《ま》うように指揮《しき》をとり始《はじ》めた。悠然《ゆうぜん》と、流《なが》れるようであり、また、堂々《どうどう》たる大鷲《おおわし》の羽《は》ばたきにも似《に》ていた。

彼《かれ》は〝関西《かんさい》、頑張《がんば》れ！〟と、心《こころ》で叫《さけ》びながら、指揮をとっていった。皆《みな》、手拍子《てびょうし》をとりながら、声《こえ》を限《かぎ》りに合唱《がっしょう》した。

終《お》わると、体育館《たいいくかん》を揺《ゆ》るがさんばかりの大拍手《だいはくしゅ》に包《つつ》まれた。その拍手は、いつまでも鳴《な》りやまなかった。

伸一は、会場《かいじょう》の同志《どうし》を見ながら言った。

「では、もう一度《いちど》、やりましょう」

さらに、拍手が高鳴《たかな》った。

再《ふたた》び、彼の指揮が始まった。前よりも一層《いっそう》、力強《ちからづよ》く、勇壮であった。その姿《すがた》が、参加者《さんかしゃ》の心を打った。

目頭《めがしら》を潤《うる》ませる婦人《ふじん》がいた。声をからして歌う若人《わこうど》がいた。頬《ほお》を紅潮《こうちょう》させ、身を乗り出して大きく手拍子を打つ壮年《そうねん》がいた。

伸一の思《おも》いと友《とも》の心が、指揮を通《とお》して一つにとけ合い、感動《かんどう》と歓喜《かんき》の熱唱《ねっしょう》となって、場内《じょうない》にこだました。

学会歌《がっかいか》の指揮《しき》をとり終《お》えると、山本伸一《やまもとしんいち》は深《ふか》い疲労《ひろう》を覚《おぼ》えた。

彼《かれ》は、マイクの前に立って呼《よ》びかけた。

「関西《かんさい》は、私が魂魄《こんぱく》をとどめて戦《たたか》い、築《きず》いた常勝《じょうしょう》の城《しろ》です。私の青春《せいしゅん》の誉《ほま》れの大地《だいち》です。どうか、関西の皆《みな》さんは、何があっても負《ま》けないでください。何があっても勝ってください。そして、何があっても、私とともに、広宣流布《こうせんるふ》の黄金《おうごん》の歴史《れきし》をつづってください。では、また、お会いしましょう」

関西のほんの一握《ひとにぎ》りの幹部《かんぶ》を除《のぞ》いては、参加者《さんかしゃ》は、今、伸一がいかなる状況下《じょうきょうか》にあるかを知らなかった。しかし、彼の生命《せいめい》から発《はっ》する、気迫《きはく》の指揮と叫《さけ》びは、激《はげ》しく同志《どうし》の心《こころ》を揺《ゆ》り動《うご》かしたのである。


この年の三月十六日は、青年部《せいねんぶ》の第一回音楽祭《おんがくさい》が開かれた。一九五八年(昭和《しょうわ》三十三年)のこの日、総本山《そうほんざん》で戸田城聖《とだじょうせい》を迎《むか》えて、広宣流布の記念《きねん》の式典《しきてん》が行《おこな》われてから、はや三年の歳月《さいげつ》が流《なが》れていた。

あの時、戸田は、病身《びょうしん》を押《お》して、伸一が真心《まごころ》で用意《ようい》した車駕《しゃが》に乗《の》って、皆の前に姿《すがた》を現《あらわ》し、伸一《しんいち》をはじめとする後継《こうけい》の青年《せいねん》たちに、広宣流布《こうせんるふ》の後事《こうじ》のいっさいを託《たく》したのである。

音楽祭《おんがくさい》は、午後《ごご》六時から、会長山本伸一《かいちょうやまもと》を迎《むか》えて、東京《とうきょう》の世田谷区《せたがやく》民会館《みんかいかん》で開催《かいさい》された。

まず、戸田《とだ》が愛《あい》した「霧《きり》の川中島《かわなかじま》」「出陣《しゅつじん》の歌《うた》」「同志《どうし》の歌」などが、音楽隊《たい》によって演奏《えんそう》された。

さらに、鼓笛隊《こてきたい》のロシア民謡《みんよう》「カチューシャ」などの演奏、次《つ》いで、男子部合唱団《だんしぶがっしょうだん》による「ソーラン節《ぶし》」、女子部《じょしぶ》合唱団によるイタリア民謡「村《むら》の娘《むすめ》」などの合唱が続《つづ》いた。

そして、音楽隊、鼓笛隊と男女《だんじょ》合唱団による合同《ごうどう》演奏が行《おこな》われ、「鯱《しゃち》の歌」などが披露《ひろう》されたあと、全員《ぜんいん》で「星落秋風五丈原《ほしおつしゅうふうごじょうげん》」を大合唱した。

〝五丈原〟の歌は、戸田がこよなく愛《あい》し、青山葬儀所《あおやまそうぎしょ》での彼《かれ》の学会葬《がっかいそう》で、葬送《そうそう》の曲《きょく》となった歌である。

伸一は、演奏に耳《みみ》を傾《かたむ》けながら、戸田との思《おも》い出が懐《なつ》かしく蘇《よみがえ》り、時に熱《あつ》い感慨《かんがい》が胸《むね》に込《こ》み上げてきてならなかった。

さらに、そのあと、「東洋広布《とうようこうふ》への第一歩《だいいっぽ》をしるす」と題《だい》された、伸一たちのアジア訪問《ほうもん》のカラースライドが上映《じょうえい》された。

ブッダガヤで、「東洋広布」の石碑《せきひ》などを埋納《まいのう》するシーンが映《うつ》し出されると、場内《じょうない》は、嵐《あらし》のような拍手《はくしゅ》に包《つつ》まれた。

その映像《えいぞう》は、「3・16」の誓《ちか》いを果《は》たす、師弟《してい》の精神《せいしん》の刻印《こくいん》でもあった。

最後《さいご》に、山本伸一《やまもとしんいち》のあいさつとなった。

彼《かれ》は、出演者《しゅつえんしゃ》の労《ろう》をねぎらったあと、真実《しんじつ》の幸福《こうふく》と、平和《へいわ》の実現《じつげん》のためには、偉大《いだい》なる宗教《しゅうきょう》、偉大なる生命《せいめい》の哲学《てつがく》が、根底《こんてい》になければならないと述《の》べ、学会《がっかい》の使命《しめい》に、言及《げんきゅう》していった。

「今、世界《せかい》を指導《しどう》すべき大国《たいこく》は、強大《きょうだい》な武力《ぶりょく》、権力《けんりょく》を誇示《こじ》しながら、口《くち》では平和を唱《とな》え、民主《みんしゅ》や平等《びょうどう》を叫《さけ》んでおります。しかし、それでは、真実の平和はありえません。

そのなかにあって、武力、権力によらず、全民族《ぜんみんぞく》、全人類《じんるい》の平等を説《と》いた日蓮大聖人《にちれんだいしょうにん》の生命の哲理《てつり》をもって、実際《じっさい》に人間《にんげん》の共和《きょうわ》の姿《すがた》を実現してきたのは、創価《そうか》学会だけであります。

したがって、一人《ひとり》ひとりの幸福も、世界の平和も、この仏法《ぶっぽう》の思想《しそう》、学会という人間の輪《わ》の広《ひろ》がりのなかにこそあると、私は申《もう》し上げたいのであります」

さらに、伸一は戸田城聖《とだじょうせい》との思《おも》い出を語《かた》っていった。

「昭和《しょうわ》三十三年（一九五八年）の三月十六日は、戸田先生《せんせい》が、広宣流布《こうせんるふ》はこのようにしていけという模擬《もぎ》試験《しけん》の意味《いみ》を込《こ》めて、広布《こうふ》の方程式《ほうていしき》を示《しめ》された日であります。

あの日、来ると約束《やくそく》していた政治家《せいじか》は来ませんでしたが、先生《せんせい》は、御本尊《ごほんぞん》の御前《おんまえ》では、一《いっ》国《こく》の首相《しゅしょう》も、庶民《しょみん》も皆《みな》、平等《びょうどう》であり、すべての人びとが、等《ひと》しく妙法《みょうほう》の光《ひかり》に照《て》らされていく、広宣流布《こうせんるふ》の姿《すがた》を教《おし》えてくださいました。

先生は、その式典《しきてん》が終《お》わって、帰《かえ》られる直前《ちょくぜん》に、一言《ひとこと》、こう言われました。

『我々《われわれ》は、戦《たたか》おうじゃないか！』

その意味《いみ》は、限《かぎ》りなく深《ふか》いと思《おも》います。不幸《ふこう》な民衆《みんしゅう》を救《すく》っていく戦い、誤《あやま》った宗教《しゅうきょう》との戦い、不当《ふとう》な権力《けんりょく》との戦い、自己自身《じこじしん》との戦いなど、いっさいを含《ふく》んだうえでの、戸田《とだ》先生のお言葉《ことば》であったにちがいありません。

ともあれ、衰弱《すいじゃく》しきったお体《からだ》でありながら、眼光鋭《がんこうするど》く、毅然《きぜん》として言われた、『我々は、戦おうじゃないか！』との先生のお言葉を、私は、電撃《でんげき》に打たれた思いで、聞いておりました。

そして、何ものをも恐《おそ》れず、広宣流布に向かって戦うことを、私は、その時、再《ふたた》び決意《けつい》いたしました。

これは、先生の魂《たましい》の叫《さけ》びであります。命《いのち》の言葉であります。私たちは、このお言葉を深く胸《むね》に刻《きざ》み、広宣流布の日まで、断固《だんこ》、戦い抜こうではありませんか」

伸一《しんいち》のこの日のあいさつは、聖教新聞《せいきょうしんぶん》に掲載《けいさい》され、これを目にした全国《ぜんこく》の会員《かいいん》は、決然《けつぜん》と奮《ふる》い立った。

「我々《われわれ》は、戦《たたか》おうじゃないか！」との言葉《ことば》は、同志《どうし》の合《あい》言葉ともなった。

このころ、学会員《がっかいいん》への不当《ふとう》な村八分《むらはちぶ》が、各地《かくち》で深刻《しんこく》さを増《ま》していた。

兵庫県《ひょうごけん》の青垣町《あおがきちょう》の、ある山間《やまあい》の地域《ちいき》では、神社《じんじゃ》の守《も》り番《ばん》を、毎年《まいとし》、住民《じゅうみん》が順番《じゅんばん》で行《おこな》うことが、慣習《かんしゅう》になっていた。守り番というのは、神社を守《まも》る係《かかり》で、掃除《そうじ》や建物《たてもの》の修理《しゅうり》のほか、花《はな》を供《そな》えたり、参拝《さんぱい》することなどが役目《やくめ》であった。

その地域は、約《やく》六十世帯《せたい》の地区民《ちくみん》で構成《こうせい》され、そこに、立田治男《たつたはるお》という学会の組長《くみちょう》をはじめ、数世帯の学会員がいた。

この年は、立田の家《いえ》が守り番に当《あ》てられていたが、彼《かれ》は、神社への奉仕《ほうし》や参拝をしなければならないことが、自分《じぶん》の宗教的《しゅうきょうてき》な信条《しんじょう》から、納得《なっとく》できなかった。

それは、ほかの学会員も同じであった。

一月に行《おこな》われた地域の総会《そうかい》で、立田は言った。

「宗教は自由《じゆう》やないですか。私は、ほかの行事《ぎょうじ》には喜《よろこ》んで協力《きょうりょく》させてもらうが、守り番のような宗教的《しゅうきょうてき》な行事《ぎょうじ》には参加《さんか》しません」

当時《とうじ》、学会《がっかい》の折伏《しゃくぶく》が急速《きゅうそく》に進《すす》んでいたこともあり、神社《じんじゃ》にかかわりの深《ふか》い、地域《ちいき》の役員《やくいん》は、学会を快《こころよ》く思《おも》っていなかったようだ。

ほどなく、学会員を除外《じょがい》して、地域の臨時《りんじ》総会《そうかい》が開かれた。そこで、地区《ちく》規約《きやく》の改正《かいせい》が行《おこな》われた。そして、地域の親睦《しんぼく》のために、順番《じゅんばん》に神社の行事の係《かかり》になることが規約に盛《も》り込《こ》まれ、その義務《ぎむ》を果《は》たさない者《もの》は、地区民《みん》としてのいっさいの権利《けんり》を失《うしな》うことが明記《めいき》されたのである。

その後《ご》、今度《こんど》は学会員も参加して総会が行われた。この席《せき》で、地域の責任者《せきにんしゃ》である区長《くちょう》は、学会員に、神社の行事への参加を求《もと》めるとともに、学会をやめるように迫《せま》った。

しかし、同志《どうし》たちの決意《けつい》は固《かた》かった。

「絶対《ぜったい》にやめへん!」

皆《みな》、胸《むね》を張《は》って答《こた》えた。

翌日《よくじつ》、学会員の家《いえ》に、地域の水道委員《すいどういいん》がやって来た。家族《かぞく》が出てみると、家の前にある簡易《かんい》水道の元栓《もとせん》を止《と》め、栓の蓋《ふた》の中《なか》に赤土《あかつち》を詰《つ》め始《はじ》めた。

「なにするんや!」

「地区《ちく》の規約《きやく》で、義務《ぎむ》を果《は》たさん者《もの》は、水道《すいどう》も使《つか》えんことになる。地区の水道やからな」

元栓《もとせん》は、目の前で赤土《あかつち》に埋《う》もれていった。同志《どうし》の目に、悔《くや》し涙《なみだ》があふれた。

さらに、地域《ちいき》の行事《ぎょうじ》などの連絡《れんらく》に使われていた有線放送《ゆうせんほうそう》の設備《せつび》も取り外《はず》された。共有《きょうゆう》の山《さん》林《りん》の権利《けんり》も剝奪《はくだつ》されてしまった。

水道を止《と》められた学会員《がっかいいん》は、天秤棒《てんびんぼう》の両端《りょうはし》に瓶《かめ》をぶら下《さ》げ、川《かわ》まで水《みず》を汲《く》みに行き、それを飲《の》んで暮《く》らさなければならなかった。

近所《きんじょ》の人たちは、あいさつもしなくなった。子供《こども》へのいじめも始《はじ》まった。

青垣町《あおがきちょう》の一地域で起《お》こった、学会員への村八分《むらはちぶ》事件《じけん》は、憲法《けんぽう》に保障《ほしょう》された、信教《しんきょう》の自由《じゆう》、基《き》本的人権《ほんてきじんけん》を脅《おびや》かすものであることは明白《めいはく》である。

しかし、立田《たつた》治男《はるお》をはじめ、地域の学会員は、法的《ほうてき》な知《ち》識《しき》には乏《とぼ》しく、なんの対抗策《たいこうさく》も、もたなかった。

だが、信心《しんじん》はいささかも揺《ゆ》るがなかった。こう言って、互《たが》いに励《はげ》まし合った。

「大聖人《だいしょうにん》は『此《こ》の経《きょう》を持《たも》たん人は難《なん》に値《あ》うべしと心得《こころえ》て持つなり』（御書《ごしょ》一一三六ページ）と仰《おお》せや。この信心が本物《ほんもの》である証拠《しょうこ》や」

山本伸一《やまもとしんいち》が訴《うった》えてきた教学《きょうがく》の研鑽《けんさん》が、信心の確信《かくしん》を深《ふか》めさせていたのである。

この事件《じけん》を知った、学会本部《がっかいほんぶ》では、直《ただ》ちに大阪《おおさか》の幹部《かんぶ》を現地《げんち》に派遣《はけん》した。同志《どうし》を激励《げきれい》する一方《いっぽう》、人権擁護委員会《じんけんようごいいんかい》などにも出かけ、交渉《こうしょう》にあたった。

学会員への仕《し》打《う》ちの違法性《いほうせい》は、誰《だれ》の目にも明《あき》らかであった。調査《ちょうさ》に来た人権擁護委員は、この事実《じじつ》を知ると、地域《ちいき》の役員《やくいん》のところへ行き、速《すみ》やかに水道《すいどう》の給水《きゅうすい》を再開《さいかい》するように訴《うった》えた。こうしたなかで、これ以上《いじょう》、学会員への締《し》めつけを続《つづ》ければ、自分《じぶん》たちが、不利《ふり》な立場《たちば》に追《お》い込《こ》まれかねないと判断《はんだん》した区長《くちょう》らは、学会員の地区民《ちくみん》としての権利《けんり》を、認《みと》めることにした。

青垣町《あおがきちょう》の村八分《むらはちぶ》事件が、一応《いちおう》、落着《らくちゃく》を見せるのは、事件の発生《はっせい》から二週間《しゅうかん》ほどあとのことであった。

区長らが役場《やくば》で学会員に謝罪《しゃざい》し、地区民としての権利の回復《かいふく》を認め、和解《わかい》するというかたちがとられた。

しかし、その後《ご》も、いやがらせは続いた。雑貨店《ざっかてん》を営《いとな》む立田治男《たつたはるお》の家《いえ》には、地区民は誰も買《か》いに来《こ》なくなった。近隣《きんりん》の人は、小声《こごえ》でこう言うのであった。

「あんたのところで買いたいんやけど、偉《えら》いさんがうるさいもんやで……」

立田は、やむなく行商《ぎょうしょう》に歩《ある》いた。地域の人たちの多くは、道《みち》で会っても、声《こえ》一つかけなかった。

しかし、彼《かれ》らは意気軒昂《いきけんこう》であった。青垣町《あおがきちょう》での布教《ふきょう》は以前《いぜん》にも増《ま》して進《すす》んだ。学会員《がっかいいん》の主張《しゅちょう》は、法律《ほうりつ》に照《て》らしても正《ただ》しいことは明確《めいかく》であったし、明《あか》るさを失《うしな》うことのない同志《どうし》の姿《すがた》に、皆《みな》が心《こころ》をひかれ始《はじ》めたからである。

また、同《おな》じ兵庫県《ひょうごけん》の三田市《さんだし》のある地域《ちいき》でも、同様《どうよう》の事件《じけん》が起《お》こっていた。この年の一月初《はじ》めに、浄土真宗《じょうどしんしゅう》の寺院《じいん》の報恩講《ほうおんこう》が行《おこな》われ、その費用《ひよう》が各戸《かっこ》に割《わ》り当《あ》てられた。それは地域のしきたりとなっていた。

しかし、学会員の福田民人《ふくだたみと》という青年《せいねん》が、支払《しはら》いを拒否《きょひ》したのである。地域の六十数世帯《すうせたい》のうち、学会員はわずか一世帯であった。

福田民人の入会《にゅうかい》は、一九五九年（昭和《しょうわ》三十四年）の三月のことであった。

彼は、大阪《おおさか》の豊中《とよなか》に出ていたが、翌年《よくねん》の四月、広宣流布《こうせんるふ》への使命《しめい》に燃《も》え、故郷《こきょう》の三田市に帰《かえ》って来た。

そして、山本伸一《やまもとしんいち》が会長《かいちょう》に就任《しゅうにん》すると、彼も、地域のなかで、折伏《しゃくぶく》に立ち上がった。しかし、旧習《きゅうしゅう》の深《ふか》い土地柄《とちがら》のせいか、それが、学会への反発《はんぱつ》を招《まね》いてしまった。そのなかで、割り当《あ》てられた、寺《てら》の行事《ぎょうじ》の費用《ひよう》の支払《しはら》いを拒否《きょひ》したのである。福田《ふくだ》は、自分《じぶん》が信《しん》じてもいない宗派《しゅうは》の寺の宗教《しゅうきょう》行事に、金《かね》を出さなければならないというのは納得《なっとく》できないと、主張《しゅちょう》していた。

彼《かれ》の父親《ちちおや》は既《すで》に入会《にゅうかい》していたが、以前《いぜん》、その寺の檀家《だんか》総代《そうだい》もしていただけに、地区民《ちくみん》の反響《はんきょう》は予《よ》想以上《そういじょう》に大きなものがあった。だが、福田は、むしろ、この機会《きかい》に、さらに地域《ちいき》の人たちを折伏《しゃくぶく》し、宗教に正邪《せいじゃ》があることを訴《うった》えようと思《おも》った。

そこで、大阪《おおさか》の組《そ》織《しき》の男子部《だんしぶ》に応援《おうえん》を頼《たの》むと、二十人ほどのメンバーが喜《よろこ》んでやって来た。そして、面識《めんしき》のない家々《いえいえ》を訪《たず》ね、軒並《のきな》み折伏をして歩《ある》いた。最後《さいご》には勝鬨《かちどき》をあげ、学会《がっかい》歌《か》を歌《うた》って意気《いき》揚々《ようよう》と引き揚《あ》げていった。

六一年（昭和《しょうわ》三十六年）の一月半《なか》ばのことである。青年《せいねん》たちは、意気盛《さか》んではあったが、いささか常識《じょうしき》を欠《か》いた、自己《じこ》満足的《まんぞくてき》な行動《こうどう》ともいえた。

夜《よる》になると、地域中《じゅう》から、福田の家に抗議《こうぎ》が殺到《さっとう》し、怒《ど》鳴《な》り込《こ》んで来る人もいた。これを契機《けいき》に、福田が寺院《じいん》への費用を拒否したことに対《たい》する、地域の人たちの、激《はげ》しい批判《ひはん》が沸騰《ふっとう》した。

地域の区長《くちょう》は、福田に寺の行事の費用を出すように説得《せっとく》したが、彼は断《ことわ》った。

「なんと言われようが、今後《こんご》、寺《てら》や神社《じんじゃ》の費用《ひよう》はいっさい出しません」

するとと、区長《くちょう》は地域《ちいき》の役員会《やくいんかい》を開き、地区民《ちくみん》で決定《けってい》した事項《じこう》を守《まも》らない行為《こうい》があった場《ば》合《あい》、地区民としてのいっさいの権利《けんり》と資格《しかく》がなくなることをうたった地区規約《きやく》を、弁護士《べんごし》と相談《そうだん》して作成《さくせい》したのである。

そして、二月の二十二日には、地域の臨時《りんじ》総会《そうかい》を開催《かいさい》し、この規約が決議《けつぎ》されることになった。地域の役員は、総会の開催を伝《つた》えるために、家々《いえいえ》を訪《たず》ねながら、こう触《ふ》れ回って歩《ある》いた。

「この総会で、福田《ふくだ》の家は村八分《むらはちぶ》や。そのための規約を決めるさかい、印鑑《いんかん》を忘《わす》れんようにな」

福田が定刻《ていこく》に総会の会場《かいじょう》に着《つ》くと、既《すで》に、地域の全世帯《ぜんせたい》の人が出席《しゅっせき》していた。彼《かれ》に、一斉《いっせい》に視線《しせん》が注《そそ》がれた。冷《ひ》ややかな、とげとげしい目であった。

総会が始《はじ》まった。

区長は初《はじ》めに、別件《べっけん》について語《かた》ったあと、おもむろに話《はなし》を切り出した。

「皆《みな》さんもご存《ぞん》じのように、福田さんが大阪《おおさか》から帰《かえ》って来て、この地域で宗教活動《しゅうきょうかつどう》を始められてからというもの、これまで何も波風《なみかぜ》の立ったことのない地区の平和《へいわ》が、壊《こわ》されようとしております。

寺《てら》の報恩講《ほうおんこう》の費用《ひよう》を皆《みな》で出し合うことは、この地区《ちく》の伝統《でんとう》であり、文句《もんく》を言う者《もの》など、誰《だれ》もいませんでした。しかし、福田《ふくだ》さんは、それも断《ことわ》ってきた。そのうえ、学会員《がっかいいん》が集団《しゅうだん》でやって来て、強引《ごういん》に勧誘《かんゆう》するようになった。恐《おそ》ろしいことやと思《おも》います。私は、これから先のことを考《かんが》えると、心配《しんぱい》でなりません。

そこで、この際《さい》、地区民《みん》の統制《とうせい》のために、寺の行事《ぎょうじ》への協力《きょうりょく》を拒否《きょひ》するなど、地区のしきたりに従《したが》わん行為《こうい》に対《たい》しては、地区の共有財産権《きょうゆうざいさんけん》を失《うしな》う旨《むね》、明確《めいかく》に地区規約《きやく》に定《さだ》めることを決議《けつぎ》したいと考えております。皆さん、どう思いますか」

場内《じょうない》に歓声《かんせい》があがった。

何人《なんにん》かの人が勇《いさ》んで発言《はつげん》した。福田民人《たみと》の吊《つる》し上げが始《はじ》まった。

最初《さいしょ》に一人《ひとり》の壮年《そうねん》が話《はな》し出した。

「わしは福田さんに言いたい。創価《そうか》学会なんていうものが、永遠《えいえん》に続《つづ》くと思っとるんか。そんなもの、すぐに消《き》えてなくなるで。そうしたら、死《し》んだ時に、誰《だれ》に葬式《そうしき》出してもらうんや。そやから、地域《ちいき》の寺は大切《たいせつ》にせなあかん。それを否定《ひてい》し、秩序《ちつじょ》を乱《みだ》す者は、地区の共有財産権を失うのは当然《とうぜん》や」

「そうや！」

「そうや！」

次第《しだい》に地区民《ちくみん》はいきり立っていった。

「地区の秩序《ちつじょ》を乱《みだ》すようなことをする者《もの》には、地区の水道《すいどう》も止《と》めるべきや」

「学会《がっかい》をやめんのなら、地区の道《みち》も歩《ある》くな！」

「子供《こども》の遊《あそ》び場《ば》も使《つか》わせへんで！」

もはや、脅迫《きょうはく》といってよかった。皆《みな》の発言《はつげん》が一通《ひととお》り終《お》わると、区長《くちょう》が言った。

「福田《ふくだ》さん、反論《はんろん》があれば、どうぞ」

福田が立ち上がった。

一斉《いっせい》に、罵声《ばせい》と怒号《どごう》が浴《あ》びせられた。

「みんなが、今やろうとしていることは、憲法違反《けんぽういはん》や、人権侵害《じんけんしんがい》や。こんなことは、絶対《ぜったい》に許《ゆる》されることやない。私は、寺《てら》の費用《ひよう》は何があっても出せません。これだけは、絶対に譲《ゆず》れません」

福田が話《はな》し終わると、区長が言った。

「地区の平和《へいわ》を守《まも》るため、作《つく》った規約《きやく》を発表《はっぴょう》します」

区長《くちょう》は、新《あたら》しい地区規約《ちくきやく》を読《よ》み上げていった。

「当《とう》地区の協議決定事項《きょうぎけっていじこう》のいかなる事《こと》についても、自分《じぶん》の好《この》むものはよし、好まぬものは知らぬというような事になると、地区全体《ぜんたい》の統制《とうせい》がとれなくなる。

よって、次《つぎ》の申《もう》し合わせ規約を定《さだ》む。
一、当地区自治体《じちたい》の協議において決定した、あらゆる共同事業《きょうどうじぎょう》の経営《けいえい》に際《さい》し、地区の財産《ざいさん》及《およ》び資金《しきん》をもって充当《じゅうとう》するも、何人《なんぴと》たりとも、異議《いぎ》の申し立てをする事はできない。
二、地区の協議において決定せられたすべての協議事項を履行《りこう》せざる者《もの》は、(原則《げんそく》として)地区の一員《いちいん》(戸主《こしゅ》)としての権利《けんり》と資格《しかく》を放棄《ほうき》したものと認《みと》む。
三、この規約に違反《いはん》したる者は、違反したると認めた時日《じじつ》より満《まん》一カ年後において、地区の一員(戸主)の資格を失《うしな》うものとする」
そして、この新規約の決議《けつぎ》に移《うつ》った。

福田民人《ふくだたみと》以外《いがい》は、一人《ひとり》の壮年《そうねん》が反対《はんたい》しただけで、あとは全員《ぜんいん》が賛成《さんせい》であった。新規約に皆《みな》が署名《しょめい》、捺印《なついん》していった。

区長は言った。

「これで多数決《たすうけつ》により、可決《かけつ》いたしました。この規約は、本日《ほんじつ》より施行《しこう》されることになります」

拍手《はくしゅ》と歓声《かんせい》があがった。信教《しんきょう》の自由《じゆう》も人権《じんけん》も奪《うば》う、憲法《けんぽう》に反《はん》する地区規約《ちくきやく》が成立《せいりつ》してしまったのだ。

会場《かいじょう》を後《あと》にする福田《ふくだ》の背《せ》に、嘲《あざけ》りの声《こえ》が浴《あ》びせられた。福田は、胸《むね》の底《そこ》から怒《いか》りがあふれ、体《からだ》はワナワナと震《ふる》えた。

〝こんなことが許《ゆる》されてええんか！　日本は法治国家《ほうちこっか》や。人権が踏《ふ》みにじられてなるもんか。俺《おれ》は戦《たたか》う。断固《だんこ》、戦ってみせる。絶対《ぜったい》に負《ま》けるもんか……〟

福田は関西《かんさい》の幹部《かんぶ》らと連携《れんけい》を取り、地元《じもと》の三田署《さんだしょ》に人権侵害《しんがい》、名誉毀損《めいよきそん》で区長を告訴《こくそ》した。また、法務局《ほうむきょく》にも、地区規約には憲法違反《いはん》の疑《うたが》いがあることを告《つ》げて、調査《ちょうさ》を要請《ようせい》した。

法務局は、すぐに調査を開始《かいし》し、区長に対《たい》して、地区規約を破棄《はき》するよう勧告《かんこく》した。しかし、地元の警察《けいさつ》は、地区の役員《やくいん》らと密接《みっせつ》な繋《つな》がりがあるせいか、いくら窮状《きゅうじょう》を訴《うった》えても、なかなか動《うご》き出そうとはしなかった。

また、勧告を受けても、地区の役員は、考《かんが》えを改《あらた》めようとはせず、役員の一人《ひとり》は、こう言ってはばからなかった。

「憲法違反《けんぽういはん》であろうが、なかろうが、地区《ちく》のことは地区の規約《きやく》によって運営《うんえい》するものや」

福田《ふくだ》の一家《いっか》には、さまざまな圧力《あつりょく》がかけられた。

福田民人《たみと》の地域《ちいき》では、竹細工《たけざいく》が名産《めいさん》であり、彼《かれ》の家《いえ》でも竹カゴなどを作《つく》っていたが、問屋《とんや》がそれを引き取らなくなった。問屋はこの時、寺《てら》の檀家《だんか》総代《そうだい》であった。福田が勤《つと》めに出ていたことで、一家は辛《かろ》うじて生計《せいけい》を立てることができた。

そんな彼にとって、「我々《われわれ》は、戦《たたか》おうじゃないか！」との、三月十六日の山本会長《やまもとかいちょう》の指導《しどう》は、大きな勇気《ゆうき》となり、力《ちから》となった。

〝いよいよ魔《ま》が競《きそ》い起《お》こって来たんや。信心《しんじん》が試《ため》されているんや〟

彼はへこたれなかった。

この事件《じけん》は、区長《くちょう》らが地区規約を破棄《はき》し、福田が告訴《こくそ》を取り下《さ》げて、和解《わかい》が成立《せいりつ》するまでに、実《じつ》に約《やく》二年間の歳月《さいげつ》を要《よう》している。

こうした事件は、兵庫県《ひょうごけん》だけではなかった。やはり同じころ、三重県《みえけん》の熊野市《くまのし》のある漁村《ぎょそん》では、学会員《がっかいいん》十三世帯《せたい》が、地域で祭《まつ》っている「山《やま》の神《かみ》」の行事《ぎょうじ》への参加《さんか》を拒否《きょひ》したことから、地区の決議《けつぎ》によって、共有林《きょうゆうりん》などの財産権《ざいさんけん》を剝奪《はくだつ》されるという事件が起こっている。

さらに、熊本県阿蘇郡小国町《くまもとけんあそぐんおぐにまち》や群馬県安中市《ぐんまけんあんなかし》では、神社《じんじゃ》の行事に協力《きょうりょく》しなかったとして、学会員《がっかいいん》には、農業《のうぎょう》に必要《ひつよう》な共同機材《きょうどうきざい》などを使用《しよう》させないといった村八分事件《むらはちぶじけん》があった。

なかには、神社《じんじゃ》の寄付《きふ》を断《ことわ》ったことから、祭《まつ》りのたびに、学会員の店《みせ》に、神輿《みこし》を乱入《らんにゅう》させるというものもあった。祭りを利用《りよう》しての悪質《あくしつ》な集団暴力《しゅうだんぼうりょく》といってよい。

地域《ちいき》の祭りなどの場合《ばあい》、現代《げんだい》では、宗教的《しゅうきょうてき》な意味《いみ》合いは薄《うす》く、文化《ぶんか》・社会的《しゃかいてき》な習俗《しゅうぞく》となり、地域の親睦《しんぼく》の場《ば》となっていることが少《すく》なくない。したがって、祭りなども、信仰《しんこう》として参加《さんか》するのでなければ、直《ただ》ちに謗法《ほうぼう》となるわけではない。

しかし、各地《かくち》に起《お》こった村八分のケースを見ると、宗教色《しょく》の極《きわ》めて強《つよ》い行事《ぎょうじ》に、しかも、半《なか》ば強制的《きょうせいてき》に参加させられることへの同志《どうし》の拒否《きょひ》に始《はじ》まっている。それは、彼《かれ》らが学会員となることによって、信教《しんきょう》の自由《じゆう》に目覚《めざ》めたからにほかならない。

もともと、折伏《しゃくぶく》を受け、対話《たいわ》の末《すえ》に、入会《にゅうかい》すること自体《じたい》が、信教の自由を前提《ぜんてい》に、自《みずか》らの意志《いし》で宗教を取捨選択《しゅしゃせんたく》することであり、人間《にんげん》としての自立《じりつ》を意味しているといえよう。

山本伸一《やまもとしんいち》は、村八分事件の報告《ほうこく》を聞くたびに胸《むね》を痛《いた》めた。自分《じぶん》のこと以上《いじょう》に辛《つら》かった。彼は、励《はげ》ましの言葉《ことば》を送《おく》るなど、さまざまな激励《げきれい》の手を差《さ》し伸《の》べた。

また、最高幹部《さいこうかんぶ》をはじめ、各地の幹部にも、一人《ひとり》ひとりを温《あたた》かく包《つつ》み、応援《おうえん》していくよう指示《しじ》していった。

伸一《しんいち》は、なんの罪《つみ》もない同志《どうし》が、理《り》不尽《ふじん》な圧迫《あっぱく》を受けていることが、かわいそうでならなかった。しかし、それは仏法《ぶっぽう》の法理《ほうり》に照《て》らして考えれば、当然《とうぜん》のことでもあった。

彼《かれ》の会長就任以来《かいちょうしゅうにんいらい》、新《あら》たな弘法《ぐほう》の波《なみ》が広《ひろ》がり、日本の広宣流布《こうせんるふ》は飛躍的《ひやくてき》に伸展《しんてん》しているのである。

学会員《がっかいいん》への村八分《むらはちぶ》の理由《りゆう》となったのは、いずれも、寺院《じいん》や神社《じんじゃ》の行事《ぎょうじ》への不参加《ふさんか》や、寄付《きふ》の拒否《きょひ》であったが、それらは、むしろ、口実《こうじつ》にすぎなかったようだ。

本当《ほんとう》の理由は、それぞれの地域《ちいき》で、本格的《ほんかくてき》な折伏《しゃくぶく》が始《はじ》まったことへの〝恐《おそ》れ〟にあったといってよい。

学会の布教《ふきょう》によって、まず、既成宗派《きせいしゅうは》の寺院や神社が、檀家《だんか》や氏子《うじこ》が奪《うば》われてしまうという危機感《ききかん》をいだいた。さらに、寺院や神社にかかわりのある地域の有力者《ゆうりよくしゃ》たちが、学会員が増《ふ》えていけば、地域の秩序《ちつじょ》が乱《みだ》され、自分《じぶん》たちの立場《たちば》も危《あや》うくなるかのような錯覚《さっかく》をもち、学会員を締《し》め出しにかかったのである。また、そこには、他宗派や一部《いちぶ》のマスコミの喧伝《けんでん》による、学会への歪《ゆが》められた認識《にんしき》もあった。

大聖人《だいしょうにん》は、「大難《だいなん》なくば法華経《ほけきょう》の行者《ぎょうじゃ》にはあらじ」（御書《ごしょ》一四四八ページ）と仰《おお》せである。難がなければ、まことの信心《しんじん》ではない。広宣流布が進《すす》めば、必《かなら》ず嵐《あらし》が競《きそ》い起《お》こるはずだ。

しかし、確《たし》かに嵐《あらし》は吹《ふ》き始《はじ》めたが、それは、まだまだ本格的《ほんかくてき》な嵐というには、ほど遠《とお》いことを伸一《しんいち》は感《かん》じていた。

彼《かれ》は「難来《なんきた》るを以《もっ》て安楽《あんらく》と意得可《こころうべ》きなり」（御書《ごしょ》七五〇ページ）との御文《ごもん》を思《おも》い起《お》こした。そして、全同志《ぜんどうし》を、どんな大難《だいなん》にも、喜《よろこ》び勇《いさ》んで立ち向かっていける、強《つよ》き信仰《しんこう》の人に育《そだ》て上げなくてはならないと思った。

伸一は、この村八分《むらはちぶ》事件《じけん》を、そのためのステップと、とらえていたのである。

また、これらの事件は、社会的《しゃかいてき》に見れば、日本という国の、未成熟《みせいじゅく》な民主主義《みんしゅしゅぎ》と人権感覚《じんけんかんかく》を物語《ものがた》るものであったといってよい。

古来《こらい》、日本には土俗的《どぞくてき》な氏神《うじがみ》信仰があり、地域《ちいき》の共同体《きょうどうたい》と宗教《しゅうきょう》とが、密接《みっせつ》に結《むす》びついてきた。江戸時代《えどじだい》になると、幕府《ばくふ》の宗教政策《せいさく》によって*寺檀制度《じだんせいど》がつくられ、寺院《じいん》によって民衆《みんしゅう》が管理《かんり》されるようになった。そのなかで、寺院の言うがままに従《したが》うことが、本来《ほんらい》の人間《にんげん》の道《みち》であるかのような意識《いしき》が、人びとに植《う》えつけられていった。さらに、明治以降《めいじいこう》、神社神道《じんじゃしんとう》が、事実上《じじつじょう》、国教化《こっきょうか》されたことで、神社はもとより、宗教への従属《じゅうぞく》意識は、ますます強まっていった。

地域の寺院や神社に従わなければ、罪悪《ざいあく》とするような日本人の意識の傾向《けいこう》は、いわば、政《せい》治《じ》と宗教《しゅうきょう》が一体《いったい》となり、民衆《みんしゅう》を支配《しはい》してきた、日本の歴史《れきし》のなかで、培《つちか》われてきたものといえよう。

戦後《せんご》、日本国憲法《こくけんぽう》によって、信教《しんきょう》の自由《じゆう》が法的《ほうてき》には完全《かんぜん》に認《みと》められても、国民《こくみん》の意識《いしき》は旧《きゅう》習《しゅう》に縛《しば》られたまま、依然《いぜん》として変わることがなかった。そして、共同体《きょうどうたい》の昔《むかし》からの慣習《かんしゅう》であるというだけで、地域《ちいき》の寺院《じいん》や神社《じんじゃ》を崇《あが》め、寄付《きふ》や宗教行事《ぎょうじ》への参加《さんか》が、すべての地域住民《じゅうみん》の義務《ぎむ》であるかのように考《かんが》えられてきた。

では、なぜ、人びとは民主主義《みんしゅしゅぎ》を口《くち》にしながらも、無批判《むひはん》に共同体の宗教を受け入れ、旧習から脱《だっ》することができなかったのか。

それは、民主主義の基本《きほん》となる「個《こ》」の確立《かくりつ》がなされていなかったからにほかならない。一人《ひとり》ひとりの「個」の確立がなければ、社会《しゃかい》の制度《せいど》は変わっても、精神的《せいしんてき》には、集団《しゅうだん》への隷《れい》属《ぞく》を免《まぬか》れない。

さらに、日本人には、「個」の自立《じりつ》の基盤《きばん》となる哲学《てつがく》がなかったことである。本来《ほんらい》、その役割《やくわり》を担《にな》うのが宗教であるが、日本の宗教は、村《むら》という共同体や家《いえ》の宗教として存在《そんざい》してきたために、個人《こじん》に根差《ねざ》した宗教とはなりえなかった。

たとえば、日本人は、寺院や神社の宗教行事には参加しても、教義《きょうぎ》などへの関心《かんしん》はいたって低《ひく》い。これも、宗教《しゅうきょう》を自分《じぶん》の生き方《かた》と切り離《はな》して、村《むら》や家《いえ》のものと、とらえていることの表《あらわ》れといえる。

もし、個人《こじん》の主体的《しゅたいてき》な意志《いし》で、宗教を信《しん》じようとすれば、教《おし》えの正邪《せいじゃ》などの内実《ないじつ》を探究《たんきゅう》し、検証《けんしょう》していかざるをえないはずである。

こうした、宗教への無関心《むかんしん》、無知《むち》ゆえに、日本人は、自分の宗教について尋《たず》ねられると、どこか恥《は》じらいながら、家の宗教を答《こた》えるか、あるいは、無宗教であると答える場合《ばあい》が多い。それに対《たい》して、欧米《おうべい》などの諸外国《しょがいこく》では、誇《ほこ》らかに胸《むね》を張《は》って、自分がいかなる宗教を信じているかを語《かた》るのが常《つね》である。

宗教は自己《じこ》の人格《じんかく》、価値観《かちかん》、生き方の根本《こんぽん》であり、信念《しんねん》の骨髄《こつずい》といえる。その宗教に対する、日本人のこうした姿《すがた》は、世界《せかい》の常識《じょうしき》からすれば、はなはだ異様《いよう》なものといわざるをえない。そのなかで、日蓮仏法《にちれんぶっぽう》は個人の精神《せいしん》に深《ふか》く内在化《ないざいか》していった。そして、同志《どうし》は「個」の尊厳《そんげん》に目覚《めざ》め、自己の宗教的信念を表明《ひょうめい》し、主張《しゅちょう》してきた。

いわば、一連《いちれん》の学会員《がっかいいん》への村八分事件《むらはちぶじけん》は、民衆《みんしゅう》の大地《だいち》に兆《きざ》した「民主《みんしゅ》」の萌芽《ほうが》への、「個」を埋没《まいぼつ》させてきた旧習《きゅうしゅう》の抑圧《よくあつ》であったのである。

この村八分事件を、参議院議員《さんぎいんぎいん》であった、理事《りじ》の関久男《せきひさお》は、極《きわ》めて深刻《しんこく》な問題《もんだい》として受け止《と》めていた。

仏法《ぶっぽう》という次元《じげん》でとらえれば、それは御聖訓通《ごせいくんどお》りの法難《ほうなん》であることは間違《まちが》いない。しかし、関《せき》は、政治家《せいじか》としての良心《りょうしん》のうえから、信教《しんきょう》の自由《じゆう》が保障《ほしょう》されている法治国家《ほうちこっか》で、信《しん》ずる宗教《しゅうきょう》によって人間《にんげん》が差別《さべつ》されていることを、見過《みす》ごすわけにはいかなかった。

しかも、各地《かくち》の村八分《むらはちぶ》の状況《じょうきょう》は、事《こと》と次第《しだい》によっては、生命《せいめい》にもかかわりかねない問題《もんだい》をはらんでいる。

関は考《かんが》えた。

〝これを放《ほう》っておけば、信教の自由などなくなってしまう。また、人権《じんけん》を守《まも》ることなどできない。人権のために戦《たたか》ってこそ、本当《ほんとう》の政治である。しかも、これは、ただ学会員《がっかいいん》だけの問題ではない。すべての宗教者の人権にかかわっている。いや、宗教者に限《かぎ》らず、人間への不当《ふとう》な差別を許《ゆる》すことになる。

こうした差別を放置《ほうち》しておけば、日本という国の未来《みらい》に、大きな禍根《かこん》を残《のこ》すことになるだろう。これを解決《かいけつ》していくことは政治家の義務《ぎむ》だ〟

関は、学会推薦《すいせん》の他《た》の参議院議員《さんぎいんぎいん》たちとも話《はな》し合い、国会《こっかい》でこの問題を取り上げることにした。

三月二十三日の参院予算委員会《さんいんよさんいいんかい》で、彼《かれ》は一般質問《いっぱんしつもん》に立った。そこで、海外移住《かいがいいじゅう》や保育所《ほいくしょ》、青少年問題《せいしょうねんもんだい》などについて質問するとともに、この村八分事件《むらはちぶじけん》を取り上げ、関係大臣《かんけいだいじん》らに、ただしていった。

「最近《さいきん》、各地《かくち》で、神社《じんじゃ》、仏閣《ぶつかく》への寄付《きふ》にまつわる村八分事件が起《お》こっております。これらの寄付は、敬神崇祖《けいしんすうそ》などの美名《びめい》のもとに、祭礼等《さいれいとう》の際《さい》に強制《きょうせい》されている。そして、それを拒《きょ》否《ひ》すると、村八分にしたり、あるいは神輿《みこし》を乱入《らんにゅう》させるなどの、悪質《あくしつ》な暴力《ぼうりょく》事件まで起こっております。このことについて、まずご存《ぞん》じなのかどうかを、お伺《うかが》いしたい」

最初《さいしょ》に答弁《とうべん》に立ったのは自治《じち》大臣であった。

「神社、仏閣、あるいはお祭《まつ》りなどに際しまして、寄付行為《こうい》が日本の慣習《かんしゅう》としてあることは事実《じじつ》でございます。それを和気《わき》あいあいとして行《おこな》っているのであれば、必《かなら》ずしも、とやかく言う筋《すじ》のものではないと思《おも》います。

しかし、お話《はなし》のように寄付が強制的であったり、出さなければ神輿を担《かつ》ぎ込《こ》むといったような、暴力的なことに対《たい》しては、従来《じゅうらい》もそうでしたが、これからも十分《じゅうぶん》に取り締《し》まりたい。また、そうしたことのないように、気をつけてまいりたいと思います」

関久男《せきひさお》は、さらに質問を続《つづ》けた。

「寄付《きふ》をするか、しないかは、あくまでも個人《こじん》の自由《じゆう》であるはずです。ゆえに宗教上《しゅうきょうじょう》の信《しん》念《ねん》の相違《そうい》とか、経済上《けいざいじょう》の理由《りゆう》などで、寄付をしないという人もいるわけであります。その寄付を強制《きょうせい》し、無理強《むりじ》いするようなことがあれば、法律違反《ほうりついはん》は明《あき》らかであります。当《とう》然《ぜん》、警察《けいさつ》が調査《ちょうさ》に乗《の》り出し、取り締《し》まらなければならないと思《おも》う。

ところが、警察に訴《うった》えても、警察官は消極的《しょうきょくてき》であることが多い。なかには、寄付は志《こころざし》だから、出した方《ほう》がよいのではないかという警察官もいる。警察官の在《あ》り方《かた》として、これでよいのかどうか、お伺《うかが》いしたい」

自治大臣《じちだいじん》が答《こた》えた。

「そうしたケースも、あったかもしれませんが、今後《こんご》は厳重《げんじゅう》に取り締まり、そういうことのないようにしていきたい」

関《せき》は、そこで、水道《すいどう》までも止《と》められてしまった兵庫県《ひょうごけん》の青垣町《あおがきちょう》の例《れい》や、地区《ちく》の共有林等《きょうゆうりんとう》の財産権《ざいさんけん》を失《うしな》った三重県《みえけん》の熊野市《くまのし》の例などをあげながら、いかに深刻《しんこく》な事態《じたい》が起《お》こっているかを語《かた》っていった。

「……この熊野市の場合《ばあい》など、駐在所《ちゅうざいしょ》に届《とど》けたところ、一週間《しゅうかん》もそのまま放置《ほうち》されておりました。たまりかねて本署《ほんしょ》の方へ行《い》ったところ、署長《しょちょう》はうすうす知ってはいたが、『告発《こくはつ》していないから手をつけない。それは、法務局《ほうむきょく》の人権擁護委員《じんけんようごいいん》の仕事《しごと》であって、法務局の要請《ようせい》がなければ動《うご》かない』と言っている。

こうした村八分《むらはちぶ》は、憲法《けんぽう》第二〇条《じょう》にある『何人《なんぴと》も、宗教上《しゅうきょうじょう》の行為《こうい》、祝典《しゅくてん》、儀《ぎ》式又《しきまた》は行事《ぎょうじ》に参加《さんか》することを強制《きょうせい》されない』という条項《じょうこう》に違反《いはん》すると思《おも》います。また、刑法《けいほう》の第二二二条に定《さだ》められた『脅迫《きょうはく》』でもあると思いますが、当局《とうきょく》の見解《けんかい》はどうか、明確《めいかく》に答《こた》えていただきたい」

自治大臣《じちだいじん》は大儀《たいぎ》そうに立ち上がると、目をしばたたきながら言った。

「お話《はなし》のような事態《じたい》があるとすれば、これは厳重《げんじゅう》に取り締《し》まり、防止《ぼうし》しなければならないと考《かんが》えておりますし、至急《しきゅう》、そうするつもりでございます。

ただ、こういった問題《もんだい》につきましては、往々《おうおう》にして複雑《ふくざつ》な原因《げんいん》がからんでいることがございまして、警察《けいさつ》の力《ちから》で解決《かいけつ》することが妥当《だとう》ではない面《めん》もあろうかと思われます。そうした点《てん》にも、よく気をつけながら、判断《はんだん》し、処理《しょり》をしてまいりたいと思います」

あいまいさを残《のこ》す答弁《とうべん》であった。

「大臣の答弁を聞いておりますと、複雑な事情《じじょう》がからんでおれば、村八分にされても、仕《し》方《かた》ないこともあるように受け取れます。いかなる事情があったとしても、寄付《きふ》をしないことで村八分《むらはちぶ》にするというのは憲法《けんぽう》に抵触《ていしょく》し、刑法違反《けいほういはん》ではないかと思《おも》うのですが、この点《てん》はいかがでしょうか」

大臣《だいじん》は、今度《こんど》は、関《せき》のあげた事例《じれい》の村八分は違法《いほう》であり、厳重《げんじゅう》な取り締《し》まりを行《おこな》うことを明言《めいげん》した。

関は、さらに、警察庁《けいさつちょう》の保安局長《ほあんきょくちょう》の見解《けんかい》も尋《たず》ねた。

保安局長は、慎重《しんちょう》に言葉《ことば》を選《えら》びながら言った。

「それぞれのケースを詳細《しょうさい》に見ていかなければ、結論《けつろん》は出せませんが、今、関委員《いいん》が言われたケースは、おおむね刑法の第二二二条《じょう》の『脅迫《きょうはく》』にあたるのではないかと思います」

関の質問《しつもん》は、いよいよ大詰《おおづ》めに入《はい》っていった。

「そういたしますと、祭《まつ》りや寺《てら》の修理《しゅうり》などの寄付《きふ》を拒否《きょひ》したことで村八分にあった場合《ばあい》、それを取り締まらないのは、警察官の怠慢《たいまん》と考《かんが》えて、よろしいのでしょうか」

「ご質問にありました村八分のケースを、私が想定《そうてい》してみました場合、まず脅迫罪《ざい》があると思われます。したがって、その訴《うった》えを受けて、ぜんぜん取り調《しら》べをしない、捜査《そうさ》を開始《かいし》しないというのであれば、若干《じゃっかん》、警察官としては、問題《もんだい》があると思います」

関は鋭《するど》く迫《せま》っていった。

「しかし、さきほども申《もう》し上げましたように、実際《じっさい》に、そういうことがあまりにも多い。調《しら》べてみると、警察官《けいさつかん》が町《まち》や村《むら》の役員《やくいん》などと知り合いであったり、飲《の》み友達《ともだち》であったりする。そして、警察官がそちらの有力《ゆうりょく》な方《ほう》について、村八分《むらはちぶ》にはかかわらないということが、現実《げんじつ》に起《お》こっているのです。これに対《たい》しては、どうお考《かんが》えでしょうか」

「村の有力者と馴《な》れ合いになり、被害《ひがい》の届《とど》け出があっても、情実《じょうじつ》にとらわれて動《うご》かないというのは、まことにまずいことであります。厳《きび》しく監督《かんとく》をいたさねばならないと思《おも》います」

これで、学会員《がっかいいん》への村八分は、違法行為《いほうこうい》であり、訴《うった》えがあれば、直《ただ》ちに警察は取り締《し》まらなければならないことが明《あき》らかになった。当然《とうぜん》のことであろう。しかし、旧習《きゅうしゅう》の深《ふか》い地域《ちいき》で、有力者と警察官とが馴れ合いになり、これまで、その当然のことが行《おこな》われず、学会員は不当《ふとう》な差別《さべつ》に、泣《な》き寝《ね》入《い》りしなければならなかったのである。

関久男《せきひさお》の参議院予算委員会《さんぎいんよさんいいんかい》での追及以来《ついきゅういらい》、警察も学会員の訴えに、調査《ちょうさ》に乗《の》り出し、取り締まる姿勢《しせい》を見せ始《はじ》めた。

しかし、学会員への有形無形《ゆうけいむけい》の圧力《あつりょく》や差別がなくなったわけでは決《けっ》してなかった。その後《ご》も、各地《かくち》で学会員へのいやがらせや、陰険《いんけん》な村八分が続《つづ》いていた。

それは、正法正義《しょうぼうしょうぎ》のゆえに競《きそ》い起こる、経典《きょうてん》に説《と》かれた＊三類《さんるい》の強敵《ごうてき》のなかの、俗衆増上《ぞくしゅぞうじょう》慢《まん》との戦《たたか》いにほかならなかった。

しかし、同志《どうし》は信心《しんじん》で耐《た》え、信心で戦い抜いた。

山本伸一《やまもとしんいち》も、各地《かくち》で、そうした同志たちから、報告《ほうこく》を受けることがあった。その時、彼《かれ》は、こう言うのが常《つね》であった。

「長《なが》い人生《じんせい》から見れば、そんなことは一瞬《いっしゅん》です。むしろ、信心の最高《さいこう》の思《おも》い出になります。仏法《ぶっぽう》は勝負《しょうぶ》です。最後《さいご》は、必《かなら》ず勝ちます。決《けっ》して、悲観的《ひかんてき》になってはならない。何があっても、堂々《どうどう》と、明《あか》るく、朗《ほが》らかに生きていくことです。牧口先生《まきぐちせんせい》は獄死《ごくし》された。戸田《とだ》先生は戦時中《せんじちゅう》に二年間も投獄《とうごく》されている。それから見れば、村八分《むらはちぶ》なんて、蚊《か》に刺《さ》されたようなものではないですか。

皆《みな》さんを苛《いじ》めた人たちは、やがて、あなたたちご一家《いっか》が功徳《くどく》にあふれ、幸福《こうふく》になり、輝《かがや》く人格《じんかく》の姿《すがた》を目にすれば、とんでもないことをしてしまったと思うにちがいありません。そして、生涯《しょうがい》、後悔《こうかい》することになるでしょう」

伸一は、同情《どうじょう》は、その場《ば》しのぎの慰《なぐさ》めでしかないことを、よく知っていた。

同志にとって大切《たいせつ》なことは、何があっても、決して退《しりぞ》くことのない、不屈《ふくつ》の信心に立つことである。そこにこそ、永遠《えいえん》に、栄光《えいこう》の道《みち》があるからだ。

三月度の本部幹部会《ほんぶかんぶかい》は、二十七日、台東体育館《たいとうたいいくかん》で行《おこな》われた。

三月度の折伏《しゃくぶく》は、四万四千八百世帯《せたい》あまりで、学会《がっかい》の総世帯数は百八十五万を突破《とっぱ》した。

また、この席上《せきじょう》、桐生《きりゅう》、北多摩《きたたま》、立川《たちかわ》、熊谷《くまがや》、高崎《たかさき》、長岡《ながおか》、熱田《あつた》、愛知《あいち》、岡崎《おかざき》、奈良《なら》、舞《まい》鶴《づる》、神戸《こうべ》、兵庫《ひょうご》、福山《ふくやま》、松江《まつえ》の十五支部《しぶ》が誕生《たんじょう》した。

さらに、三月に行われた教学試験《きょうがくしけん》の最終結果《さいしゅうけつか》も発表《はっぴょう》された。

新《あら》たに助教授《じょきょうじゅ》五百七十一人、講師《こうし》二千七百九十人、助師《じょし》二万二千八百七十四人が誕生した。これによって、教学部員《ぶいん》は、一挙《いっきょ》に二倍以上《ばいいじょう》になり、四万人を超《こ》える大教学陣《じん》となったのである。

躍進《やくしん》の波《なみ》は一段《いちだん》と勢《いきお》いを増《ま》し、伸一《しんいち》の会長就任《かいちょうしゅうにん》一周年《しゅうねん》となる五月三日をめざして、大きなうねりを広《ひろ》げていこうとしていた。

四月二日は、山本《やまもと》伸一が会長に就任して初《はじ》めての、第二代会長戸《と》田城聖《だじょうせい》の祥月命日《しょうつきめいにち》であった。この日、戸田の四回忌《かいき》法要《ほうよう》が、東京《とうきょう》・池袋《いけぶくろ》の常在寺《じょうざいじ》で、午後《ごご》一時過《す》ぎから営《いとな》まれた。

午前中《ごぜんちゅう》は晴《は》れていたが、伸一が会場《かいじょう》に到着《とうちゃく》した正午《しょうご》ごろには、空《そら》はにわかにかき曇《くも》り、大《おお》粒《つぶ》の雨《あめ》が降《ふ》り始《はじ》めた。風《かぜ》も激《はげ》しく、雷鳴《らいめい》が轟《とどろ》いた。春嵐《しゅんらん》であった。

伸一《しんいち》は、窓《まど》ガラスを打つ雨を見ながら、〝嵐《あらし》のなかを進《すす》め!〟との、戸田《とだ》の指導《しどう》であるかのように思《おも》えてならなかった。

彼《かれ》は、一九五一年(昭和《しょうわ》二十六年)の七月十一日に行《おこな》われた、男子青年部《だんしせいねんぶ》の結成式《けっせいしき》の日のことが頭《あたま》に浮《う》かんだ。その日も、激しい雨であった。

結成式の席上《せきじょう》、戸田は、淡々《たんたん》とした口調《くちょう》で、この日の参加者《さんかしゃ》のなかから、必《かなら》ずや、次《つぎ》の学会《がっかい》の会長《かいちょう》が現《あらわ》れるであろうと語《かた》った。そして、広宣流布《こうせんるふ》は絶対《ぜったい》にやり遂《と》げねばならぬ自身《じしん》の使命《しめい》であると述《の》べ、日蓮大聖人《にちれんだいしょうにん》の仏法《ぶっぽう》を、東洋《とうよう》、世界《せかい》に流布《るふ》すべきことを訴《うった》えたのである。

その戸田が逝《ゆ》いて、はや三年が過《す》ぎた。伸一は、その間《かん》の戦《たたか》いに、いささかも悔《く》いはなかった。戸田に向かって、弟子《でし》として胸《むね》を張《は》って報告《ほうこく》できる自分《じぶん》であることが嬉《うれ》しかった。

法要《ほうよう》が始まった。

日達法主《にったつほっす》の導師《どうし》で勤行《ごんぎょう》・唱題《しょうだい》したあと、各部《かくぶ》の代表《だいひょう》らがあいさつに立ち、最後《さいご》に伸一の話《はなし》となった。

伸一は、マイクの前に立つと、一言《ひとこと》一言、嚙《か》み締《し》めるように語り始めた。

「……戸田先生《せんせい》が昭和二十六年五月三日に会長に就任《しゅうにん》なされた時、嵐のごとき非難《ひなん》と中傷《ちゅうしょう》が渦巻《うずま》いておりました。その前に、事業《じぎよう》が窮地《きゆうち》に陥《おちい》り、悪戦苦闘《あくせんくとう》されたことから起《お》こった批《ひ》判《はん》でありました。

会長《かいちよう》として立ち上がられた戸田先生《とだせんせい》は、そのころ、幾度《いくど》となく、こうおっしゃっておりました。

『今、私は百年先、二百年先を考《かんが》えて立ち上がり、戦《たたか》っている。だが、人びとには、それはわからない。しかし、二百年たった時には、私の行動《こうどう》が、私の戦いが、全人類《ぜんじんるい》のなかで、ただ一つの正義《せいぎ》の戦いであったということが、証明《しようめい》されるであろう』

先生は二百年先と言われましたが、先生が亡《な》くなってたった三年で、その戦いが、どれほどすばらしいものであったかが、証明されようとしています」

参列者《さんれつしや》は、目を輝《かがや》かせながら、話《はなし》に耳《みみ》をそばだてていた。

静《しず》まり返った場内《じようない》に、獅子吼《ししく》のような伸一《しんいち》の声《こえ》が響《ひび》いた。

「今や、不幸《ふこう》に苦《くる》しんできた民衆《みんしゆう》が、戸田先生の教《おし》え通《どお》りに信心《しんじん》に励《はげ》み、偉大《いだい》なる功徳《くどく》を受け、見事《みごと》に蘇生《そせい》した姿《すがた》が、全国津々浦々《ぜんこくつつうらうら》にあります。この民衆の蘇生こそ、誰人《だれびと》もなしえなかった、最大《さいだい》の偉業《いぎよう》にほかなりません。しかも、それは日本国内《こくない》にとどまることなく、南北《なんぼく》アメリカへ、アジアへと広《ひろ》がっております。これこそが、先生の正義の確《たし》かなる証明であります。

先生《せんせい》のご精神《せいしん》は、御本尊《ごほんぞん》を根本《こんぽん》に、この世から不幸《ふこう》をなくし、平和《へいわ》な日本を、平和な世界《せかい》を築《きず》くことにありました。そのために、折伏《しゃくぶく》の旗《はた》を掲《かか》げ、広宣流布《こうせんるふ》に一人《ひとり》立たれました。

私どもは、戸田門下生《とだもんかせい》でございます。先生が折伏の大師匠《だいししょう》であれば、弟子《でし》もまた、折伏の闘将《とうしょう》でなければなりません。私たちは、毎年《まいとし》、先生のご命日《めいにち》を一つのくぎりとして、広布《こうふ》への大前進《だいぜんしん》を遂《と》げてまいりたいと思《おも》います。

私は、戸田門下生の代表《だいひょう》として、『広宣流布は成《な》し遂げました』と、堂々《どうどう》と先生の墓前《ぼぜん》にご報告《ほうこく》できる日を、最大《さいだい》の楽《たの》しみに、進《すす》んでまいります。

しかし、もしも、それができない場合《ばあい》には、後《あと》に残《のこ》った皆《みな》さんが、同じ心《こころ》で、広宣流布を成就《じょうじゅ》していただきたいことを切望《せつぼう》し、私のあいさつといたします」

法要《ほうよう》が終《お》わると、伸一《しんいち》は窓《まど》の外《そと》を見た。

いつの間《ま》にか、嵐《あらし》はやんでいた。

庭《にわ》には、枝《えだ》いっぱいに花《はな》をつけた桜《さくら》の木《き》が、雲間《くもま》から差《さ》す太陽《たいよう》の光《ひかり》を浴《あ》びて、微風《びふう》に揺《ゆ》れていた。戸田の葬儀《そうぎ》の日に、別《わか》れを惜《お》しむかのように、花びらを散《ち》らしていた木である。

咲《さ》き香《かお》る花を妬《ねた》むかのごとく、吹《ふ》き荒《あ》れた嵐も、一瞬《いっしゅん》にすぎなかった。

彼《かれ》は、戸田《とだ》の和歌《わか》を思《おも》い起《お》こした。

三類《さんるい》の　強敵《ごうてき》あれど　師子《しし》の子は
　広布《こうふ》の旅《たび》に　雄々《おお》しくぞ起《た》て

それは、一九五五年（昭和三十年《しょうわさんじゅうねん》）の十一月三日、第十三回の本部総会《ほんぶそうかい》を記念《きねん》して、戸田が伸一《しんいち》に贈《おく》った和歌であった。

その「師子の子」は、いよいよ本格的《ほんかくてき》に疾走《しっそう》を開始《かいし》したのだ。師子が走《はし》れば、大地《だいち》を揺《ゆ》るがし、風《かぜ》を起こし、雲《くも》を動《うご》かし、嵐《あらし》を呼《よ》ぶことは間違《まちが》いない。既《すで》に、その兆《きざ》しは起こっている。しかし、伸一の覚悟《かくご》は決まっていた。

彼は、拳《こぶし》を握《にぎ》り締《し》め、春嵐《しゅんらん》に耐《た》えた桜《さくら》の枝《えだ》を、じっと見つめた。

凱《がい》旋《せん》

会長就任《かいちょうしゅうにん》一周年《しゅうねん》となる五月三日を前にして、山本伸一《やまもとしんいち》の動《うご》きは、ますます激《はげ》しさを増《ま》していった。

広宣流布《こうせんるふ》の伸展《しんてん》とは、幸福《こうふく》の輪《わ》の広《ひろ》がりである。そして、その幸福とは、人間《にんげん》の胸中《きょうちゅう》に、何ものにも崩《くず》されない、生命《せいめい》の宝塔《ほうとう》を打ち立てることである。

そのために、伸一は、一人《ひとり》でも多くの同志《どうし》と会い、励《はげ》まし、指導《しどう》することを、常《つね》に自身《じしん》の最大《さいだい》の責務《せきむ》としていた。

戸《と》田城聖《だじょうせい》の四回忌《かいき》法要《ほうよう》が行《おこな》われた翌日《よくじつ》の四月三日、彼《かれ》は上越方面《じょうえつほうめん》の指導に出発《しゅっぱつ》した。

この日は、高崎支《たかさきし》部《ぶ》の結成大会《けっせいたいかい》に出席《しゅっせき》することになっていたのである。

午後《ごご》、高崎駅《えき》に着《つ》いた伸一は、同行《どうこう》の幹部《かんぶ》と、高崎支部の支部婦《ふ》人部長《じんぶちょう》になった柳井《やない》信子《のぶこ》の家《いえ》を訪《たず》ねた。

彼女《かのじょ》の夫《おっと》の柳井《やない》光次《こうじ》は、鋳物工場《いものこうじょう》を営《いとな》んでいたが、十カ月前に交通事故《こうつうじこ》で他界《たかい》していた。その夫の追善《ついぜん》の勤行《ごんぎょう》をするために、柳井の家《いえ》を訪問《ほうもん》したのである。

伸一《しんいち》は、前年《ぜんねん》の一九六〇年（昭和《しょうわ》三十五年）三月、一般講義《いっぱんこうぎ》と班長《はんちょう》・班担当員会《はんたんとういんかい》のために高崎《たかさき》を訪問していた。その折《おり》、柳井光次をはじめ、地元《じもと》の代表《だいひょう》と懇談《こんだん》したことが、懐《なつ》かしく思《おも》い出された。この席《せき》で、伸一は、柳井夫妻《ふさい》に三人の息子《むすこ》と一人《ひとり》の娘《むすめ》がいることを聞くと、光次に尋《たず》ねた。

「その子供《こども》さんを、どのように育《そだ》てようと、思っているのですか」

「はい。長男《ちょうなん》は医大《いだい》にいっておりますので医者《いしゃ》に、次男《じなん》には家業《かぎょう》を継《つ》がせ、三男は学者《がくしゃ》にと考《かんが》えております。娘は、幸《しあわ》せな結婚《けっこん》をしてくれればと思います」

伸一は、笑《わら》いを浮《う》かべながら言った。

「実《じつ》に、人間的《にんげんてき》な答《こた》えです。たいてい私がこう尋ねると、『広宣流布《こうせんるふ》の人材《じんざい》に育てます』という答えが返ってくるんです。柳井さんは正直《しょうじき》ですね」

光次に対《たい》する、高崎の同志《どうし》の信頼《しんらい》は厚《あつ》かった。

伸一に、ぜひ高崎に来てほしいと要請《ようせい》してきたのも彼《かれ》であった。

その三カ月後に、光次は他界した。今、鋳物工場は妻《つま》の信子《のぶこ》が夫に代《か》わって切り盛《も》りしている。

伸一《しんいち》は、柳井《やない》の家《いえ》で、追善《ついぜん》の勤行《ごんぎょう》をしたあと、信子《のぶこ》に語《かた》った。

「仕事《しごと》をかかえ、そのうえ支部婦人部長《しぶふじんぶちょう》の活動《かつどう》をしていくのは大変《たいへん》でしょう。しかし、中心者《ちゅうしんしゃ》が大変ななかで頑張《がんば》っているからこそ、皆《みな》も共感《きょうかん》し、指導《しどう》にも説得力《せっとくりょく》が出てくる。また、その懸命《けんめい》に生きる姿《すがた》が、同志《どうし》に勇気《ゆうき》を与《あた》え、希望《きぼう》を与えていくんです。今が自身《じしん》の人間革命《にんげんかくめい》の正念場《しょうねんば》ですよ」

柳井信子は、夫《おっと》の亡《な》きあと、仕事と家事《かじ》と学会活動《がっかいかつどう》に、懸命に、力《ちから》を注《そそ》いできたのであろう。しかし、そのためか、服装《ふくそう》など身だしなみについては、幾分《いくぶん》、無頓着《むとんちゃく》になっているようでもあった。

伸一は、諭《さと》すように言った。

「ご主人《しゅじん》に代《か》わって、やらなければならないこともあり、忙《いそが》しいかもしれませんが、婦人として、身だしなみに気を使《つか》うことも大切《たいせつ》です。なりふりかまわず頑張っている姿に、人は〝大変なんだな〟とは思《おも》うでしょうが、〝自分《じぶん》もあの人のようになりたい〟とは思わないもの

いをして、着《き》飾《かざ》る必要《ひつよう》はありませんが、心《こころ》だけでなく、姿も輝《かがや》かせていく工夫《くふう》を忘《わす》れな

いようにしてください。

子供《こども》さんにしても、母親《ははおや》がいつも若々《わかわか》しく、きれいでいることは嬉《うれ》しいものですし、ますます誇《ほこ》りに思《おも》うようになります。周囲《しゅうい》の誰《だれ》からも、あれだけ大変《たいへん》な立場《たちば》にいるのに、〝さわやかでセンスもいいな〟と思われる人になることです」

彼女《かのじょ》が全《まった》く気づかなかったことといってよい。柳井《やない》は、伸一《しんいち》のこまやかな配慮《はいりょ》に、心温《こころあたた》まる思いがした。

伸一たちは、それから車《くるま》で、結成大会《けっせいたいかい》の会場《かいじょう》に向かった。

車から降《お》りると、元気《げんき》な青年《せいねん》たちの笑顔《えがお》に取り巻《ま》かれた。そのなかに、見覚《みおぼ》えのある、何人《なんにん》かのメンバーがいた。伸一が一年前に高崎《たかさき》を訪問《ほうもん》した折《おり》、若き中堅幹部《ちゅうけんかんぶ》として、会場の整理役員《せいりやくいん》をしていた男子部員《だんしぶいん》であった。彼《かれ》は、その時、わずかな時間であったが、会場の前で、役員の青年たちと語《かた》り合ったのである。

――あの日、二十人ほどのメンバーがいたが、背広《せびろ》を着《き》ている人は数人にすぎなかった。たいていはジャンパー姿《すがた》で、背広を着ていても、靴《くつ》はズックという人もいた。仕事《しごと》も、小《ち》さな町工場《まちこうば》に勤《つと》めている人が多く、皆《みな》、生活《せいかつ》はかなり苦《くる》しそうであった。

しかし、彼らは、広宣流布《こうせんるふ》の使命《しめい》を自覚《じかく》し、法《ほう》のため、人のため、社会《しゃかい》のために戦《たたか》う誇《ほこ》りに燃《も》え、生き生きとしていた。

伸一《しんいち》は、その健気《けなげ》な姿《すがた》に心《こころ》を打たれた。

「かつて、私は貧《まず》しいうえに病弱《びょうじゃく》で、人生《じんせい》とは何かに、思《おも》い悩《なや》んでいました。しかし、信《しん》心《じん》に目覚《めざ》めることによって、すべてを乗《の》り越《こ》えて来ました。皆《みな》さんの未来《みらい》にも、必《かなら》ずや無限《むげん》の栄光《えいこう》が待《ま》っています。どこまでも信心をやり抜き、悠々《ゆうゆう》と苦労《くろう》を乗り越え、職場《しょくば》の第一人《だいいちにん》者《しゃ》として胸《むね》を張《は》ることのできる、信頼《しんらい》の青年《せいねん》になってください。

青年にとって大事《だいじ》なことは、どういう立場《たちば》、どういう境遇《きょうぐう》にあろうが、自《みずか》らを卑下《ひげ》しないことです。何があっても、楽《たの》しみながら、自身《じしん》の無限の可《か》能性《のうせい》を開いていくのが信心だからです。

もし、自分《じぶん》なんかだめなんだと思えば、その瞬間《しゅんかん》から、自身の可能性を、自ら摘《つ》み取ってしまうことになる。未来をどう開くかの鍵《かぎ》は、すべて、現在《げんざい》のわが一念《いちねん》にある。今、張り合いをもって、生きているかどうかです。

今日《きょう》は、皆さんの新《あたら》しい出発《しゅっぱつ》のために、私が青春時代《せいしゅんじだい》に、未来への決意《けつい》を込《こ》めてつくった詩《し》を、贈《おく》りたいと思う」

伸一は、こう言うと、自作《じさく》の詩を披露《ひろう》した。

希望《きぼう》に燃《も》えて　怒濤《どとう》に向《むか》い
たとい貧《まず》しき　身なりとも
人が笑《わら》おが　あざけよが
じっとこらえて　今に見ろ

まずは働《はたら》け　若《わか》さの限《かぎ》り
なかには　侮《あなど》る者《もの》もあろ
されどニッコリ　心《こころ》は燃えて
強《つよ》く正《ただ》しく　わが途《みち》進《すす》め

苦難《くなん》の道《みち》を　悠々《ゆうゆう》と
明《あか》るく微笑《ほほえ》み　大空《おおぞら》仰《あお》ぎゃ
見ゆる未来《みらい》の　希望峰《ほう》
ぼくは進むぞ　また今日《きょう》も

伸一《しんいち》は、青年《せいねん》たちに視線《しせん》を注《そそ》ぎながら言った。

「つたない詩《し》ですが、若《わか》き日の私の心《こころ》です。皆《みな》さんも、同じ思《おも》いで、どんなに辛《つら》いこと、苦《くる》しいことがあっても、決《けっ》して負《ま》けずに、大指導者《だいしどうしゃ》になるために、堂々《どうどう》と生き抜いてください。皆さんの青年時代《じだい》の勝利《しょうり》を、私は、心から祈《いの》り念《ねん》じています」

こうして励《はげ》ました青年たちが、この日の高崎支部《たかさきしぶ》の結成大会《けっせいたいかい》に、一段《いちだん》と成長《せいちょう》した姿《すがた》で、伸一の前に集《つど》って来たのである。

青年の成長こそ、伸一の最大《さいだい》の希望《きぼう》であり、最高《さいこう》の喜《よろこ》びであった。

伸一は、この日の支部結成大会では、学会《がっかい》についての批判《ひはん》の大多数《だいたすう》は、無認識《むにんしき》から起《お》こっており、粘《ねば》り強《づよ》く、学会の真実《しんじつ》を、勇敢《ゆうかん》に訴《うった》え抜いていくことが肝要《かんよう》であることを語《かた》った。

山本《やまもと》伸一は、高崎支部結成大会に続《つづ》いて、翌《よく》四日、新潟県《にいがたけん》の長岡《ながおか》に向かい、午後《ごご》二時からの、長岡支部の結成大会に臨《のぞ》んだ。

上越方面《じょうえつほうめん》の指導が終《お》わると、六日には、総本山《そうほんざん》に行き、虫払《むしばら》い大法会《だいほうえ》、大坊《だいぼう》の起工式《きこうしき》に参《さん》列《れつ》し、八日には、立川《たちかわ》、北多摩《きたたま》の二支部合同《ごうどう》結成大会に出席《しゅっせき》した。

そして、十二日に、大阪《おおさか》の関西本部《かんさいほんぶ》で御書講義《ごしょこうぎ》を行《おこな》い、翌十三日からは、中部《ちゅうぶ》に入《はい》った。

中部《ちゅうぶ》では、十四日には、岡崎支部《おかざきしぶ》の結成大会《けっせいたいかい》に、十五日には、愛知《あいち》、熱田《あつた》の二支部合同《ごうどう》結成大会に出席《しゅっせき》。その間《かん》に、行く先々《さきざき》で個人指導《こじんしどう》に力《ちから》を注《そそ》ぎ、岐阜《ぎふ》にも足《あし》を運《はこ》び、支部長の沢井昇《さわいのぼる》の家《いえ》を訪《たず》ねている。

沢井は数年前に、不況《ふきょう》の波《なみ》をかぶり、経営《けいえい》していた会社《かいしゃ》が倒産《とうさん》したが、それを見事《みごと》に乗《の》り越《こ》え、前年《ぜんねん》に岐阜支部長になった、求道心《きゅうどうしん》の旺盛《おうせい》な壮年《そうねん》であった。

岐阜は、ともすれば大都市《だいとし》の名古屋《なごや》の陰《かげ》になり、組織的《そしきてき》には、光《ひかり》の当《あ》たることが少《すく》ない地域《ちいき》といえた。東京《とうきょう》の幹部《かんぶ》も、名古屋まではよく来るが、岐阜まで来ることは、あまりなかった。

だからこそ、伸一《しんいち》は、岐阜で支部旗《き》を掲《かか》げ、広宣流布《こうせんるふ》の指揮《しき》をとる〝民衆《みんしゅう》の闘将《とうしょう》〟を励《はげ》ましたかった。

奥《おく》まった路地《ろじ》の一角《いっかく》にある質素《しっそ》な家が、沢井の自宅《じたく》であり、そこが支部の拠点《きょてん》にもなっていた。玄関《げんかん》には、一台《だい》のスクーターが止《と》めてあった。

これが彼《かれ》の大事《だいじ》な〝足〟なのであろう。友《とも》の激励《げきれい》のために、渓谷《けいこく》の道《みち》や険阻《けんそ》な山道《やまみち》を、このスクーターで走《はし》ってきたにちがいない。

伸一の姿《すがた》を見ると、沢井は恐縮《きょうしゅく》して言った。

「わざわざ、こんな所《ところ》までおいでいただいて、本当《ほんとう》に申《もう》し訳《わけ》ございません」

伸一《しんいち》は答《こた》えた。

「もし、私に時間があるなら、全同志《ぜんどうし》のご家庭《かてい》を回りたいと、思《おも》っています。しかし、残念《ざんねん》ながら、それはできない。ですから、組織《そしき》の責任《せきにん》をもつ幹部《かんぶ》の皆《みな》さんに、代《か》わりに激励《げきれい》をお願《ねが》いする以外《いがい》にないのです。その意味《いみ》から、今日《きょう》は、せめてもの御礼《おんれい》に、お伺《うかが》いしたのです」

それは、伸一の率直《そっちょく》な思いであった。自分《じぶん》が一人《ひとり》で全責任を担《にな》おうとすれば、協力《きょうりょく》してくれる人がいることのありがたさが、身に染《し》みてわかるものだ。そうなれば、決《けっ》して人に対《たい》して傲慢《ごうまん》にはなれないはずである。

もし、周囲《しゅうい》の人が、自分を支《ささ》えて当然《とうぜん》のように思っているリーダーがいるとするなら、それは、裏返《うらがえ》せば、自分がいっさいの責任を担おうとしていないからであるといってよい。

伸一は沢井《さわい》に、家庭指導《しどう》、個人《こじん》指導の大切《たいせつ》さを語《かた》っていった。

「人を育《そだ》てるには、一人ひとりに焦点《しょうてん》を合わせた激励と指導が大事《だいじ》になります。

たとえば、草木《そうもく》にしても、太陽《たいよう》さえ輝《かがや》いていれば、すべての草木が育つとは限《かぎ》らない。日《ひ》陰《かげ》になって、光《ひかり》を遮《さえぎ》られている木《き》もあれば、害虫《がいちゅう》に侵《おか》されていることもあるかもしれない。あるいは、養分《ようぶん》が不足《ふそく》している場合《ばあい》もある。そうした一つ一つの事態《じたい》に的確《てきかく》に対処《たいしょ》し、手入《てい》れを重《かさ》ねてこそ、草木《そうもく》は育《そだ》つものです。

信心《しんじん》の世界《せかい》も同じです。活動《かつどう》の打ち出しや、会合《かいごう》での全体的《ぜんたいてき》な指導《しどう》を、太陽《たいよう》の光《ひかり》とするならば、一本一本《いっぽんいっぽん》の草木に適《てき》した手入れをすることが、家庭《かてい》指導、個人《こじん》指導といえます。その地道《じみち》な活動がなければ、どんなに組織《そしき》が発展《はってん》しているように見えても、人材《じんざい》は育ちません。そして、組織も、やがては行《ゆ》き詰《づ》まるものです。

これからも、支部長《しぶちょう》として、〝岐阜《ぎふ》支部の同志《どうし》を、一人《ひとり》たりとも落《お》としてなるものか〟との気持《きも》ちで、着実《ちゃくじつ》に、信心指導の手を差《さ》し伸《の》べていってください」

伸一《しんいち》は、こう言うと沢井《さわい》と固《かた》い握手《あくしゅ》を交《か》わした。

さらに、そこに集《あつ》まっていた同志《どうし》と懇談《こんだん》した。

中部《ちゅうぶ》の指導を終《お》えた伸一は、四月十八日には東京《とうきょう》・神田《かんだ》の共立講堂《きょうりつこうどう》で行《おこな》われた第三回学生《がくせい》部弁論大会《ぶべんろんたいかい》に出席《しゅっせき》し、翌《よく》十九日には埼玉県《さいたまけん》の熊谷《くまがや》に向かった。熊谷支部の結成《けっせい》大会のためである。

電車《でんしゃ》が大宮《おおみや》に近《ちか》づくと、伸一の脳裏《のうり》には、かつて、戸田城聖《とだじょうせい》と二人《ふたり》で、大宮方面《ほうめん》にやって来た日のことが懐《なつ》かしく蘇《よみがえ》った。

それは、一九五〇年（昭和《しようわ》二十五年）の秋霜《しゆうそう》のころであった。

行《ゆ》き詰まった戸田《とだ》の事業《じぎよう》の打開《だかい》の糸口《いとぐち》を求《もと》めて、ある人を訪《たず》ねたが、不調《ふちよう》に終《お》わった。活路《かつろ》が、断《た》たれてしまったのである。

当時《とうじ》、戸田は、生きるか死《し》ぬかという窮地《きゆうち》に立たされていたといってよい。

戸田の会社《かいしや》では、給料《きゆうりよう》の遅配《ちはい》が続《つづ》き、社員《しやいん》も一人去《ひとりさ》り、二人《ふたり》去りして、ほんの一握《ひとにぎ》りの社員しかいなくなってしまっていた。戸田を守《まも》り抜こうと決めた伸一《しんいち》の体《からだ》も、ますます悪《わる》くなっていた時である。

帰途《きと》、戸田と二人で川《かわ》の流《なが》れに沿《そ》って歩《ある》いた。空《そら》には星《ほし》が冷《つめ》たく瞬《またた》いていた。夜空《よぞら》は美《うつく》しかった。しかし、寒《さむ》さが身に染《し》みた。それは、世間《せけん》の冷たさでもあった。

二人は、黙《だま》って川沿《かわぞ》いの道《みち》を歩き続けた。

戸田は泰然《たいぜん》としていた。いつもと、なんら変わるところはなかった。

しかし、伸一は申《もう》し訳《わけ》なさに胸《むね》を痛《いた》めていた。いかに戸田自身《じしん》の事業のこととはいえ、師匠《ししよう》を奔走《ほんそう》させ、人に頭《あたま》を下《さ》げさせねばならないことが、たまらなく悔《くや》しく、辛《つら》かった。彼《かれ》は、力及《ちからおよ》ばず、師を守り抜くことができぬ自分《じぶん》が不甲斐《ふがい》なかった。

その伸一も、あまりにも疲《つか》れ果《は》てていた。

伸一《しんいち》は、歩《ある》くうちに、靴《くつ》が脱《ぬ》げそうになった。見ると、靴の紐《ひも》がほどけていた。その靴も、既《すで》に磨《す》り減《へ》って、穴《あな》が開《あ》いていた。

伸一は、かがんで紐を結《むす》び直《なお》しながら、何気《なにげ》なく、当時《とうじ》、流行《りゅうこう》していた「星《ほし》の流《なが》れに……こんな女《おんな》に誰《だれ》がした」という歌《うた》をもじって、「こんな男《おとこ》に誰がした」と口《くち》ずさんだ。

その時、戸田《とだ》が振《ふ》り返った。彼《かれ》の眼鏡《めがね》がキラリと光《ひか》った。

「俺《おれ》だよ!」

こう言って、戸田は屈託《くったく》なく笑《わら》った。

明日《あす》をも知れぬ苦境《くきょう》のさなかにありながら、悠然《ゆうぜん》と笑い、〝責任《せきにん》は俺だよ〟と言う戸田の、大確信《だいかくしん》にあふれた率直《そっちょく》な言葉《ことば》に、伸一は熱《あつ》いものを感《かん》じた。

彼は思《おも》った。

〝師《し》の確信は、いつでも真実《しんじつ》を語《かた》る。されば弟子《でし》も真実で応《こた》えねばならない〟

それは苦闘《くとう》の時代《じだい》ではあったが、師弟《してい》の道を歩《あゆ》む一日一日《いちにちいちにち》は、黄金《おうごん》の輝《かがや》きに満《み》ちていた。

以来《いらい》、十年余《よ》の歳月《さいげつ》が流れた。

伸一は、熊谷支部《くまがやしぶ》の結成大会《けっせいたいかい》では、その体験《たいけん》を思い起《お》こしながら、人生《じんせい》の勝負《しょうぶ》は、一時《いちじ》の浮沈《ふちん》ではなく、十年、二十年、あるいは、一生《いっしょう》という流《なが》れのなかで明確《めいかく》になるものであることを述《の》べるとともに、生命力《せいめいりょく》の大切《たいせつ》さを語《かた》った。

「人生《じんせい》には、山《やま》もあれば谷《たに》もある。そして、同じ道《みち》であっても、強《つよ》い生命力がある人は、悠々《ゆうゆう》と歩《ある》いていけるものです。ある時は桜《さくら》の花《はな》を見て、また、途中《とちゅう》でオニギリを食《た》べ、坂道《さかみち》も楽《たの》しみながら、朗《ほが》らかに進《すす》んでいくことができる。しかし、生命力が弱《よわ》ければ、疲《つか》れきって、周《まわ》りの風景《ふうけい》も目に入《はい》らず、苦《くる》しみしか感《かん》じることができない。

私たちは、この世界《せかい》に、楽しむために生まれてきました。それには生命力が必要《ひつよう》であり、その源泉《げんせん》が唱題《しょうだい》です。ゆえに、皆《みな》さんは、唱題を根本《こんぽん》に、人がどう見ようが、どう言おうが、自分自身《じぶんじしん》はこう生き抜くのだと決めて、堂々《どうどう》と信心《しんじん》に励《はげ》んでいってください。その人が幸福者《こうふくもの》なのです。そして、〝ああ、楽しいな〟といえる人生を、また、支部《しぶ》を築《きず》いていっていただきたいのであります」

山本伸一《やまもとしんいち》は、熊谷《くまがや》に引き続《つづ》いて、翌《よく》二十日は、群馬県桐生市《ぐんまけんきりゅうし》の寺院《じいん》の落慶入仏式《らっけいにゅうぶつしき》と、桐生支部の支部結成大会《けっせいたいかい》に出席《しゅっせき》した。

桐生は、戸田城聖《とだじょうせい》が一九四六年（昭和《しょうわ》二十一年）九月、戦後《せんご》の初《はつ》の地方指導《ちほうしどう》で訪問《ほうもん》した地でもあった。

この時、戦争《せんそう》で疎開《そかい》した牧口時代《まきぐちじだい》の会員《かいいん》たちが、近在《きんざい》の正宗寺院《しょうしゅうじいん》の信徒《しんと》にも声《こえ》をかけ、戸《と》田《だ》を迎《むか》えて座《ざ》談会《だんかい》が開かれたのである。しかし、信徒といっても、勤行《ごんぎょう》のできる人は、ほとんどいなかった。また、昔《むかし》からの信徒であることを鼻《はな》にかけている者《もの》もあり、純粋《じゅんすい》な求道《きゅうどう》の息吹《いぶき》は感《かん》じられなかった。

戸田は、同行《どうこう》のメンバーに漏《も》らした。

「ここの信心《しんじん》は濁《にご》っているな。すっきりさせなければ、いずれ大変《たいへん》なことになるだろう」

この座談会の折《おり》、信徒の一人《ひとり》で、時計店《とけいてん》を営《いとな》む宮田弥次郎《みやたやじろう》という壮年《そうねん》が、戸田に指導《しどう》を求《もと》めた。宮田は、脊椎《せきつい》カリエスで悩《なや》んでいた。病院《びょういん》を転々《てんてん》としてきたが、よくならないと言うのである。

戸田は、宿命《しゅくめい》の転換《てんかん》のためには、折伏《しゃくぶく》が大切《たいせつ》であることを語《かた》り、広宣流布《こうせんるふ》に生きる決意《けつい》を促《うなが》した。

宮田は、戸田の指導を受けて、目から鱗《うろこ》が落《お》ちるような思《おも》いがした。古《ふる》くからの日蓮《にちれん》正宗の信徒であったが、肝心《かんじん》の折伏をしたことはなかった。

彼《かれ》は、折伏に励《はげ》む決意を固《かた》めた。そして、群馬県《ぐんまけん》の大胡町《おおごまち》と栃木県《とちぎけん》の豊田村《とよだむら》（現在《げんざい》は小山《おやま》市内《しない》）にある、二つの日蓮正宗寺院《にちれんしょうしゅうじいん》の信徒《しんと》と、学会員《がっかいいん》で構成《こうせい》した「正法会《しょうほうかい》」という組織《そしき》の会長《かいちょう》となって、活動《かつどう》を開始《かいし》した。

戸田《とだ》は、その後《ご》も、しばしば桐生《きりゅう》に足《あし》を運《はこ》び、指導《しどう》にあたった。しかし、「正法会」については、戸田は何も言わなかった。ただ、こう語《かた》っていた。

「諸君《しょくん》は『広宣流布《こうせんるふ》は私がやります』と言えますか？　言えないだろう。はっきり言おう。これは私しかできないことなのだ。やがて、この戸田が本格的《ほんかくてき》に立ち上がる時には、一緒《いっしょ》に広宣流布をやろうじゃないか」

桐生での折伏《しゃくぶく》は進《すす》み、五年後の五一年（昭和《しょうわ》二十六年）ごろには、三百世帯《せたい》ほどになっていた。

宮田《みやた》の家《いえ》に、学会本部《ほんぶ》から、五月三日に戸田城聖《じょうせい》の第二代会長の就任式《しゅうにんしき》が行《おこな》われることを伝《つた》える葉書《はがき》が届《とど》いたのは、その年の三月下旬《げじゅん》ごろのことであった。

葉書には、こう記《しる》されていた。

「いよいよ、戸田先生《せんせい》が学会の会長として立たれることになったのです。桐生の皆様《みなさま》も、この時をどれほど待《ま》ち焦《こ》がれていたことでしょう。新《あたら》しい出発《しゅっぱつ》の決意《けつい》を固《かた》めて、戸田先生のもとに馳《は》せ参《さん》じてください」

宮田弥次郎《みやたやじろう》は、「正法会《しょうほうかい》」の幹部《かんぶ》の打ち合わせの席《せき》で、この葉書《はがき》を皆《みな》に見せた。

「こう言って来ているんだが、どう思《おも》うかね」

すると、一人《ひとり》が答《こた》えた。

「同じ御本尊《ごほんぞん》を拝《おが》んで、同じように折伏《しゃくぶく》している。我々《われわれ》は、我々で頑張《がんば》ればよいのではないかね」

誰《だれ》も、戸田《とだ》の会長就任式《かいちょうしゅうにんしき》に参加《さんか》しようというものはいなかった。

戸田は、桐生《きりゅう》からの返事《へんじ》を待《ま》っていたが、なんの音沙汰《おとさた》もなかった。

彼《かれ》は、学会本部《がっかいほんぶ》で幹部たちに言った。

「今、この戸田とともに旗揚《はたあ》げすることができなければ、一生《いっしょう》、後悔《こうかい》することになる。もう一度《いちど》、連絡《れんらく》をとってあげなさい」

桐生には、二度、三度と便《たよ》りが出された。それでも返事はなかった。

そして、五月三日、戸田の会長就任式を迎《むか》えたが、遂《つい》に「正法会」からは、誰も参加せずに終《お》わった。

宮田は、戸田に反発《はんぱつ》しているという気持《きも》ちはなかった。それなりに尊敬《そんけい》も、感謝《かんしゃ》もしていたが、広宣流布《こうせんるふ》の使命《しめい》を自覚《じかく》した戸田の獄中《ごくちゅう》の境涯《きょうがい》も、仏意仏勅《ぶついぶっちょく》による創価《そうか》学会の組織《そしき》の意《い》味《み》もわからなかった。つまり、まことの「信心《しんじん》の血脈《けちみゃく》」がわからなかったのである。「正法会《しょうほうかい》」のメンバーには〝自分《じぶん》たちの組織《そしき》も発展《はってん》してきたのだから学会《がっかい》と同じことができる。なにも、学会に入《はい》り、戸田《とだ》に指導《しどう》を仰《あお》ぐ必要《ひつよう》などない〟という思《おも》い上がりが生《しょう》じていたのである。

だが、やがて「正法会」には、ほころびが出始《ではじ》めていった。仲違《なかたが》いである。二つの正宗《しょうしゅう》の寺院《じいん》の信徒《しんと》がいることもあり、いつの間《ま》にか派閥《はばつ》がつくられ、それが感情的《かんじょうてき》な対立《たいりつ》にまで発展していった。

会合《かいごう》を開いた時は一緒《いっしょ》でも、終《お》われば互《たが》いに悪口《わるくち》を言い、陰《かげ》で足《あし》を引っ張《ぱ》り合うようになっていた。「正法会」の雰囲気《ふんいき》は、暗《くら》く、重苦《おもくる》しいものになっていった。功徳《くどく》の体験《たいけん》も聞かなくなった。

宮田《みやた》は焦《あせ》り始めた。

〝何かが違《ちが》う。どこかがおかしい……〟

彼《かれ》は神経《しんけい》を磨《す》り減《へ》らし、体調《たいちょう》も崩《くず》してしまった。

そのころ、「正法会」の青年部長《せいねんぶちょう》で、呉服《ごふく》の販売《はんばい》をしていた寺田道夫《てらだみちお》という青年が、出張先《しゅっちょうさき》の仙台《せんだい》で、学会の仙台支部《しぶ》の総会《そうかい》があることを聞いて参加《さんか》した。

一九五四年（昭和《しょうわ》二十九年）の四月のことである。

寺田《てらだ》は会合《かいごう》の迫力《はくりょく》、明《あか》るさに圧倒《あっとう》された。

そして、何よりも、仏法《ぶっぽう》の法理《ほうり》に透徹《とうてつ》し、大確信《だいかくしん》にあふれた戸《と》田城聖《だじょうせい》の指導《しどう》に感動《かんどう》した。

〝学会《がっかい》はすごい！「正法会《しょうほうかい》」とはまるで違《ちが》う。これが本当《ほんとう》の大聖人《だいしょうにん》の仏法の世界《せかい》だ。信心《しんじん》をするなら、戸田先生《せんせい》の指導を受けなければだめだ〟

彼《かれ》は桐生《きりゅう》に帰《かえ》ると、「正法会」の会長《かいちょう》である宮田弥次郎《みやたやじろう》の家《いえ》を訪《たず》ね、その様子《ようす》と自分《じぶん》の考《かんが》えを話《はな》した。

「君《きみ》もそう思《おも》うか……。実《じつ》は、最近《さいきん》、私もそう考えていたのだよ。今になってみて、戸田先生の言われていたことの意味《いみ》が、ようやくわかりかけてきた気がする。

やはり広宣流布《こうせんるふ》は、戸田先生にしかできないことなのだろう。決《けっ》して、私が考えていたような、甘《あま》いものではなかった」

そう語《かた》る宮田の顔《かお》には、深《ふか》い苦悩《くのう》が滲《にじ》んでいた。

彼は、取り返しのつかない失敗《しっぱい》をしてしまったことに、気づき始《はじ》めていたのである。

二人《ふたり》は語り合い、学会に入会《にゅうかい》させてもらおうということになった。

このころになると、桐生にも、次第《しだい》に学会員が増《ふ》えつつあった。戸田の会長就任後《しゅうにんご》、七十五万世帯《せたい》の達成《たっせい》に向かって、全国《ぜんこく》に折伏《しゃくぶく》の波《なみ》は広《ひろ》がっていたのである。

しかし、宮田《みやた》は「正法会《しょうほうかい》」の会長《かいちょう》であるだけに、彼個人《かれこじん》の問題《もんだい》ではすまない。彼は悩《なや》んだ。しばらくは悶々《もんもん》とする日が続《つづ》いた。だが、このままでは、会のメンバーに本当《ほんとう》の信心《しんじん》を教《おし》え、幸《しあわ》せにすることはできないというのが、宮田の結論《けつろん》であった。

この年の夏《なつ》、宮田は自宅《じたく》に、百人ほどの「正法会」のメンバーを集《あつ》め、自分《じぶん》の決断《けつだん》を伝《つた》えた。

「私は学会《がっかい》について行こうと思《おも》う。本当の信心はそれしかないからです。私とともに行動《こうどう》しようという人は、ついて来てほしい」

宮田たちが、学会に入《はい》ろうとしていることを知った「正法会」の副会長らは、寺の住職《じゅうしょく》らと話《はな》し合い、新《あら》たな会の結成《けっせい》に着手《ちゃくしゅ》し、メンバーが学会に行くのを、躍起《やっき》になって阻止《そし》しようとした。宮田たちは〝裏切《うらぎ》り者《もの》〟とされた。

しかし、宮田は、学会に入会《にゅうかい》し、最終的《さいしゅうてき》には、彼に続《つづ》いて、百人あまりが学会員となったのである。

宮田弥次郎《やじろう》は一学会員として、地道《じみち》に信心に励《はげ》み始《はじ》めた。彼は〝学会に信心のイロハから教えてもらうのだ〟と決意《けつい》を新たにしていた。

学会《がっかい》に入会《にゅうかい》し、しばらくして登山《とざん》した折《おり》、彼《かれ》は総本山《そうほんざん》の参道《さんどう》で戸《と》田城聖《だじょうせい》と出会った。

宮田《みやた》は、再三《さいさん》、知らせを受けた戸田の会長就任式《かいちょうしゅうにんしき》にも出席《しゅっせき》しなかったことを思《おも》うと、戸田に合わせる顔《かお》がなかった。申《もう》し訳《わけ》なさに、うなだれるように頭《あたま》を下《さ》げた。

しかし、戸田は、そんな彼を、一言《ひとこと》も責《せ》めようとはしなかった。

「宮田君《くん》、苦労《くろう》したな……。君《きみ》のことは、この戸田がよくわかっている」

こう言うと、宮田の肩《かた》に手を伸《の》ばし、抱《だ》きかかえた。

宮田は男泣《おとこな》きした。戸田の腕《かいな》は、このうえなく温《あたた》かく感《かん》じられた。

「先生《せんせい》……」

以来《いらい》、宮田は、黙々《もくもく》と信心《しんじん》に励《はげ》んだ。学会を深《ふか》く知るにつれ、彼は、日々《ひび》、その不思議《ふしぎ》さを実感《じっかん》していった。

そして、戦時中《せんじちゅう》、宗門《しゅうもん》が軍部《ぐんぶ》政府《せいふ》の弾圧《だんあつ》を恐《おそ》れ、謗法《ほうぼう》にまみれていくなかで、正法正義《しょうぼうしょうぎ》を守《まも》り、初代《しょだい》会長牧口常三郎《まきぐちつねさぶろう》が殉教《じゅんきょう》していったことの重《おも》さを、ひしひしと感じた。また、その弟子《でし》の戸田が獄中《ごくちゅう》にあって、法華経《ほけきょう》を身読《しんどく》し、地涌《じゆ》の菩薩《ぼさつ》の使命《しめい》を悟《さと》り、ただ一人《ひとり》、広宣流布《こうせんるふ》に立ち上がったことの偉大《いだい》さに、深い感動《かんどう》を覚《おぼ》えるのであった。

宮田は、創価《そうか》学会こそ日蓮大聖人《にちれんだいしょうにん》の「信心の血脈《けちみゃく》」を受け継《つ》ぐ、唯一《ゆいいつ》の仏意仏勅《ぶついぶっちょく》の教団《きょうだん》で

あることを命《いのち》で感《かん》じていった。

さらに、戸田《とだ》の獄中《ごくちゅう》の悟達《ごだつ》に発《はっ》する、不惜身命《ふしゃくしんみょう》の実践《じっせん》と大確信《だいかくしん》が、学会《がっかい》の精神《せいしん》の機軸《きじく》となっているからこそ、金剛不壊《こんごうふえ》の団結《だんけつ》があることに気づいた。また、その戸田がいてこそ、初《はじ》めて広宣流布《こうせんるふ》が成《な》し遂《と》げられることを確信したのである。

後《のち》の話《はなし》になるが、宗門《しゅうもん》の一部《いちぶ》僧侶《そうりょ》による、学会への理不尽《りふじん》な攻撃《こうげき》が続《つづ》いた一九七八、九年（昭和《しょうわ》五十三、四年）ごろ、宮田《みやた》は、真実《しんじつ》がわからず、心《こころ》が揺《ゆ》れる人びとの家《いえ》を訪《たず》ねては、懸《けん》命《めい》に学会の正義《せいぎ》を訴《うった》え抜いた。

彼《かれ》には、かつて、自分《じぶん》が犯《おか》してしまった過《あやま》ちを、絶対《ぜったい》に、同志《どうし》たちに繰《く》り返させてはならないという、人一倍《ひといちばい》、強《つよ》い思《おも》いがあったにちがいない。

ともあれ、こうしたいきさつから、桐生《きりゅう》は、草創期《そうそうき》にあって、戸田が指導《しどう》に力《ちから》を注《そそ》いだ地であったにもかかわらず、広宣流布は紆余曲折《うよきょくせつ》をたどらなければならなかったのである。

桐生に大発展《だいはってん》の兆《きざ》しが見え始《はじ》めたのは、一九五五年（昭和三十年）ごろからであった。そして、遂《つい》に、この日の桐生支部《しぶ》の誕生《たんじょう》となったのである。

支部の結成大会《けっせいたいかい》は、二十日午後《ごご》五時半《はん》から、桐生市内《しない》の産業文化会館《さんぎょうぶんかかいかん》で開催《かいさい》されることになっていた。

山本伸一《やまもとしんいち》は、午後《ごご》一時から、市内《しない》に新《あら》たに建立《こんりゅう》した無量寺《むりょうじ》の落慶入仏式《らっけいにゅうぶつしき》に参列《さんれつ》したあと、引き続《つづ》き支部結成大会《しぶけっせいたいかい》に出席《しゅっせき》した。

彼《かれ》は、桐生《きりゅう》の過去《かこ》の経緯《けいい》をよく知っていた。会場《かいじょう》に向かう途中《とちゅう》、地元《じもと》の幹部《かんぶ》に言った。

「桐生の新時代《しんじだい》だね。新生《しんせい》の歴史《れきし》をつくるために、仲良《なかよ》く団結《だんけつ》していくんだよ」

会場には人があふれ、熱気《ねっき》に満《み》ちていた。

戸田城聖《とだじょうせい》の戦後初《せんごはつ》の桐生指導《しどう》から十五年、この地にも、今、新《あたら》しき地涌《じゆ》の若芽《わかめ》が萌《も》え、広宣流布《こうせんるふ》の沃野《よくや》が開かれたのである。

伸一は、ここでは、*十四誹謗《じゅうしひぼう》の話《はなし》をした。

彼は、桐生の団結を願《ねが》い、語《かた》っていった。

「御書《ごしょ》に十四誹謗ということが説《と》かれていますが、そのなかに、軽善《きょうぜん》、憎善《ぞうぜん》、嫉善《しつぜん》、恨善《こんぜん》とあります。

わかりやすく言いますと、正法《しょうほう》を持《たも》っている人を軽《かろ》んじ、憎《にく》み、嫉妬《しっと》し、恨《うら》むことです。

この四つは、ともすれば犯《おか》しがちな誹謗であり、こんな怨嫉《おんしつ》なんかに振《ふ》り回されてしまえば、せっかく強盛《ごうじょう》に信心《しんじん》に励《はげ》んできたとしても、無量の大功徳《だいくどく》を受けきっていくことはできないと教《おし》えています。

たとえば、どんなに立派《りっぱ》なテレビやラジオを買《か》っても、チャンネルやダイヤルの回し方《かた》を間違《まちが》ってしまえば、見たい番組《ばんぐみ》は映《うつ》らないし、ラジオの音《おと》も正《ただ》しくは聞こえてこない。それと同じことです。

信心《しんじん》に励《はげ》んでいる私たちは、どのような役職《やくしょく》や立場《たちば》にあろうが、皆《みな》、仏子《ぶっし》であり、平等《びょうどう》であります。互《たが》いに、仏《ほとけ》を敬《うやま》うがごとく、尊敬《そんけい》し、信頼《しんらい》していくのが、本来《ほんらい》の姿《すがた》です。もし、誤《あやま》りがあれば、それを戒《いまし》めるのは当然《とうぜん》ですが、陰《かげ》で同志《どうし》を誹《そし》るようなことがあっては絶対《ぜったい》になりません。また、組織《そしき》の中心者《ちゅうしんしゃ》だからといって、周囲《しゅうい》の方々《かたがた》を手下《てした》のように使《つか》うことも、決《けっ》してあってはならない。学会《がっかい》はどこまでも、信心のつながりであり、慈悲《じひ》のつながりであります。

ゆえに、私たちは、麗《うるわ》しい家族《かぞく》のように、温《あたた》かく励まし合いながら、明《あか》るく、仲良《なかよ》く、前進《ぜんしん》してまいろうではありませんか」

桐生《きりゅう》は蘇生《そせい》し、未来《みらい》への出発《しゅっぱつ》を遂《と》げたのである。

この四月二十日は、聖教新聞《せいきょうしんぶん》の創刊《そうかん》十周年《しゅうねん》にあたっていた。

十周年を祝《いわ》い、会長山本伸一《かいちょうやまもとしんいち》は、「創刊十周年に寄《よ》せる」と題《だい》する一文《いちぶん》を、同紙《どうし》に寄稿《きこう》した。それは四月二十二日付《づけ》の一面《めん》に掲載《けいさい》された。
「会長就任《かいちょうしゅうにん》一周年《しゅうねん》にあたって、聖教新聞《せいきょうしんぶん》の創刊《そうかん》十周年を迎《むか》えることは、私にとって感慨《かんがい》深《ぶか》いものがある。

聖教新聞は、広宣流布《こうせんるふ》という未曾有《みぞう》の大事業《だいじぎょう》の歴史《れきし》を綴《つづ》るものであり、刻々《こっこく》と展開《てんかい》される広布《こうふ》の活動《かつどう》を正確《せいかく》に報道《ほうどう》し、幹部《かんぶ》への指導《しどう》、一般会員《いっぱんかいいん》への指導、その他《た》あらゆる面において、学会《がっかい》の原動力《げんどうりょく》となっている。

『文《ぶん》は武《ぶ》よりも強《つよ》し』。かの明治維新《めいじいしん》において、長《なが》い鎖国《さこく》の夢《ゆめ》からさめて、文明開化《ぶんめいかいか》の希望《きぼう》に燃《も》えて立ち上がった若《わか》き世代《せだい》の力《ちから》は、武力《ぶりょく》に代《か》わるべき言論《げんろん》の力であった。権力《けんりょく》や武力に対抗《たいこう》し、にわかに台頭《たいとう》した力こそ言論であった。

そして、新聞が衆望《しゅうぼう》をになって登場《とうじょう》したのである。

今や創価《そうか》学会は、全世界《ぜんせかい》にその存在《そんざい》を示《しめ》すようになった。我々《われわれ》はなんの権力ももたない。また財力《ざいりょく》ももたない。ただ一つ純粋《じゅんすい》な心《こころ》から、仏《ほとけ》の金言《きんげん》を奉《ほう》じ、民衆《みんしゅう》の不幸《ふこう》を嘆《なげ》き、楽土建《らくどけん》設《せつ》のために、不幸の根源《こんげん》と戦《たたか》い抜いてきた教団《きょうだん》である。

これほど純粋な、力強《ちからづよ》い団体《だんたい》がほかにあろうか。

不幸の根源《こんげん》である宗教《しゅうきょう》の誤《あやま》りを正《ただ》し、一人《ひとり》の人を救《すく》う行為《こうい》、すなわち折伏《しゃくぶく》もまた、真実《しんじつ》の言論《げんろん》の力《ちから》によってなされる」

伸一《しんいち》は、ここで、広宣流布《こうせんるふ》の大業《たいぎょう》は、言論によって進《すす》められるものであり、学会《がっかい》は言論を最《もっと》も重《おも》んじてきたことを述《の》べた。そして、その学会に対《たい》して世間《せけん》は、曲解《きょっかい》や批判《ひはん》、暴言《ぼうげん》をもって報《むく》いてきたことを指摘《してき》していった。

「その嵐《あらし》のなかを、我々《われわれ》は＊柔和忍辱《にゅうわにんにく》の鎧《よろい》を着《き》て進んできた。そのなかにあって聖教新聞《せいきょうしんぶん》は、ある時は誤《あやま》った宗教《しゅうきょう》に真《ま》っ向《こう》から鉄槌《てっつい》を下《くだ》し、ある時は日蓮大聖人《にちれんだいしょうにん》の仏法《ぶっぽう》の正義《せいぎ》を堂々《どうどう》と主張《しゅちょう》してきた。そして、内《うち》にあっては会員《かいいん》を擁護《ようご》し、外《そと》にあっては、不当《ふとう》な権力《けんりょく》の横暴《おうぼう》を粉砕《ふんさい》する、言論戦の最も大事《だいじ》な武器《ぶき》としての力を、いかんなく発揮《はっき》してきた」

伸一は、創刊《そうかん》十周年《しゅうねん》にあたって、聖教新聞の原点《げんてん》を確認《かくにん》しておきたかったのである。

寄稿文《きこうぶん》には、このあと、一九五〇年（昭和《しょうわ》二十五年）の夏《なつ》、戸田《とだ》の事業《じぎょう》が行《ゆ》き詰《づ》まった苦境《くきょう》のさなかに、戸田と伸一の間《あいだ》で、新聞の発刊《はっかん》の構想《こうそう》が練《ね》られたことがつづられ、次《つぎ》のように結《むす》ばれている。

「以来《いらい》十年、日夜《にちや》をわかたず、新聞制作《せいさく》に、広告《こうこく》などの業務《ぎょうむ》に、購読推進《こうどくすいしん》に、そして、配達《はいたつ》にと、懸命《けんめい》に努力《どりょく》を尽《つ》くしてくださった皆様《みなさま》に、心《こころ》より敬意《けいい》を表《ひょう》したい。

かつて、恩師《おんし》が『願《ねが》わくは、一日《いちにち》も早《はや》く、日本中《じゅう》の人に、この新聞《しんぶん》を読《よ》ませたいものである』と言われた確信《かくしん》を、今こそ強《つよ》く思《おも》い起《お》こしたい。

そして、直接《ちょくせつ》、新聞にたずさわる人だけでなく、全会員《ぜんかいいん》が、この恩師のお心《こころ》を体《たい》して、聖教《せいきょう》新聞を守《まも》り育《そだ》てゆかれんことを願うものである」

聖教新聞は旬刊《じゅんかん》二ページ建《だ》てで五千部《ぶ》からスタートした。それが、水曜日《すいようび》が四ページ建て、土曜日が八ページ建ての、週《しゅう》二回刊《かいかん》となり、百八十五万世帯《せたい》の会員の機関紙《きかんし》になっていた。まことに飛躍的《ひやくてき》な発展《はってん》である。

また、一九五六年（昭和《しょうわ》三十一年）に、「東京版《とうきょうばん》」「北《きた》日本版」「西《にし》日本版」の三版《ばん》から始《はじ》まった地方版《ちほうばん》も、この時には七版《はん》の体制《たいせい》になっていた。

それにともない、地方支局《しきょく》も、拡充《かくじゅう》、発展し、五九年（昭和三十四年）七月には、関西《かんさい》、北海道《ほっかいどう》、東北《とうほく》、中部《ちゅうぶ》、中国《ちゅうごく》、九州《きゅうしゅう》の、全国《ぜんこく》六支局の体制が整《ととの》えられた。

さらに、通信員制度《つうしんいんせいど》も、五四年（昭和二十九年）に設《もう》けられ、この時点《じてん》で、全国に通信員四十九人、準《じゅん》通信員二百十五人の陣容《じんよう》となっていたのである。

しかも、学会本部《がっかいほんぶ》から徒歩数分《とほすうふん》の、新宿区信濃町《しんじゅくくしなのまち》一八番地《ばんち》に建設《けんせつ》を進《すす》めてきた新聞社の新《しん》社屋《しゃおく》もほぼ完成《かんせい》し、五月四日には落成式《らくせいしき》が行《おこな》われることになっていた。新社屋は地上《ちじょう》三階《がい》、地下《ちか》一階建《かいだ》ての鉄筋《てっきん》コンクリート造《づく》りで、当時《とうじ》の学会《がっかい》の建物《たてもの》のなかでは、最《もっと》も優《すぐ》れた設備《せつび》の建造物《けんぞうぶつ》といえた。

新聞《しんぶん》が創刊《そうかん》されて間《ま》もないころ、編集室《へんしゅうしつ》は、東京《とうきょう》・市ケ谷《いちがや》のビルの狭《せま》い一室《いっしつ》であり、編集部には、カメラは旧式《きゅうしき》のものが一台《だい》あるだけであった。

ある時、編集部員《ぶいん》の一人《ひとり》が、戸田城聖《とだじょうせい》に、もっと高性能《こうせいのう》のカメラの購入《こうにゅう》を要望《ようぼう》した。

すると、戸田は笑《わら》いながら言った。

「高性能のカメラで、うまい写真《しゃしん》を撮《と》るのは誰《だれ》だってできる。安《やす》い旧式なカメラを使《つか》って、優れた写真を撮るところに、カメラマンの真価《しんか》があるのだよ」

戸田は、できるものなら立派《りっぱ》なカメラを、何台《なんだい》でも買《か》ってやりたかった。しかし、当時の学会には、そんなゆとりなど、全《まった》くなかったのである。

聖教《せいきょう》新聞の発展《はってん》は、まさに隔世《かくせい》の感《かん》があった。

山本伸一《やまもとしんいち》は桐生支部《きりゅうしぶ》の結成大会《けっせいたいかい》に続《つづ》いて、中国指導《ちゅうごくしどう》に向かった。

四月二十二日には、岡山《おかやま》の中国本部《ほんぶ》での地区部長会《ちくぶちょうかい》に出席《しゅっせき》し、翌《よく》二十三日には、島根県《しまねけん》の松江《まつえ》にやって来た。

この日に行《おこな》われる、松江支部《まつえしぶ》の結成大会《けっせいたいかい》に出席《しゅっせき》するためである。伸一《しんいち》にとって、松江は初《はじ》めての訪問《ほうもん》であった。彼《かれ》は駅《えき》に出迎《でむか》えてくれた、支部長の浜田厳介《はまだげんすけ》の顔《かお》を見ると、笑顔《えがお》で語《かた》りかけた。

「とうとう松江にやって来たよ！　さあ、いよいよ新《あたら》しい出発《しゅっぱつ》だね」

「はい。ありがとうございます」

恰幅《かっぷく》のよい浜田が、緊張《きんちょう》した顔で答《こた》えた。

浜田の家《いえ》は、駅のすぐ前である。自宅《じたく》の一階《かい》が、会社《かいしゃ》であり、そこで自動車《じどうしゃ》の修理工場《しゅうりこうじょう》を営《いとな》んでいた。

彼は、尋常小学校《じんじょうしょうがっこう》を終《お》えると働《はたら》きに出た。苦労《くろう》を重《かさ》ねた末《すえ》に、戦後《せんご》、会社を興《おこ》し、二、三十人の従業員《じゅうぎょういん》を抱《かか》えるまでになった、町《まち》の成功者《せいこうしゃ》の一人《ひとり》である。

しかし、仕事《しごと》が軌道《きどう》に乗《の》ってくると、浜田は、道楽《どうらく》にのめり込《こ》んでいった。日が暮《く》れ始《はじ》めると、〝付《つ》き合い〟だと言って家を出て行き、外泊《がいはく》してくることが多かった。

妻《つま》の由紀子《ゆきこ》の、夫《おっと》への不信《ふしん》は深《ふか》まり、夕方《ゆうがた》になると、決まって、二人《ふたり》は言い争《あらそ》いになった。会社の経営《けいえい》には支障《ししょう》はなかったものの、家庭《かてい》の不和《ふわ》は、日を追《お》うごとに、深刻《しんこく》になっていった。

由紀子《ゆきこ》は、夫《おっと》のことで悶々《もんもん》とするうちに、日暮《ひぐ》れ近《ちか》くになると、動悸《どうき》がして、まるで、棒《ぼう》でも飲《の》み込《こ》んだような息苦《いきぐる》しさを覚《おぼ》えるようになった。発作《ほっさ》が起《お》こると、体《からだ》はこわばり、顔《かお》が土色《つちいろ》になるのである。

厳介《げんすけ》も、初《はじ》めは驚《おどろ》いて心配《しんぱい》していたが、慣《な》れてくると、仮病《けびょう》ではないかと思《おも》い始《はじ》めた。

ある日、由紀子が発作を起こして病院《びょういん》に行くと、ノイローゼであると診断《しんだん》された。

そんな時、知人《ちじん》から仏法《ぶっぽう》の話《はなし》を聞いた彼女《かのじょ》は、藁《わら》をもつかむ思いで入会《にゅうかい》した。一九五七年(昭和《しょうわ》三十二年)の三月のことである。

信心《しんじん》を始めた由紀子は、懸命《けんめい》に折伏《しゃくぶく》に励《はげ》んだ。

周囲《しゅうい》の人は好奇《こうき》の目を向け、「あんなことで病気《びょうき》が治《なお》るものか」と陰口《かげぐち》を叩《たた》いたが、彼女は日増《ひま》しに元気《げんき》になっていった。

その姿《すがた》を見てきた夫の厳介も、由紀子の勧《すす》めで入会した。また、三人の娘《むすめ》たちも、従業員《じゅうぎょういん》も、次々《つぎつぎ》と信心を始めた。

由紀子は思った。

〝夫は信心をしたのだから、これで、きっと私のもとに帰《かえ》ってくる。もう大丈夫《だいじょうぶ》だ!〟

だが、夫の厳介は、入会はしたものの、勤行《ごんぎょう》一つするわけではなかった。外泊《がいはく》も、相変《あいか》わらず続《つづ》いていた。

由紀子《ゆきこ》の、淡《あわ》い期待《きたい》は空《むな》しく消《き》えていった。再《ふたた》び絶望《ぜつぼう》に打ちひしがれた。入会《にゅうかい》から四カ月が過《す》ぎた七月、彼女《かのじょ》はあらぬことを口走《くちばし》り始《はじ》めた。

「主人《しゅじん》のことが心配《しんぱい》で、肩《かた》が凝《こ》って、とうとう首《くび》の筋《すじ》が切れてしまった。もう、私は死《し》んでしまう」

激《はげ》しい不安《ふあん》にさいなまれ、自分《じぶん》を卑下《ひげ》し、死ばかり考《かんが》える日が続いた。

それでも、体調《たいちょう》のよい時には、「私の宿業《しゅくごう》は、信心《しんじん》で転換《てんかん》するしかない」と、唱題《しょうだい》に励《はげ》んでいた。

八月のある日、彼女は、押《お》し入れの中《なか》で、カミソリで舌《した》を切り、自殺《じさつ》を図《はか》った。幸《さいわ》いにして、家族《かぞく》の発見《はっけん》が早《はや》かったために、大事《だいじ》にはいたらなかった。娘《むすめ》たちの戸惑《とまど》いと苦《くる》しみも深《ふか》かった。刃物《はもの》はいっさい隠《かく》し、ガスの栓《せん》にも心《こころ》を配《くば》らねばならなかった。

由紀子は、その後《ご》も自殺を企《くわだ》てた。九月には農薬《のうやく》を飲《の》んだが、この時も死ぬことはできなかった。そして、十月には、床下《ゆかした》に隠れて、餓死《がし》しようとした。数時間後に、見つけ出された時には、既《すで》に言うことも、目付《めつ》きも、完全《かんぜん》におかしかった。

翌朝《よくちょう》、家族は由紀子を、大学病院《だいがくびょういん》へ入院《にゅういん》させた。医師《いし》からは「精神分裂病《せいしんぶんれつびょう》」と告《つ》げられた。病院《びょういん》でも、彼女《かのじょ》はしばらくは、幻覚《げんかく》に襲《おそ》われ、意味不明《いみふめい》な言葉《ことば》を叫《さけ》んだりもした。しかし、そのなかでも、この苦《くる》しみを乗《の》り越《こ》えるのだと、唱題《しょうだい》を続《つづ》けた。

不思議《ふしぎ》なことに、十日、二十日とたつうちに、彼女の心《こころ》は、少《すこ》しずつ平静《へいせい》さを取り戻《もど》し、薄紙《うすがみ》をはぐように快方《かいほう》に向かった。

医師《いし》も驚《おどろ》くほど、治療《ちりょう》は効果《こうか》を上げ、約《やく》百日で、彼女は退院《たいいん》できたのである。

その姿《すがた》を見て、厳介《げんすけ》も、心から信心《しんじん》に目覚《めざ》めた。外泊《がいはく》もいっさいやめ、家族揃《かぞくそろ》って、真剣《しんけん》に勤行《ごんぎょう》するようになった。

それとともに、一家《いっか》は明《あか》るくなり、由紀子《ゆきこ》も生き生きとして、完全《かんぜん》に健康《けんこう》を回復《かいふく》した。

近隣《きんりん》の人たちの驚《おどろ》きは大きかった。

「浜田《はまだ》のおやじは、道楽《どうらく》もキッパリとやめてしまったし、女房《にょうぼう》も病気《びょうき》を乗り越えた。あれだけ喧嘩《けんか》ばかりしていたのが、最近《さいきん》は仲《なか》も良《よ》くなっている。信仰《しんこう》のおかげなのだろうか」

浜田は、妻《つま》に連《つ》れられ、折伏《しゃくぶく》に歩《ある》いた。

夫妻《ふさい》の姿を見て、仏法《ぶっぽう》の話《はなし》を聞いた人たちは、相次《あいつ》ぎ入会《にゅうかい》していった。

厳介は、自宅《じたく》を会場《かいじょう》に提供《ていきょう》し、妻の由紀子と一緒《いっしょ》に、会合《かいごう》にも参加《さんか》するようになった。

山本伸一《やまもとしんいち》が初《はじ》めて浜田厳介と会ったのは、一年前の一九六〇年（昭和三十五年《しょうわ》）の二月のことであった。

浜田《はまだ》は、松江《まつえ》の地区部長《ちくぶちょう》になっていた。

伸一《しんいち》は、この日、岡山《おかやま》での中国総支部幹部会《ちゅうごくそうしぶかんぶかい》に出席《しゅっせき》したあと、総支部長の岡田一哲《おかだいってつ》の家《いえ》で、何人《なんにん》かの地区部長と懇談《こんだん》の機会《きかい》をもった。そのなかに、浜田もいたのである。伸一は、浜田一家《いっか》のことについては、岡田から聞いていた。

浜田は、地区部長とはいっても、地区担当員《たんとういん》になっていた妻《つま》に引っ張《ぱ》られての活動《かつどう》であり、自ら懸命《みずかけんめい》に活動に励《はげ》んできたといえる状態《じょうたい》ではなかった。また、道楽者《どうらくもの》で学歴《がくれき》もない自分《じぶん》が、地区部長として皆《みな》のリーダーになっていることに対《たい》して、申《もう》し訳《わけ》ないという思《おも》いもあった。

岡田は、浜田を伸一に紹介《しょうかい》した。

「松江の浜田さんですか。いつも、ありがとう。松江に行けずに申し訳ありませんが、島根《しまね》の同志《どうし》をよろしくお願《ねが》いします。あなたがいれば、松江は大丈夫《だいじょうぶ》だと確信《かくしん》しています」

そして、伸一は、自分が手にしていたミカンを、浜田に差《さ》し出した。

「さっき買《か》ってきたものですが、どうぞお食《た》べください。ところで、浜田さんはお幾《いく》つになりますか」

「はい、四十四歳です」

「そうですか。人の一生《いっしょう》には限《かぎ》りがあります。そして、人生《じんせい》の価値《かち》は、その一生をなんのために使《つか》うかによって決定《けってい》づけられていきます。

浜田《はまだ》さん、私とともに広布《こうふ》に生きましょう。そこにこそ、最《もっと》も価値ある人生の道《みち》がある。島根《しまね》を頼《たの》みますよ。いつか、私も松江《まつえ》に行きますからね」

浜田は伸一《しんいち》からもらったミカンを、両手《りょうて》で握《にぎ》り締《し》めた。伸一の自分《じぶん》への期待《きたい》を思《おも》うと、目頭《めがしら》が熱《あつ》くなった。

〝こんな俺《おれ》のことを、心《こころ》から励《はげ》ましてくださる……〟

翌日《よくじつ》、浜田は、鳥取市《とっとりし》での大会《たいかい》に向かう伸一と、同じ列車《れっしゃ》に乗《の》り、車中《しゃちゅう》、指導《しどう》を受けた。

「私は地区部長《ちくぶちょう》をさせていただいていますが、小学校《しょうがっこう》しか出ていないし、力《ちから》もありません。何よりも、読《よ》み書《か》きが苦手《にがて》なんです」

「人間《にんげん》の価値は、学問《がくもん》や地位《ちい》で決まるものではありません。学会《がっかい》は信心《しんじん》が根本《こんぽん》です。また、人柄《ひとがら》を磨《みが》いていけば、みんな、ついてきます」

車窓《しゃそう》には桜《さくら》の木《き》が、黒々《くろぐろ》とした枝《えだ》を広《ひろ》げていた。

伸一は、それを指《ゆび》さして言った。

「浜田《はまだ》さん、あの桜《さくら》の木《き》は、今は裸《はだか》だが、間《ま》もなく、木のなかから芽《め》が出て、人びとを魅了《みりょう》する花《はな》が咲《さ》く。私たちも、心《こころ》のなかは見えないが、一人《ひとり》ひとりに仏《ほとけ》の生命《せいめい》がある。その生命が、やがて、自己《じこ》を最高《さいこう》に輝《かがや》かせ、人生《じんせい》の幸福《こうふく》の花を咲かせていく。その確信《かくしん》をもつことです」

伸一《しんいち》の指導《しどう》は、深《ふか》く浜田の胸《むね》に突《つ》き刺《さ》さった。

浜田は、伸一がくれた一つのミカンを、大事《だいじ》に、松江《まつえ》に持《も》ち帰《かえ》った。彼《かれ》は家《いえ》に着《つ》くと、そのミカンを仏壇《ぶつだん》に供《そな》えて、真剣《しんけん》に唱題《しょうだい》した。浜田は、心から伸一の期待《きたい》に応《こた》えたいと思《おも》った。そして、地区《ちく》の班長《はんちょう》たちに、伸一の思いを伝《つた》え、皆《みな》で、そのミカンを分けて食《た》べた。

以来《いらい》、浜田は、決然《けつぜん》と立ち上がった。根《ね》は誠実《せいじつ》な人間《にんげん》であった。伸一の言葉《ことば》を胸に、同志《どうし》に、どう尽《つ》くすかを、日々《ひび》考《かんが》え、行動《こうどう》し始《はじ》めた。

松江地区は、月ごとに、五十世《せ》帯《たい》、六十世帯、七十世帯と折伏《しゃくぶく》を伸《の》ばし、それが支部《しぶ》結成《けっせい》の原動力《げんどうりょく》となっていったのである。

浜田が松江支部の誕生《たんじょう》の話《はなし》を聞いたのは、支部結成大会《たいかい》の二、三カ月ほど前のことであった。東京《とうきょう》から数人の最高幹部《かんぶ》がやって来て、浜田の家で打ち合わせが行《おこな》われ、その席《せき》で聞かされたのである。

最高幹部《さいこうかんぶ》の一人《ひとり》が言った。

「支部長《しぶちょう》は、浜田《はまだ》さん、あんたがやることになる」

浜田は、自分《じぶん》が支部長と聞くと、さすがに戸惑《とまど》いを覚《おぼ》えた。

彼《かれ》は、広宣流布《こうせんるふ》のために頑張《がんば》ろうという決意《けつい》はあったが、自分には、地区《ちく》部長が精《せい》いっぱいであると思《おも》っていたからである。

「いや、私は教育《きょういく》も受けておりませんし、地区部長としても、事務的《じむてき》なことなどは、家内《かない》に全部《ぜんぶ》やってもらっておるような状態《じょうたい》でございますから……」

彼は辞退《じたい》した。すると、その幹部は、大声《おおごえ》で怒鳴《どな》りつけた。

「なに! 聞いていれば、つべこべ抜かしやがって、何様《なにさま》のつもりなんだ。これまで、功《く》徳《どく》を受けてきたんだろ! それなら、報恩感謝《ほうおんかんしゃ》の心《こころ》で『お受けします』というのが当《あ》たり前だ。支部長がいやなら、貴様《きさま》なんか退転《たいてん》してしまえ!」

あまりにも人の心情《しんじょう》を無視《むし》した、傲慢《ごうまん》この上ない、一方的《いっぽうてき》な言葉《ことば》であった。

「退転してしまえ!」という心ない言葉に、妻《つま》の由紀子《ゆきこ》は顔色《かおいろ》を変えた。

〝もし、主人《しゅじん》が退転してしまったら、私たちは幸福《こうふく》にはなれない。また、あの地獄《じごく》のような生活《せいかつ》に逆戻《ぎゃくもど》りしてしまうかもしれない。主人《しゅじん》に支部長《しぶちょう》を引き受けさせなくては……〟

夫《おっと》の厳介《げんすけ》に代《か》わって、彼女《かのじょ》が答《こた》えた。

「主人が支部長として戦《たたか》えるように、私が応援《おうえん》します。どんなことでも、助《たす》けていきます。ですから、退転《たいてん》はさせないでください」

彼女は必死《ひっし》であった。

「そうだよ、そうでなければいかん。……奥《おく》さんはこう言っているが、あんた自身《じしん》はどうなんだ」

浜田《はまだ》は思《おも》った。

〝幹部《かんぶ》の方《かた》がここまで言われるということは、私が読《よ》み書《か》きが苦手《にがて》なことも、すべてを知ったうえで、山本先生《やまもとせんせい》が私を支部長にしようとされたのであろう。それならば、お引き受けするのが信心《しんじん》だ……〟

彼《かれ》は、理不尽《りふじん》で傲慢《ごうまん》な幹部の言葉《ことば》ではあったが、それを信心で、純粋《じゅんすい》に受け止《と》めていた。

そこに、浜田の強《つよ》さがあった。一方《いっぽう》、この最高《さいこう》幹部は後《のち》に退転し、学会《がっかい》に反逆《はんぎゃく》していくことになる。

また、この席《せき》で、妻《つま》の由紀子《ゆきこ》が支部の婦人《ふじん》部長になることも内定《ないてい》した。

その後《ご》、由紀子《ゆきこ》は、山本会長《やまもとかいちょう》の関西指導《かんさいしどう》の折《おり》、伸一《しんいち》に指導を受ける機会《きかい》があった。

彼女《かのじょ》は、夫《おっと》は支部長《しぶちょう》になる決意《けつい》を固《かた》めてはいるが、本当《ほんとう》に、その責任《せきにん》を果《は》たせるのかと、悩《なや》んでいることを伸一に告《つ》げた。

「浜田《はまだ》さんを支部長に推薦《すいせん》したのは私です。ご主人《しゅじん》に『よろしくお願《ねが》いいたします』と伝《つた》えてください。

また、ご主人のことが心配《しんぱい》なら、ご夫婦《ふうふ》で一緒《いっしょ》に勤行《ごんぎょう》し、一緒に御書《ごしょ》を拝《はい》することです。ともかく、あなたが片腕《かたうで》となって、ご主人を支《ささ》えてあげてください」

この指導で、浜田夫妻《ふさい》の心《こころ》は完全《かんぜん》に決まった。

そして、三月二十七日の本部幹部会《ほんぶかんぶかい》で、松江《まつえ》支部が誕生《たんじょう》したのである。

山本伸一は、今、浜田厳介《げんすけ》の意欲《いよく》に満《み》ちあふれた姿《すがた》に接《せつ》して、喜《よろこ》びを覚《おぼ》えた。

伸一は、まず浜田の家《いえ》に立ち寄《よ》り、そこから車《くるま》で、支部結成大会《けっせいたいかい》の会場《かいじょう》に向かった。

結成大会には約《やく》一万人が集《つど》い、場外《じょうがい》にも人があふれていた。山本会長の島根《しまね》への初訪問《はつほうもん》でもあり、会場は歓喜《かんき》の坩堝《るつぼ》となった。

万雷《ばんらい》の拍手《はくしゅ》のなか、支部長の浜田が登壇《とうだん》した。

彼《かれ》は、懐《ふところ》から原稿《げんこう》を取り出し、参加者《さんかしゃ》に向かって一礼《いちれい》すると、元気《げんき》な声《こえ》で話《はな》し始《はじ》めた。

「このたび、支部長《しぶちょう》になりました!」

拍手《はくしゅ》がわき起《お》こり、やがて場内《じょうない》は静《しず》かになった。

しかし、浜田《はまだ》は次《つぎ》の言葉《ことば》を発《はっ》しなかった。じっと、壇上《だんじょう》に立ち尽《つ》くしていた。

演壇《えんだん》の上には、前日《ぜんじつ》、可愛《かわい》い長女《ちょうじょ》の和江《かずえ》に清書《せいしょ》してもらった原稿があったが、読《よ》み書《か》きの苦手《にがて》な浜田は、上がって、字《じ》が読めなくなってしまったのである。

静寂《せいじゃく》が続《つづ》いた。参加者は、固唾《かたず》を飲《の》んで浜田を見つめた。彼の額《ひたい》には汗《あせ》が滲《にじ》んでいた。長《なが》い沈黙《ちんもく》であった。

その時、会場《かいじょう》の一角《いっかく》から唱題《しょうだい》の声が聞こえた。浜田の母親《ははおや》であった。それに先導《せんどう》されるように、場内のあちこちから、題目《だいもく》の声が響《ひび》いた。

参加者は、浜田厳介《げんすけ》が口《くち》べたであることも、その人柄《ひとがら》もよく知っていたが、皆《みな》、彼を慕《した》っていた。それが、壇上で立ち尽くす、浜田への応援《おうえん》の唱題となって、会場に響いたのである。その声は、次第《しだい》に大きくなっていった。

彼の沈黙は二、三分《ぷん》であったのかもしれない。しかし、参加者には途方《とほう》もなく長く感《かん》じられた。

浜田《はまだ》は、しばらく立っていたが、手で額《ひたい》の汗《あせ》を拭《ぬぐ》うと、全生命力《ぜんせいめいりょく》を振《ふ》り絞《しぼ》るようにして言った。

「支部《しぶ》は今、七千二百世帯《せたい》……。今年中《ことしじゅう》には一万一千世帯にします……。よろしくお願《ねが》いします！」

これだけ言うと、浜田は深《ふか》く礼《れい》をし、席《せき》に戻《もど》った。

割《わ》れんばかりの大拍手《だいはくしゅ》に包《つつ》まれた。それは、同志《どうし》の温《あたた》かな心《こころ》と心の結合《けつごう》が織《お》り成《な》した、和《わ》楽《らく》と歓喜《かんき》の名画《めいが》であった。

山本伸一《やまもとしんいち》はその光景《こうけい》を、微笑《ほほえ》みながら、じっと見守《みまも》っていた。

〝これなら、松江《まつえ》支部は大丈夫《だいじょうぶ》だ！〟

彼《かれ》は、そう実感《じっかん》した。

やがて、式次第《しきしだい》は会長講演《かいちょうこうえん》となった。

伸一は、仏法《ぶっぽう》は勝負《しょうぶ》であり、自己自身《じこじしん》の幸福境涯《こうふくきょうがい》を築《きず》いていくには、勇気《ゆうき》ある信心《しんじん》の行動《こうどう》が肝要《かんよう》であることを訴《うった》えた。

支部結成大会《けっせいたいかい》が終了《しゅうりょう》すると、伸一は浜田とともに場外《じょうがい》に出て、会場《かいじょう》に入《はい》れなかった同志を激励《げきれい》した。そこで、台《だい》の上に浜田と一緒《いっしょ》に上がって、彼の肩《かた》を叩《たた》きながら言った。

「皆《みな》さん、浜田《はまだ》さんは、私がお願《ねが》いしてなってもらった支部長《しぶちょう》です。どうか、みんなで守《まも》ってください」

このあと、伸一《しんいち》は、再《ふたた》び浜田の家《いえ》を訪問《ほうもん》した。

浜田は、支部結成大会《けっせいたいかい》で満足《まんぞく》に話《はなし》もできなかったせいか、元気《げんき》がなかった。

伸一は、浜田に尋《たず》ねた。

「あなたは今、何を悩《なや》んでいますか」

「はい。私は、みんなを納得《なっとく》させられるような話もできません。どうやって活動《かつどう》を進《すす》めればよいのかと思《おも》うと……」

すると伸一は、同行《どうこう》した幹部《かんぶ》に紙《かみ》と墨《すみ》を用意《ようい》するように頼《たの》んだ。

そして、筆《ふで》を手にして、「声仏事《こえぶつじ》」と認《したた》め、浜田に贈《おく》った。

「御書《ごしょ》には『*声仏事を為《な》す』（七〇八ページ）とあります。語《かた》ることが仏法《ぶっぽう》です。お題目《だいもく》を唱《とな》えて、ともかく、人を励《はげ》まし続《つづ》けていくことです。そうすれば、ちゃんと話《はな》せるようになります。しかし、長《なが》い話をすることはない。一言《ひとこと》でもよい。信心《しんじん》と真心《まごころ》の一念《いちねん》の声を発《はっ》することです」

この山本会長《やまもとかいちょう》の言葉《ことば》を、浜田は、決《けっ》して、忘《わす》れることはなかった。

彼《かれ》が支部長《しぶちょう》として活動《かつどう》を始《はじ》めると、方針《ほうしん》の打ち出しや説明《せつめい》は、彼を補佐《ほさ》する、ほかの幹部《かんぶ》がしてくれた。浜田《はまだ》の人徳《じんとく》でもある。

そして、彼は一言《ひとこと》、全魂《ぜんこん》を込《こ》めて、こう呼《よ》びかけるのであった。

「やらこいな！」（やろうじゃないか）

しかし、その浜田のたった一言が、いつも皆《みな》の胸《むね》に響《ひび》いた。その言葉《ことば》で、同志《どうし》は奮《ふる》い立ち、島根《しまね》の広布《こうふ》の大発展《だいはってん》をもたらしていくことになるのである。

伸一《しんいち》は、浜田の家《いえ》で、妻《つま》の由紀子《ゆきこ》に話《はな》しかけた。

「苦労《くろう》をされましたね。しかし、もう心配《しんぱい》はいりません。ご主人《しゅじん》は立派《りっぱ》な支部長になります。あなたの一念《いちねん》であり、勝利《しょうり》です」

さらに、三人の娘《むすめ》たちにも丁重《ていちょう》にあいさつした。長女《ちょうじょ》の和江《かずえ》は十八歳、次女《じじょ》の波子《なみこ》は十四歳、三女の香《かおり》は十歳であった。

「今度《こんど》、お父《とう》さんには支部長として、お母《かあ》さんには支部の婦人《ふじん》部長として、活躍《かつやく》してもらうことになりました。皆さんには、何かと苦労をおかけすることになりますが、よろしくお願《ねが》いいたします」

伸一は、頭《あたま》を下《さ》げた。

それから、笑顔《えがお》で優《やさ》しく語《かた》りかけた。

「これからは、何も心配《しんぱい》しなくてもいいからね。みんな私の家族《かぞく》です。何かあったら、私がご家族を守《まも》ります。みんなも福運《ふくうん》を積《つ》んで、一生涯《いっしょうがい》、幸福《こうふく》になっていくんですよ」

両親《りょうしん》の不和《ふわ》、母親《ははおや》の病気《びょうき》というなかで、最《もっと》も苦《くる》しんできた娘《むすめ》たちである。それゆえに、伸《しん》一《いち》は彼女《かのじょ》たちを励《はげ》ましたかったのである。

瞳《ひとみ》を輝《かがや》かせて、明《あか》るく頷《うなず》く姉妹《しまい》を見ながら、彼《かれ》は心《こころ》で、幸多《さちおお》かれと祈《いの》った。

夕方《ゆうがた》、伸一は宿舎《しゅくしゃ》の旅館《りょかん》に向かった。

夕日《ゆうひ》に映《は》えて宍道湖《しんじこ》が金色《こんじき》に燃《も》えていた。それは、松江《まつえ》支部《しぶ》の出発《しゅっぱつ》を、諸天《しょてん》が祝福《しゅくふく》しているかのようにも思《おも》えた。

翌《よく》四月二十四日は、広島《ひろしま》の福山《ふくやま》支部の結成大会《けっせいたいかい》であった。朝《あさ》、伸一は松江を発《た》ち、倉敷《くらしき》を経由《けいゆ》して福山に向かった。倉敷の駅《えき》には、何人《なんにん》もの学会員《がっかいいん》が待《ま》っていてくれた。

彼が山陽本線《さんようほんせん》に乗《の》り換《か》えると、メンバーも同乗《どうじょう》した。そこで伸一を囲《かこ》んで懇談会《こんだんかい》が始《はじ》まった。幸《さいわ》い車内《しゃない》は空《す》いており、ほかの乗客《じょうきゃく》はほとんどいなかった。

伸一は、メンバーに視線《しせん》を注《そそ》ぎながら語っていった。

「仕事《しごと》を休《やす》んで来《こ》られたのではないでしょうね。仕事をやらないで、いくら信心《しんじん》に励《はげ》んでいるといっても、それは本当《ほんとう》の信心の姿《すがた》ではありませんよ。信心は即生活《そくせいかつ》ですから……。ところで、せっかくですから、聞きたいことがあれば、なんでも聞いてください」

即座《そくざ》に一人《ひとり》のメンバーが尋《たず》ねた。

「なかなか折伏《しゃくぶく》ができないのですが……」

「みんな、そうなんです。折伏は最《もっと》も困難《こんなん》な仏道修行《ぶつどうしゅぎょう》なんですから、簡単《かんたん》なものではありません。

仏法《ぶっぽう》の力《ちから》を教《おし》えるというのは、たとえば、千年も前に、原子力《げんしりょく》のことを教えたり、ラジオやテレビのことを説明《せつめい》するようなものなんです。だから、一生懸命《いっしょうけんめい》に話《はなし》をしても、なかなかわからないかもしれない。しかし、実際《じっさい》に信心をしてみれば、そのすばらしさがわかる。なぜ、もっと早《はや》く信心をしなかったのかと思《おも》うようになります。皆《みな》さん方《がた》も、そうだったでしょう。

ですから、友情《ゆうじょう》を大切《たいせつ》にしながら、諦《あきら》めずに、粘《ねば》り強《づよ》い対話《たいわ》を重《かさ》ねていくことです」

今度《こんど》は、年配《ねんぱい》の婦人《ふじん》が質問《しつもん》した。

「息子《むすこ》が、いくら言っても信心をしないものですから、困《こま》っているんです。どうすれば、信心《しんじん》するようになるでしょうか」

「あなただって、その年まで、信心をしなかったのでしょう。焦《あせ》る必要《ひつよう》はありません。やかましく言ってもだめです。

まず、お母《かあ》さんであるあなたが、しっかり信心に励《はげ》み、立派《りっぱ》な生活《せいかつ》をしていくことです。あなたが、いつも明《あか》るく、何があっても負《ま》けることなく、思《おも》いやりあふれる姿《すがた》で家族《かぞく》に接《せっ》していくならば、その姿を通《とお》して、息子《むすこ》さんも信心を理解《りかい》していきます。

結局《けっきょく》は、母親《ははおや》としての、人間《にんげん》としての振《ふ》る舞《ま》いが、家族への折伏《しゃくぶく》になる。息子さんが母親を誇《ほこ》りに思えるようになれば、黙《だま》っていても、信心をするようになりますよ」

短《たん》時間ではあったが、伸一《しんいち》は全魂《ぜんこん》を傾《かたむ》けて指導《しどう》し、最後《さいご》にこう語《かた》った。

「皆《みな》さんの求道《きゅうどう》の姿に敬意《けいい》を表《ひょう》します。もっと、ゆっくりお会いしたいが、それができないので心苦《こころぐる》しく思っています。

実《じつ》は、私の方《ほう》から、一つお願《ねが》いがあります。それは、壮年《そうねん》があらゆる意味《いみ》で、全責任《ぜんせきにん》をもって戦《たたか》い、ご婦人《ふじん》に楽《らく》をさせていただきたいということです。

婦人は、本当《ほんとう》に一生懸命《いっしょうけんめい》であり、健気《けなげ》です。たまには、ご婦人方《がた》にはお休《やす》みいただき、『私たちがやります』というのがナイト（騎士《きし》）の精神《せいしん》です。その模範《もはん》を皆さんに示《しめ》していたたきたいのです。よろしく」

語《かた》らいに次《つ》ぐ語らいの、伸一《しんいち》の旅《たび》であった。彼《かれ》は、同志《どうし》のために、もっと時間がほしかった。いくつも体《からだ》がほしいと思《おも》った。

福山《ふくやま》に伸一が到着《とうちゃく》し、しばらくすると、小雨《こさめ》がパラついた。福山支部《しぶ》の結成大会《けっせいたいかい》に参加《さんか》する同志のことを思うと、天候《てんこう》が気がかりでならなかった。しかし、彼が会場《かいじょう》に着《つ》いた時には、雨《あめ》はあがり、美《うつく》しい夕焼《ゆうや》け空《ぞら》となっていた。

伸一は安堵《あんど》し、結成大会に臨《のぞ》んだ。この席上《せきじょう》、彼は、功徳《くどく》と罰《ばち》について語っていった。

「御本尊《ごほんぞん》には、『供養《くよう》すること有《あ》らん者《もの》は福十号《ふくじゅうごう》に過《す》ぐ』、また『若《も》し悩乱《のうらん》する者は頭《こうべ》七分《ぶん》に破《わ》れん』とお認《したた》めであります。これは、御本尊の偉大《いだい》なる功徳を示《しめ》されているとともに、正法《しょうほう》を誹謗《ひぼう》するならば、罰があることを示されております。

仏法《ぶっぽう》は生命《せいめい》の因果《いんが》の法則《ほうそく》であり、幸福《こうふく》への方程式《ほうていしき》です。その法則を否定《ひてい》し、逆《さか》らうならば、当然《とうぜん》、行《ゆ》き詰《づ》まらざるをえません。ゆえに、正《ただ》しく、力《ちから》のある教《おし》えであるならば、功徳と罰という二つの現証《げんしょう》が必《かなら》ず生《しょう》じるんです。

また、大聖人《だいしょうにん》は、この功徳について、『悪《あく》を滅《めっ》するを功《く》と云《い》い善《ぜん》を生《しょう》ずるを徳《とく》と云うなり』（御書《ごしょ》七六二ジペー）と、仰《おお》せになっています。これは、自身《じしん》の生命の悪を滅して、善を生じていくことが功徳《くどく》であるとの意味《いみ》です。

つまり、功徳といっても外《そと》から与《あた》えられるものではなく、自分《じぶん》の生命《せいめい》のなかから、泉《いずみ》のごとくわき出してくるものです。そして、*依正不二《えしょうふに》という仏法《ぶっぽう》の原理《げんり》で、自分の環境《かんきょう》を変え、幸《さいわ》いを万里《ばんり》の外から集《あつ》めることができるんです。

さらに、人の悪《あく》を滅《めっ》し、善《ぜん》を生《しょう》じさせていく行為《こうい》が折伏《しゃくぶく》です。ゆえに、折伏を行《ぎょう》ずること自体《じたい》が、人に功徳の道《みち》を開くことであり、同時《どうじ》に、それによって、自分自身《じしん》も功徳を受けていくことになります。これが日蓮《にちれん》仏法です。

さて、仏法は、人びとの幸福《こうふく》を願《ねが》う慈悲《じひ》の教《おし》えですが、慈悲には、悪と戦《たたか》う勇気《ゆうき》が不可欠《ふかけつ》です。もし、悪を放置《ほうち》しておけば、結局《けっきょく》は悪がまかり通《とお》り、皆《みな》が不幸《ふこう》になってしまうからです。したがって、邪悪《じゃあく》と戦ってこそ慈悲であり、本当《ほんとう》の仏法者であると、申《もう》し上げておきたいのであります」

広宣流布《こうせんるふ》とは、人間《にんげん》を不幸にする悪を滅し、善の勝利《しょうり》を打ち立てる、人間の凱歌《がいか》の時代《じだい》を建設《けんせつ》することでもある。伸一《しんいち》は、福山《ふくやま》の同志《どうし》に、過去《かこ》の遺物《いぶつ》のごとき形骸化《けいがいか》した仏教《ぶっきょう》ではなく、真実《しんじつ》の生きた仏法を知ってほしかったのである。

結成大会《けっせいたいかい》が終了《しゅうりょう》すると、彼《かれ》は、支部婦人部長《しぶふじんぶちょう》の石塚広枝《いしづかひろえ》に言った。

「さあ、会場《かいじょう》に入《はい》れなかった人を激励《げきれい》するよ」

すると、石塚《いしづか》は嬉《うれ》しそうに答《こた》えた。

「はい！　よろしくお願《ねが》いします」

彼女《かのじょ》は、山本会長《やまもとかいちょう》に場外《じょうがい》の友《とも》をぜひ激励してほしいと、頼《たの》んでいたのである。

――三月の初《はじ》めに、伸一《しんいち》は、関西本部《かんさいほんぶ》で、福山支部《ふくやましぶ》の発足《ほっそく》を前にして、支部婦人部長《ふじんぶちょう》に内定《ないてい》していた石塚と会った。その時、彼女は言った。

「先生《せんせい》、お願いがあるんですが……。福山には、支部結成大会《けっせいたいかい》にふさわしい、大きな会場はありません。今、考《かんが》えている会場ですと、中《なか》には二千人ぐらいしか入れませんので、何千《なんぜん》人《にん》もの人が、場外で、先生のお話《はなし》を伺《うかが》うことになると思《おも》います。そこで、会合《かいごう》のあとに、外《そと》でもお話《はなし》していただけないでしょうか」

伸一は、会合では可能《かのう》な限《かぎ》り、場外の友の激励を心《こころ》がけていたが、自分《じぶん》だけでなく、支部の婦人部長となる婦人が、同志《どうし》を気遣《きづか》っていることが嬉しかった。

「大事《だいじ》な意見《いけん》です。記念《きねん》に何か差《さ》し上げましょう」

彼《かれ》は、書籍《しょせき》に「和楽《わらく》」と揮毫《きごう》して贈《おく》った。

人を思いやること――それが学会《がっかい》の心である。思いやりが幾重《いくえ》にも交差《こうさ》して、織《お》り成《な》された人間《にんげん》の共和《きょうわ》の世界《せかい》が仏法《ぶっぽう》の世界である。したがって、幹部《かんぶ》の最大《さいだい》の要件《ようけん》も、人への思《おも》いやりにあるといえよう。

伸一《しんいち》は場外《じょうがい》に出ると、〝福山《ふくやま》を福運《ふくうん》の大山《たいざん》に〟との祈《いの》りを込《こ》めて、一人《ひと》ひとりの参加者《さんかしゃ》の労《ろう》をねぎらい、励《はげ》ましを送《おく》り、健闘《けんとう》を呼《よ》びかけた。

五月三日を目前《もくぜん》にしたある日、山本《やまもと》伸一は、一人、学会本部《がっかいほんぶ》にあって、深《ふか》い思索《しさく》を重《かさ》ねていた。

彼《かれ》の頭《あたま》には、総本山《そうほんざん》の大客殿《だいきゃくでん》の建立《こんりゅう》をはじめ、各地《かくち》の寺院《じいん》や会館《かいかん》の建設計画《けんせつけいかく》など、今後《こんご》の広宣流布《こうせんるふ》のための展望《てんぼう》が広《ひろ》がっていた。どれ一つとっても、広布《こうふ》の伸展《しんてん》を考《かんが》えれば、必要不可欠《ひつようふかけつ》なものばかりである。しかし、それを実現《じつげん》していくには、財源《ざいげん》をどうするかが、最大の課題《かだい》となる。

大客殿を建立するためには、大講堂《だいこうどう》と同じように、全会員《ぜんかいいん》に呼びかけ、供養《くよう》を募《つの》ることになろうが、それで本当《ほんとう》によいのかという迷《まよ》いが、彼にはあった。

また、そのほかの寺院や会館の建設のためには、さらに財務部員《ざいむぶいん》の枠《わく》を広げ、協力《きょうりょく》を要請《ようせい》しなければならない段階《だんかい》にきていたが、それにも、伸一は、ためらいを覚《おぼ》えていた。

同志《どうし》は、功徳《くどく》を受けたとはいえ、生活苦《せいかつく》や病苦《びょうく》に悩《なや》んで、信心《しんじん》を始《はじ》めた民衆《みんしゅう》である。経済《けいざい》的《てき》に豊《ゆた》かといえる人は決《けっ》して多くはない。それだけに、会員《かいいん》には、なるべく負担《ふたん》をかけたくないというのが、彼《かれ》の気持《きも》ちであった。

もともと学会《がっかい》の財源《ざいげん》は、牧口初代会長《まきぐちしょだいかいちょう》の時代《じだい》は、理事長《りじちょう》の戸田城聖《とだじょうせい》がいっさいの責任《せきにん》を担《にな》ってきた。戦後《せんご》、学会の再建《さいけん》が始まってからも、戸田は私財《しざい》を投《とう》じて経費《けいひ》にあて、会員には、金銭的《きんせんてき》な負担はかけさせなかった。

しかし、戸田が会長に就任《しゅうにん》して間《ま》もなく、何人《なんにん》かの会員から、自分《じぶん》たちにも、学会の経費の一端《いったん》を担《にな》わせてほしいとの、強《つよ》い要請《ようせい》があった。確《たし》かに、未来《みらい》の広宣流布《こうせんるふ》の広《ひろ》がりを思《おも》うと、いつまでも、彼一人《ひとり》で賄《まかな》いきれるものではなかった。

また、学会の活動《かつどう》の経費を担うことは、広宣流布への供養《くよう》である。戸田は同志の要請から、その門戸《もんこ》を、いよいよ開くべき時が来たことを感《かん》じた。

だが、戸田は、極《きわ》めて慎重《しんちょう》であった。広宣流布の財源は、どこまでも真心《まごころ》の浄財《じょうざい》でなければならないとの考《かんが》えから、彼はメンバーを厳選《げんせん》した。信心が強盛《ごうじょう》で、経済力もある七十八人を選《えら》び、財務部員《ざいむぶいん》として、学会の財源を担う使命《しめい》を託《たく》したのである。

そして、一九五一年（昭和《しょうわ》二十六年）七月三日に、財務部の結成式《けっせいしき》を行《おこな》っている。以来《いらい》、財務部は次第《しだい》に陣容《じんよう》を増《ま》し、学会《がっかい》の経済的《けいざいてき》な基盤《きばん》を支《ささ》える大きな力《ちから》となった。

財務部員《ざいむぶいん》には、選《えら》ばれて広布《こうふ》のために浄財《じょうざい》を拠出《きょしゅつ》できる、誇《ほこ》りと喜《よろこ》びと感謝《かんしゃ》があった。戸《と》田《だ》は、財務部員に脈打《みゃくう》つ、その精神《せいしん》が何よりも嬉《うれ》しかった。学会の財務は、世《せ》間一般《けんいっぱん》の寄付《きふ》とは違《ちが》う。どこまでも、信心《しんじん》から発《はっ》するものでなければならないからである。そして、この燃《も》え上がる信仰《しんこう》がある限《かぎ》り、無量《むりょう》の功徳《くどく》が現《あらわ》れないはずはない。日蓮大聖人《にちれんだいしょうにん》が、御称賛《ごしょうさん》されないはずはない。

彼《かれ》は、できることなら、より多くの同志《どうし》に、供養《くよう》の機会《きかい》を与《あた》えたいと思《おも》った。だが、なかには、経済苦《く》と闘《たたか》っている同志もいる。その人たちのことを考《かんが》えると、供養を呼《よ》びかけることに胸《むね》が痛《いた》んだ。

しかし、だからといって、全《まった》く供養の機会が与えられないとするなら、それは、信仰の眼《まなこ》から見れば、かえって、無慈悲《むじひ》になってしまう。彼は、やむなく意《い》を決《けっ》して、総本山《そうほんざん》の五重《ごじゅう》塔《のとう》の修復《しゅうふく》や奉安殿《ほうあんでん》の建立《こんりゅう》などに際《さい》しては、一応《いちおう》、皆《みな》に供養を呼びかけることにした。

特《とく》に、戸田の願業《がんぎょう》の一つであった大講堂《だいこうどう》の建立の時には、支障《ししょう》のない限り、全会員《ぜんかいいん》が供養に参加《さんか》できることにした。

山本伸一《やまもとしんいち》は、戸田城聖《じょうせい》が、かつて、こう語《かた》っていたことが思い出された。

＊「水戸光圀《みとみつくに》は、『大日本史《だいにほんし》』を編纂《へんさん》したが、そのために、藩《はん》の財政《ざいせい》は苦《くる》しかったといわれる。光圀ほどの人物《じんぶつ》ならば、大事業《だいじぎょう》のためとはいえ、庶民《しょみん》の血税《けつぜい》を注《そそ》ぎ込《こ》まねばならないことに胸《むね》を痛《いた》め、心《こころ》で泣《な》いたであろう。
私も貧《まず》しい学会員《がっかいいん》に供養《くよう》を勧《すす》めるが、これをしなければ、功徳《くどく》を受けることもできないし、広宣流布《こうせんるふ》もできなくなってしまうからである。しかし、そのたびに、私は泣いている」

伸一《しんいち》には、戸田《とだ》のその心がよくわかった。彼《かれ》も同じ思《おも》いであったからである。

しかし、供養の功徳は、計《はか》り知れないものがある。

それを物語《ものがた》る一例《いちれい》として、祇園精舎《ぎおんしょうじゃ》を寄進《きしん》した須達長者《すだつちょうじゃ》、すなわち、須達多《すだった》（スダッタ）の話《はなし》がある。

幾《いく》つかの仏典《ぶってん》では、須達多は大長者となったあとに、釈尊《しゃくそん》に帰依《きえ》したとされているが、別《べつ》の仏典には、次《つぎ》のような説話《せつわ》がある。

――昔《むかし》、インドに、須達多と妻《つま》が住《す》んでいた。

彼らの生活《せいかつ》はいたって貧しかった。しかし、二人《ふたり》には深《ふか》い信仰心《しんこうしん》があった。

ある時、須達多は、わずかな米《こめ》を手に入れることができた。妻は、夫《おっと》が家《いえ》に帰《かえ》って来たら、ともに食《た》べようと、その米を炊《た》いた。

すると、そこに仏弟子《ぶつでし》の一人《ひとり》である＊阿那律《あなりつ》（アヌルッダ）が、托鉢《たくはつ》にやって来た。妻《つま》は阿那律を見ると、礼拝《らいはい》し、彼《かれ》の鉢《はち》に、炊《た》き上がった飯《めし》を盛《も》って渡《わた》した。

さらに、須達多《すだつた》の家《いえ》に、釈尊《しゃくそん》の高弟《こうてい》である＊須菩提《しゅぼだい》（スブーティ）、＊摩訶迦葉《まかかしょう》（マハーカッサパ）、＊目連《もくれん》（モッガラーナ）、＊舎利弗《しゃりほつ》（サーリプッタ）などが、次々《つぎつぎ》と托鉢にやって来た。

妻は、そのたびに飯を盛って渡していった。

最後《さいご》にやって来たのは、釈尊自身《じしん》であった。釈尊が食《しょく》を求《もと》めると、妻は喜《よろこ》んで、残《のこ》っていた飯をすべて供養《くよう》した。喜捨《きしゃ》である。仏《ほとけ》を求め、敬《うやま》う彼女《かのじょ》の信心《しんじん》の発露《はつろ》であった。

もし、須達多が家にいれば、当然《とうぜん》、彼女は夫《おっと》に相談《そうだん》していたし、夫も喜んで供養していたにちがいない。しかし、夫が不在《ふざい》であっただけに、彼女には一抹《いちまつ》の不安《ふあん》があった。

しばらくして、須達多が家に帰《かえ》って来た。彼は、たいそう腹《はら》を空《す》かしていた。

「腹が減《へ》った。さあ、食事《しょくじ》にしてくれないか」

妻は、じっと夫の顔《かお》を見つめて、尋《たず》ねた。

「もしも、釈尊の弟子である阿那律様《さま》が托鉢に来《こ》られたとしたら、あなたなら、供養をなさいますか」

「もちろん、食《た》べ物《もの》があれば供養する。たとえ、自分《じぶん》は食べなくとも……」

須達多《すだつた》の妻《つま》は、重《かさ》ねて夫《おっと》に尋《たず》ねた。

「それでは、須菩提様《しゅぼだいさま》や、摩訶迦葉様《まかかしょうさま》や、それに、釈尊《しゃくそん》ご自身《じしん》が来《こ》られて、食《しょく》をお求《もと》めになられたら、どうなさいますか」

須達多は答《こた》えた。

「言うまでもないことだ。当然《とうぜん》、食《た》べ物《もの》があれば、供養《くよう》させていただくに決まっているではないか」

妻は笑《え》みを浮《う》かべた。

「実《じつ》は、今日《きょう》、釈尊のお弟子《でし》の方々《かたがた》、そして、釈尊と、次々《つぎつぎ》とお出《い》でになったのです。私は嬉《うれ》しくなって、あなたが苦労《くろう》して手に入れた食べ物を、すべて供養してしまいました。でも、あなたが、なんと言われるか心配《しんぱい》でした。しかし、今、自分《じぶん》は食べなくても、供養すると聞いたので、安心《あんしん》いたしました」

須達多も、微笑《びしょう》を浮かべて言った。

「そうか。本当《ほんとう》によいことをしてくれた。これで、私たちの罪業《ざいごう》も消《け》すことができ、きっと幸福《こうふく》になるにちがいない」

この供養の功徳《くどく》によって、須達多は、大長者《だいちょうじゃ》となったという。

妻《つま》の一途《いちず》な決心《けつしん》と、それを喜《よろこ》ぶ夫《おっと》――純真《じゅんしん》な信仰《しんこう》から生まれた、この喜捨《きしゃ》の心《こころ》こそ、まことの供養《くよう》であり、そこに偉大《いだい》なる福徳《ふくとく》の源泉《げんせん》がある。

さて、大長者《だいちょうじゃ》となった須達多《すだつた》の祇園精舎《ぎおんしょうじゃ》の寄進《きしん》は、あまりにも有名《ゆうめい》だが、仏典《ぶってん》には、次《つぎ》のような話《はなし》が残《のこ》されている。

――須達多は、釈尊《しゃくそん》のために、立派《りっぱ》な精舎の建立《こんりゅう》を決意《けつい》する。

彼《かれ》は場所《ばしょ》の選定《せんてい》にあたって、都《みやこ》の舎衛城《しゃえじょう》（サーヴァッティー）から遠《とお》すぎず、また、近《ちか》すぎもせず、行き来に便利《べんり》な、静《しず》かな場所にしようと決めた。

思案《しあん》を重《かさ》ね、彼が選《えら》んだのは、祇陀《ぎだ》（ジェータ）太子《たいし》の園林《おんりん》であった。

須達多は祇陀太子に会って、ぜひ、その土地《とち》を譲《ゆず》り受け、精舎を建《た》てたいと申《もう》し出た。しかし、太子はその申し出を拒《こば》んだ。

「あの園林は、私が最《もっと》も気に入っている場所だ。たとえ、あの土地に黄金《おうごん》を敷《し》きつめても、譲ることはできない」

だが、須達多はあきらめなかった。二人《ふたり》は押《お》し問答《もんどう》となり、話《はなし》は裁判《さいばん》を担当《たんとう》する大臣《だいじん》のもとに持《も》ち込《こ》まれた。そこで、両者《りょうしゃ》の言い分《ぶん》を聞いて、結論《けつろん》が下《くだ》されることになった。

大臣は、須達多が黄金を敷きつめた分だけ、太子は土地を譲ってやるべきだとの結論を出した。

須達多《すだつた》は、急《いそ》いで家《いえ》に帰《かえ》ると、車《くるま》に黄金《おうごん》を積《つ》んでやって来た。そして、厳《おごそ》かに園林《おんりん》に敷《し》きつめていった。

だが、車一台《だい》の黄金で得《え》られる土地《とち》は、ほんの少《すこ》しでしかない。

彼《かれ》は家にある黄金を、すべて運《はこ》ぼうとしていた。

祇陀太子《ぎだたいし》は、その真剣《しんけん》な様子《ようす》に驚《おどろ》き、考《かんが》えた。

〝なぜ、須達多は、これほどの黄金を投《な》げ出そうとするのか。釈尊《しゃくそん》とは、それほど偉大《いだい》な方《かた》なのか。仏陀《ぶつだ》の出現《しゅつげん》というのは、真実《しんじつ》であったのか〟

太子は、黄金を敷きつめている須達多に言った。

「もうよい。黄金を並《なら》べる必要《ひつよう》はない。この園林はあなたに譲《ゆず》ろう」

須達多の真剣さと、揺《ゆ》るがざる信念《しんねん》に、太子は心《こころ》を動《うご》かされたのであった。

さらに、太子は、園林を須達多に譲るだけでなく、自《みずか》らもそこに荘厳《そうごん》な門《もん》をつくり、寄進《きしん》することを申《もう》し出た。須達多の喜捨《きしゃ》の姿《すがた》に、共感《きょうかん》したのである。

こうして出来《でき》上がった精舎《しょうじゃ》が、「祇樹給孤独園《ぎじゅぎつこどくおん》精舎」であった。須達多は、よく身寄《みよ》りのない人びとに食《しょく》を給《きゅう》したことから、給孤独長者《ちょうじゃ》と呼《よ》ばれていた。その彼が、祇陀太子の樹林《じゅりん》に建《た》てた精舎《しょうじゃ》であることから、こう呼《よ》ばれたもので、略《りゃく》して祇園《ぎおん》精舎と言われるようになったのである。

やがて、須達多《すだつた》から、完成《かんせい》した祇園精舎の寄進《きしん》の申《もう》し出を受けた釈尊《しゃくそん》は、威儀《いぎ》を正《ただ》して言った。

「この精舎は、私のためだけではなく、広《ひろ》く僧団《そうだん》に供養《くよう》し、修行僧《しゅぎょうそう》が皆《みな》で使《つか》えるものにしてほしい」

かくして、祇園精舎は、修行者全員《ぜんいん》のためのものとなった。

この考《かんが》え方《かた》が、その後《ご》の寺院《じいん》に受け継《つ》がれ、現代《げんだい》における学会《がっかい》の会館《かいかん》へとつながっていくのである。

祇園精舎の寄進は、須達多のさらに大きな功徳《くどく》、福運《ふくうん》となっていったことは間違《まちが》いない。喜捨《きしゃ》の心《こころ》は、境涯《きょうがい》を高め、無量《むりょう》の功徳をもたらし、それがまた、信心《しんじん》の確信《かくしん》を深《ふか》める。そこに、幸福《こうふく》の軌《き》道《どう》を確立《かくりつ》する、仏法《ぶっぽう》の方程式《ほうていしき》がある。

山本伸一《やまもとしんいち》は、手元《てもと》にあった御書《ごしょ》を開いた。供養の本義《ほんぎ》を、御書に照《て》らして、熟慮《じゅくりょ》したかったからである。

彼《かれ》は、まず「白米一俵御書《はくまいいっぴょう》」を拝《はい》した。身延《みのぶ》にいらした日蓮大聖人《にちれんだいしょうにん》に、一人《ひとり》の信徒《しんと》が白米などを供養《くよう》したことへの御手紙《おてがみ》である。

大聖人《だいしょうにん》は、その真心《まごころ》を称《たた》えられ、「凡夫《ぼんぶ》は志《こころ》ざしと申《もう》す文字《もんじ》を心《こころ》へて仏《ほとけ》になり候《そうろう》なり」（御書《ごしょ》一五九六ページ）と仰《おお》せになっている。つまり、信心《しんじん》の志《こころざし》、仏法《ぶっぽう》への至誠《しせい》の一念《いちねん》が、成仏《じょうぶつ》の要諦《ようてい》であることを示《しめ》されているのである。

この「白米一俵御書《はくまいいっぴょう》」では、命《いのち》をつなぐ食《た》べ物《もの》を供養したことは、過去《かこ》に、＊雪山童子《せっせんどうじ》や＊薬王菩薩《やくおうぼさつ》、＊聖徳太子《しょうとくたいし》などの賢人《けんじん》、聖人が、仏法のために命《いのち》を捧《ささ》げた功徳《くどく》にも劣《おと》らぬものであると称賛《しょうさん》されている。

伸一《しんいち》は、さらに御書の別《べつ》のページを開いた。弘安《こうあん》三年の十二月二十七日、＊南条時光《なんじょうときみつ》に与《あた》えられた「上野殿御返事《うえのどのごへんじ》」（一五七四ページ）であった。

当時《とうじ》、時光は、熱原《あつはら》の法難《ほうなん》によって、夫役《ぶやく》の人手《ひとで》などを過重《かじゅう》に負担《ふたん》させられ、経済的《けいざいてき》に苦境《くきょう》に立たされていた。自分《じぶん》が乗《の》る馬《うま》も、妻子《さいし》が着《き》るべき着物《きもの》もないなかで、身延《みのぶ》で冬《ふゆ》を過《す》ごされる大聖人の身の上を案《あん》じて、鵞目《がもく》（銭《ぜに》）一貫文《かんもん》を供養したことに対《たい》する御手紙である。

諸御抄《しょごしょう》に記《しる》された時光の供養の品々《しなじな》を見ると、多くは食べ物である。しかし、この時、銭を送《おく》っているのは、大聖人に供養する物が、もはや、何もなくなってしまったからではないだろうか。おそらく、いざという時のために取っておいた銭を、供養したのであろう。

大聖人《だいしょうにん》は、その真心《まごころ》を尊《とうと》び、絶賛《ぜっさん》されたのである。

時光《ときみつ》の身なりは貧《まず》しくとも、その心《こころ》は気高《けだか》く、金色《こんじき》の光《ひかり》を放《はな》っている。供養《くよう》の根本《こんぽん》は、どこまでも信心《しんじん》の志《こころざし》にある。

「松野殿御消息《まつのどのごしょうそく》」には、釈尊《しゃくそん》に土《つち》の餅《もち》を供養した徳勝童子《とくしょうどうじ》が、その功徳《くどく》によって阿育*（アショーカ）大王《だいおう》として生まれ、やがて成仏《じょうぶつ》していったことも述《の》べられている（御書《ごしょ》一三八〇ページ）。まだ小《ちい》さな徳勝童子にとって、土の餅は、自分《じぶん》にできる、最高《さいこう》の供養であった。精《せい》いっぱいの真心を尽《つ》くしての供養であったがゆえに、たとえ、土の餅であっても、大王となって生まれたのである。

伸一《しんいち》は、続《つづ》いて「衆生身心御書《しゅじょうしんしんごしょ》」を拝《はい》した。

その後段《こうだん》で、彼《かれ》の視線《しせん》は止《と》まった。

そして、何度《なんど》もそこを読《よ》み返した。彼は、深《ふか》い意味《いみ》を感《かん》じた。

「……設《たと》いこう《功》をいたせども・まこと《誠》ならぬ事《こと》を供養すれば大悪《だいあく》とは・なれども善《ぜん》とならず、設い心《こころ》をろか《愚》に・すこし《少》きの物《もの》なれども・まことの人に供養すれば・こう《功》大なり、何《いか》に況《いわん》や心ざしありて・まことの法《ほう》を供養せん人人《ひとびと》をや」（御書一五九五ページ）

〈たとえ、功徳善根《ぜんこん》を積《つ》んでも、真実《しんじつ》でない人を供養すれば、大悪とはなっても善とはならない。たとえ、信心《しんじん》が薄《うす》く、少《すこ》しの物《もの》の供養《くよう》であっても、真実《しんじつ》の人に供養すれば、功徳《くどく》は大きい。まして厚《あつ》い志《こころざし》をもって、真実の法《ほう》を供養する人びとの功徳は、どれほど大きいか計《はか》り知れない〉

一言《ひとこと》に供養といっても、何に対《たい》して供養するかによって、善《ぜん》にもなれば、悪《あく》にもなってしまうとの御指南《ごしなん》である。伸一《しんいち》は、「衆生身心御書《しゅじょうしんしんごしょ》」のこの御文《ごもん》に基《もと》づいて、学会《がっかい》の供養、財《ざい》務《む》について考《かんが》えていった。

学会が推進《すいしん》する供養、財務は、すべて日蓮大聖人《にちれんだいしょうにん》の御遺命《ごゆいめい》である広宣流布《こうせんるふ》のためのものである。大聖人の立てられた大願《だいがん》を成就《じょうじゅ》するために行《おこな》う供養は、御本仏《ごほんぶつ》への供養に通《つう》じよう。ならば、これに勝《まさ》る供養もなければ、大善《だいぜん》もない。ゆえに、これに勝る大功徳もないはずである。そう思《おも》うと、伸一自身《じしん》、一人《ひとり》の学会員《がっかいいん》として、その機会《きかい》に巡《めぐ》り合えたことに、無量《むりょう》の福運《ふくうん》と喜《よろこ》びを感《かん》じるのであった。

この御書では、最後《さいご》に、身延《みのぶ》の山中《さんちゅう》に供養の品々《しなじな》を送《おく》った一人の門下《もんか》の志を称《たた》えられて、次《つぎ》のように述《の》べられている。

「福田《ふくでん》によきたねを下《くだ》させ給《たま》うか、なみだ《涙》もとどまらず」（一五九六ページ）

〈福田に、すばらしい善根《ぜんこん》の種《たね》を蒔《ま》かれたのか。厚い志に涙《なみだ》もとまらない〉

広宣流布に尽《つ》くすことは、福田に善根の種を蒔くことである――それは、伸一が青春時代《せいしゅんじだい》から、強《つよ》く確信《かくしん》してきたことでもあった。

彼《かれ》は、戸田城聖《とだじょうせい》の事業《じぎょう》が窮地《きゅうち》に追《お》い込《こ》まれ、給料《きゅうりょう》の遅配《ちはい》が続《つづ》くなかで、懸命《けんめい》に広布《こうふ》の指揮《しき》をとる戸田を守《まも》り、仕《つか》えてきた日々《ひび》を思《おも》い起《お》こした。

伸一《しんいち》は、広宣流布《こうせんるふ》に一人《ひとり》立った獅子《しし》を支《ささ》えることは、学会《がっかい》を守り、広布を実現《じつげん》する道《みち》であると自覚《じかく》していた。

彼は、自分《じぶん》の生活費《せいかつひ》は極限《きょくげん》まで切り詰《つ》め、給料は、少《すこ》しでも、広布のため、学会のために使《つか》うことを信条《しんじょう》としてきた。それは伸一の喜《よろこ》びであり、密《ひそ》かな誇《ほこ》りでもあった。そのために、オーバーのない冬《ふゆ》を過《す》ごしたこともあった。ようやく出た給料の一部《いちぶ》を、戸田の広布の活動《かつどう》のために役立《やくだ》ててもらったこともあった。

そして、その功徳《くどく》と福運《ふくうん》によって、病苦《びょうく》も乗《の》り越《こ》え、今、こうして、会長《かいちょう》として悠々《ゆうゆう》と指揮をとれる境涯《きょうがい》になれたことを、伸一は強く実感《じっかん》していた。

彼は人に命《めい》じられて、そう行動《こうどう》してきたわけではない。それは、自《みずか》らの意志《いし》によって、喜び勇《いさ》んでなした行為《こうい》であった。また、広宣流布のために生涯《しょうがい》を捧《ささ》げようと決めた伸一の、信心《しん》の至誠《しせい》にほかならなかった。

彼は、長《なが》い思索《しさく》の末《すえ》に、御聖訓《ごせいくん》に照《て》らし、また、自らの体験《たいけん》のうえからも、大客殿《だいきゃくでん》の建立《こんりゅう》に際《さい》しては、生命《せいめい》の福田《ふくでん》に善根《ぜんこん》の種《たね》を蒔《ま》く供養《くよう》の門戸《もんこ》を、全同志《ぜんどうし》に開こうと、決断《けつだん》したのである。

今、大客殿《だいきゃくでん》の建立《こんりゅう》の時を迎《むか》え、同志は供養に参加《さんか》することを待《ま》ち望《のぞ》んでいた。

伸一《しんいち》も、全国《ぜんこく》の行く先々《さきざき》で、そうした会員《かいいん》の声《こえ》を耳《みみ》にしてきた。

同志は、広宣流布《こうせんるふ》のために、生活費《せいかつひ》を切り詰《つ》めてまで、供養しようとしてくれている。

それは、かつて、学会《がっかい》の財源《ざいげん》を自《みずか》ら支《ささ》えた戸《と》田城聖《だじょうせい》と、同じ決意《けつい》、同じ自覚《じかく》をもつ、あまたの同志が誕生《たんじょう》したことを意味《いみ》しているといってよい。

伸一は、そこに、尊《とうと》い菩薩《ぼさつ》の姿《すがた》を見る思《おも》いがした。

彼《かれ》は誓《ちか》った。

〝その同志たちこそ、現代《げんだい》の須達長者《すだつちょうじゃ》であり、徳勝童子《とくしょうどうじ》であり、南条時光《なんじょうときみつ》といえよう。たとえ、今は貧《まず》しくとも、未来《みらい》は必《かなら》ずや大長者となることは間違《まちが》いない。また、断《だん》じてそうさせていくのだ。私は、仏《ほとけ》を敬《うやま》うように、この人びとに接《せっ》し、その真心《まごころ》を称《たた》え、励《はげ》ましていかねばならない〟

広宣流布の新《あら》たな夜明《よあ》けを象徴《しょうちょう》する大客殿を、真《しん》に荘厳《そうごん》するものは、法友《ほうゆう》の至誠《しせい》と歓喜《かんき》という、信仰《しんこう》から発《はっ》する〝美《うつく》しき魂《たましい》の光彩《こうさい》〟であると、伸一は思った。

それには、何よりも、供養《くよう》の意義《いぎ》と精神《せいしん》を誤《あやま》りなく伝《つた》え、一人《ひと》ひとりが広宣流布《こうせんるふ》の使命《しめい》を、深《ふか》く自覚《じかく》していくことである。

彼《かれ》は、この大客殿《だいきゃくでん》の供養について、自分《じぶん》の意見《いけん》を理事会《りじかい》に諮《はか》り、皆《みな》の賛同《さんどう》が得《え》られれば、五月三日の総会《そうかい》で発表《はっぴょう》しようと考《かんが》えた。

一九六一年（昭和《しょうわ》三十六年）五月三日——。

伸一《しんいち》の会長就任《かいちょうしゅうにん》一周年《しゅうねん》となる本部《ほんぶ》総会が東京《とうきょう》・両国《りょうごく》の日大講堂《にちだいこうどう》で開催《かいさい》された。開会《かいかい》は正午《しょうご》の予定《よてい》であったが、午前《ごぜん》九時には、場内《じょうない》は、同志《どうし》の喜《よろこ》びの笑《え》みの花《はな》で埋《う》め尽《つ》くされた。

伸一が会場《かいじょう》の日大講堂に到着《とうちゃく》したのは、午前十一時過《す》ぎであった。

「おめでとう！　ありがとう！」

車《くるま》から降《お》りた伸一は、出迎《でむか》えた幹部《かんぶ》や役員《やくいん》の青年《せいねん》たちに、手をあげて応《こた》えた。

彼の全身《ぜんしん》に、会長就任第二年への、新《あら》たな大前進《だいぜんしん》の気迫《きはく》がみなぎっていた。

伸一は一年前の総会で、この同じ会場で、「若輩《じゃくはい》ではございますが、本日《ほんじつ》より、戸田門下《とだもんか》生《せい》を代表《だいひょう》して化儀《けぎ》の広宣流布をめざし、一歩《いっぽ》前進への指揮《しき》をとらさせていただきます」と宣《せん》言《げん》し、新会長《しんかいちょう》として、スタートを切った。

その一歩《いっぽ》は、激闘《げきとう》の三百六十五日であったが、広布《こうふ》の未聞《みもん》の歴史《れきし》を開く、大飛躍《だいひやく》の一歩となった。そして、今、再《ふたた》びここに戻《もど》って来たのである。

それは、まさに広宣流布《こうせんるふ》の大勝利《だいしょうり》を飾《かざ》っての凱旋《がいせん》であった。

山本伸一《やまもとしんいち》は、既《すで》に全参加者《ぜんさんかしゃ》の入場《にゅうじょう》が終《お》わっていることを聞くと、開会《かいかい》時間を繰《く》り上げるように提案《ていあん》した。

午前《ごぜん》十一時四十分《ぷん》、会場《かいじょう》の大鉄傘《だいてっさん》を揺《ゆ》るがさんばかりの「威風堂々《いふうどうどう》の歌《うた》」の大合唱《だいがっしょう》のなか、学会本部旗《がっかいほんぶき》を先頭《せんとう》に、山本会長をはじめとする幹部《かんぶ》の入場で、総会《そうかい》は幕《まく》を開《あ》けた。

「開会の辞《じ》」に続《つづ》いて、「経過報告《けいかほうこく》」では、この一年の学会の前進《ぜんしん》の歩《あゆ》みが語《かた》られた。

――山本会長誕生《たんじょう》の喜《よろこ》びは、全国《ぜんこく》に折伏《しゃくぶく》の波動《はどう》となって広《ひろ》がり、就任《しゅうにん》三カ月後の、前年の八月には、一カ月で六万七千三百八十四世帯《せたい》という過去最高《かこさいこう》の折伏成果《せいか》を記録《きろく》。現在《げんざい》、学会の総世帯は百九十一万余《よ》となり、二百万世帯の達成《たっせい》は目前《もくぜん》に迫《せま》ったのである。

また、支部《しぶ》は六十一支部から百三十九支部へと発展《はってん》した。海外《かいがい》でも、ロサンゼルスとブラジルに支部が結成《けっせい》され、アジアでは香港《ホンコン》に地区《ちく》が誕生。広布の新時代《しんじだい》を画《かく》したのである。

さらに、教学《きょうがく》の大旋風《だいせんぷう》が巻《ま》き起《お》こり、教学試験《しけん》の受験者《じゅけんしゃ》は十二万数千人に上《のぼ》った。その結《けっ》果《か》、教授《きょうじゅ》から助師《じょし》までの教学陣《きょうがくじん》は、四万人を突破《とっぱ》するに至《いた》った。

一方《いっぽう》、新寺院《しんじいん》の建立《こんりゅう》も着々《ちゃくちゃく》と進《すす》み、既《すで》に六カ寺が建立され、七月中《ちゅう》には、移転新築《いてんしんちく》も含《ふく》め、さらに六カ寺が完工《かんこう》の運《はこ》びとなっていた。また、この時点《じてん》で、新《あら》たに三十カ寺ほどの寺院の建立が予定《よてい》されており、土地《とち》の選定《せんてい》も、ほぼ終了《しゅうりょう》していたのである。

すべてが、何年分《なんねんぶん》にも相当《そうとう》する大事業《だいじぎょう》であり、広布《こうふ》の大伸展《だいしんてん》といえた。

参加者《さんかしゃ》は、改《あらた》めてその歩《あゆ》みに驚嘆《きょうたん》し、込《こ》み上げる感動《かんどう》を噛《か》み締《し》めていた。同時《どうじ》に、それは、山本会長《やまもとかいちょう》と心《こころ》を合わせ、スクラムを組《く》んで進《すす》んでいくならば、新《あたら》しき民衆《みんしゅう》の時代《じだい》の建設《けんせつ》も、決《けっ》して夢《ゆめ》ではないという、自信《じしん》と勇気《ゆうき》になっていった。

続《つづ》いて、学会《がっかい》の機構《きこう》の拡充《かくじゅう》が発表《はっぴょう》された。

それによると、これまでの文化部《ぶんかぶ》が文化局《きょく》となり、そこに、政治部《せいじぶ》、経済部《けいざいぶ》、教育部《きょういくぶ》、言《げん》論部《ろんぶ》の各部《かくぶ》が所属《しょぞく》し、新たな文化の建設を担《にな》っていくことになった。

仏法《ぶっぽう》によって、人間《にんげん》の生命《せいめい》の大地《だいち》が耕《たがや》されていくならば、その帰結《きけつ》として、真実《しんじつ》の人間文化が開花《かいか》していくものだ。そして、新しき文化の創造《そうぞう》にこそ、宗教《しゅうきょう》の真価《しんか》が表《あらわ》れるといえよう。文化局の設置《せっち》は、学会の大文化運動《うんどう》の、開幕《かいまく》を告《つ》げるものであった。

また、学会本部《ほんぶ》の機構として、事務総局《じむそうきょく》が設《もう》けられ、そのもとに事務局と、これまで部であった海外《かいがい》、編集《へんしゅう》、出版《しゅっぱん》の各部《かくぶ》が局《きょく》として置《お》かれることになった。

さらに、この日、沖縄《おきなわ》が総支部《そうしぶ》となり、新《あら》たに南西《なんせい》、那覇《なは》、南海《なんかい》の三支部が誕生《たんじょう》し、沖縄支部と合わせて、四支部の布陣《ふじん》となったことが発表《はっぴょう》された。

総支部長は沖縄支部長の高見福安《たかみふくやす》が、総支部婦人部長《ふじんぶちょう》は沖縄支部婦人部長の上間球子《うえまたまこ》が兼任《けんにん》することになった。

沖縄は、十カ月前に、会長《かいちょう》山本伸一《やまもとしんいち》が出席《しゅっせき》して、支部結成《けっせい》が行《おこな》われたばかりであった。その時、七千世帯《せたい》であった沖縄が、一万七千世帯に発展《はってん》していたのである。

このあと、支部旗《き》などの返還授与《へんかんじゅよ》が行《おこな》われた。

総会《そうかい》には、前年《ぜんねん》の十月に伸一が初《はじ》めて訪問《ほうもん》した、アメリカ、ブラジルの同志《どうし》の代表《だいひょう》も参加《さんか》していた。その折《おり》に結成された、アメリカのロサンゼルス支部、ブラジル支部にも、支部旗が授与された。

「ロサンゼルス支部！」

司会《しかい》の声《こえ》が響《ひび》くと、参加者は、いっせいに壇上《だんじょう》に視線《しせん》を注《そそ》いだ。聖教新聞《せいきょうしんぶん》の報道《ほうどう》などで、海外の同志の活躍《かつやく》は知っていたが、その姿《すがた》を直接《ちょくせつ》見るのは、皆《みな》、これが初めてであった。

次《つ》いで「代表抱負《ほうふ》」に移《うつ》り、青年《せいねん》、婦人、壮年《そうねん》の代表が会長就任《しゅうにん》第二年への出発《しゅっぱつ》の決意《けつい》

ロサンゼルス支部
創価学会

を述《の》べた。

なかでも、青年部長《せいねんぶちょう》の秋月英介《あきづきえいすけ》の抱負《ほうふ》は、学会《がっかい》の推進力《すいしんりょく》たる青年部が、時代《じだい》、社会《しゃかい》に仏法《ぶっぽう》思想《しそう》のうねりを巻《ま》き起《お》こそうとする、先駆《さきが》けの気概《きがい》にあふれていた。

秋月は、この一年間で、女子部《じょしぶ》が部員数《ぶいんすう》十二万から十八万に、男子部《だんしぶ》は十八万から二十五万となり、青年部は部員四十三万へと未曾有《みぞう》の飛躍《ひやく》を遂《と》げたことを紹介《しょうかい》した。そして、戸田城聖《とだじょうせい》が青年に贈《おく》った＊「国士訓《こくしくん》」（青年よ国士たれ）に触《ふ》れて、次《つぎ》のように語《かた》った。

「『国士訓』のなかで、戸田先生《せんせい》は『青年よ、一人《ひとり》立て！　二人《ふたり》は必《かなら》ず立たん、三人はまた続《つづ》くであろう。かくして、国に十万の国士あらば、苦悩《くのう》の民衆《みんしゅう》を救《すく》いうること、火を見るよりも明《あき》らかである』と述べられております。

このお言葉《ことば》のごとく、一人立たれた青年が、会長山本《かいちょうやまもと》先生でございます。そして、その後《あと》に続くのが、私たち青年部であります。

その時は、今まさに到来《とうらい》いたしました。私たちは、いよいよ戸田先生のお言葉を実践《じっせん》し、苦悩する民衆を救う国士十万の結集《けっしゅう》を、断固《だんこ》、行《おこな》ってまいる決意《けつい》でございます。

山本先生のもと、十万の男子部の精鋭《せいえい》が一堂《いちどう》に集《つど》って、広宣流布《こうせんるふ》の新時代の幕《まく》を開くことを誓《ちか》い、代表《だいひょう》抱負とさせていただきます」

男子部《だんしぶ》十万の結集《けっしゅう》を誓《ちか》った秋月英介《あきづきえいすけ》の抱負《ほうふ》に、真《ま》っ先《さき》に拍手《はくしゅ》を送《おく》ったのは、山本伸一《やまもとしんいち》であった。

伸一は、青年《せいねん》たちが、戸田城聖《とだじょうせい》の言葉《ことば》を、決《けっ》して虚妄《こもう》にすることなく、実現《じつげん》しようとする心意気《こころいき》が、何よりも嬉《うれ》しかった。

「代表抱負《だいひょうほうふ》」のあと、アメリカ総支部《そうしぶ》の幹部《かんぶ》の紹介《しょうかい》があり、代表から近況《きんきょう》が報告《ほうこく》された。

アメリカでは、山本会長《かいちょう》が訪米《ほうべい》した時は、会員《かいいん》は三百世帯《せたい》ほどにすぎなかったが、以来《いらい》、同志《どうし》は広宣流布《こうせんるふ》への決意《けつい》に燃《も》えて立ち上がり、これまでに三百五十世帯の人を折伏《しゃくぶく》。また、渡米《とべい》する学会員《がっかいいん》も増《ふ》え、現在《げんざい》では、千五百世帯の同志が、活動《かつどう》に励《はげ》んでいるという。

次《つ》いで、理事《りじ》の森川一正《もりかわかずまさ》が「東南《とうなん》アジア広布《こうふ》をめざして」と題《だい》して話《はなし》をした。

森川は、山本会長のアジア訪問《ほうもん》のあとを受け、本部《ほんぶ》からの海外指導《かいがいしどう》の第一陣《だいいちじん》として、この五月十六日から十日間にわたって、台湾《たいわん》、フィリピン、香港《ホンコン》などを、訪問することになっていた。

彼《かれ》は、その訪問計画《けいかく》を紹介するとともに、力強《ちからづよ》く抱負を語《かた》り、こう話を締《し》め括《くく》った。

「東南アジアに、総支部が結成《けっせい》される日も間近《まぢか》であります。東洋《とうよう》広布の時は来ております。私は、その基盤《きばん》をつくるために、全力《ぜんりょく》で戦《たたか》ってまいる決意です」

建設《けんせつ》には希望《きぼう》があり、躍動《やくどう》がある。伸一《しんいち》の会長就任以来《かいちょうしゅうにんいらい》の学会《がっかい》の前進《ぜんしん》は、まさに、澄《す》み渡《わた》る大空《おおぞら》に若鷲《わかわし》が舞《ま》い上がるように、希望の天空《てんくう》へ人びとをいざなう、飛翔《ひしょう》の日々《ひび》であった。

しかも、その希望は、ますます大きく広《ひろ》がろうとしていた。

総会《そうかい》はこのあと、日達法主《にったつほっす》の講演《こうえん》となった。

さらに、理事《りじ》の清原《きよはら》かつが登壇《とうだん》し、大客殿建立《だいきゃくでんこんりゅう》の供養《くよう》を発表《はっぴょう》した。

清原は、はつらつとした声《こえ》で語《かた》り始《はじ》めた。

「山本先生《せんせい》は、第三代会長に就任された昨年《さくねん》の総会の席上《せきじょう》、恩師戸田《おんしとだ》先生の七回忌《かいき》までに、総本山《そうほんざん》に大客殿を建立する旨《むね》、宣言《せんげん》されました。

大客殿は、広宣流布《こうせんるふ》の祈願《きがん》の場所《ばしょ》となるばかりでなく、広宣流布が達成《たっせい》された折《おり》には、荘《そう》厳《ごん》な儀式《ぎしき》が行《おこな》われる殿堂《でんどう》となります。その建立は、戸田先生のご構想《こうそう》を実現《じつげん》するために、山本先生が一大決意《いちだいけつい》されたものであり、今、着々《ちゃくちゃく》とその準備《じゅんび》が進《すす》んでおります。

大客殿は、諸国《しょこく》の来賓《らいひん》を迎《むか》え、仏法《ぶっぽう》の威光《いこう》を知らしめるにふさわしい、内容《ないよう》と規模《きぼ》の、近《きん》代的《だいてき》な大建築《だいけんちく》をめざしております。それは、仏法の偉大《いだい》さを世界《せかい》に示《しめ》し、新《あら》たな広宣流布の基盤《きばん》を確立《かくりつ》する、第一の重要《じゅうよう》なポイントとなります」

清原かつの話《はなし》に、一段《いちだん》と熱《ねつ》がこもった。

「その大客殿《だいきゃくでん》の建立《こんりゅう》という一大事業《いちだいじぎょう》が、現在《げんざい》、わが創価学会《そうかがっかい》の手によって、成《な》し遂《と》げられようとしているのです。

私も、昨年《さくねん》の大客殿建立の発表以来《はっぴょういらい》、ぜひとも御供養《ごくよう》に参加《さんか》させていただきたいと、その日の来るのを待《ま》ちに待っておりました。このほど、いよいよ、その具体的《ぐたいてき》な計画《けいかく》がまとまりましたので、本日《ほんじつ》のこのよき日にあたり、発表させていただきます!」

期《き》せずして、場内《じょうない》には、大拍手《だいはくしゅ》がわき起《お》こった。同志《どうし》は皆《みな》、この発表を待っていたのである。広宣流布《こうせんるふ》のためには、自分《じぶん》にできることなら、精《せい》いっぱい尽力《じんりょく》させてもらいたいというのが、同志の心情《しんじょう》であり、決意《けつい》であった。また、それが創価の精神《せいしん》であり、そこに、学会の強《つよ》さがあった。

清原《きよはら》は、供養の納金《のうきん》は七月の下旬《げじゅん》に行《おこな》われることを述《の》べたあと、供養の精神について訴《うった》えていった。

「御供養は、あくまでも信心《しんじん》を根本《こんぽん》にした真心《まごころ》の表《あらわ》れであります。したがいまして、決《けっ》して、無理強《むりじ》いするようなことがあってはならないと思《おも》います。

また、せっかく御供養をしても、歓喜《かんき》もなく、お付《つ》き合いで、ただ参加するのと、喜《よろこ》び勇《いさ》んで参加するのとでは、功徳《くどく》にも大きな違《ちが》いがあります。

どうか幹部《かんぶ》の皆《みな》さんは、皆が誇《ほこ》りと喜《よろこ》びをもって臨《のぞ》めるように、御供養《ごくよう》の意義《いぎ》と精神《せいしん》を、よく話《はな》していただきたいと思《おも》います。個人指導《こじんしどう》、対話《たいわ》によって、一人《ひとり》ひとりが心《こころ》から納得《なっとく》し、御供養への自覚《じかく》を深《ふか》めていくことが、歓喜《かんき》ある行動《こうどう》の源泉《げんせん》となります。

ともどもに力《ちから》を合わせ、広宣流布《こうせんるふ》の新《あたら》しい歴史《れきし》を担《にな》ってまいろうではありませんか」

続《つづ》いて、理事長《りじちょう》などのあいさつがあり、会長山本伸一《かいちょうやまもとしんいち》の登壇《とうだん》となった。

伸一は、万雷《ばんらい》の拍手《はくしゅ》のなか、ゆっくりと立ち上がった。一年前、この会場《かいじょう》に高く掲《かか》げられた戸田城聖《とだじょうせい》の写真《しゃしん》を仰《あお》ぎながら、第三代会長として立った、あの日の光景《こうけい》が、彼《かれ》の胸《むね》をよぎった。

思《おも》えば、瞬《またた》く間《ま》の一年であった。なすべきことはあまりにも多く、激闘《げきとう》に次《つ》ぐ激闘の日々《ひび》であったが、それによって、広布《こうふ》の未曾有《みぞう》の上げ潮《しお》がつくられたのである。彼は、確《たし》かな勝利《しょうり》の手応《てごた》えを感《かん》じることができた。

伸一は、戸田の弟子《でし》らしく、高らかに凱歌《がいか》を奏《かな》で、ここに凱旋《がいせん》したのである。

彼は、参加者《さんかしゃ》に一礼《いちれい》した。やがて、嵐《あらし》のような拍手がやみ、静寂《せいじゃく》が一瞬《いっしゅん》、場内《じょうない》を包《つつ》んだ。

大勝利を飾《かざ》った凱旋将軍《しょうぐん》の、再《ふたた》びの出発《しゅっぱつ》の大獅子吼《だいししく》を、人びとは固唾《かたず》を飲《の》んで待《ま》った。

伸一は、冒頭《ぼうとう》、日達法主《にったつほっす》の総会《そうかい》への出席《しゅっせき》に、深《ふか》く感謝《かんしゃ》の意《い》を表《ひょう》したあと、力強《ちからづよ》い声《こえ》で語《かた》っていった。

「第二十三回総会《そうかい》を、全国《ぜんこく》の同志《どうし》を代表《だいひょう》して集《あつ》まられた幹部《かんぶ》の皆様方《みなさまがた》と、元気《げんき》いっぱいに開催《かいさい》できましたことを、心《こころ》より喜《よろこ》び合いたいと思《おも》います。

霊山《りょうぜん》におられる恩師《おんし》戸《と》田城聖《だじょうせい》先生《せんせい》も、この様子《ようす》をご覧《らん》になって、『あっぱれ、わが弟子《でし》よ！』と、莞爾《かんじ》としておられることを、私は強《つよ》く確信《かくしん》する次第《しだい》でございます。

創価学会《そうかがっかい》のごとく、大哲学《だいてつがく》を掲《かか》げ、不幸《ふこう》な人びとの真実《しんじつ》の味方《みかた》となって、慈悲《じひ》と確信と鉄《てつ》の団結《だんけつ》をもって、人類《じんるい》の平和《へいわ》のために前進《ぜんしん》している団体《だんたい》が、教団《きょうだん》が、世界《せかい》のどこにあるでしょうか。

私は、創価学会こそ〝日本の柱《はしら》〟であり、〝世界の太陽《たいよう》〟であると、宣言《せんげん》したいのであります」

伸一《しんいち》の胸中《きょうちゅう》には、どこまでも民衆《みんしゅう》の味方となって、日本を救《すく》い、世界を救いゆく団体は、創価学会しかないという、強い自負《じふ》と確信があった。

彼《かれ》は、ここで、涅槃経《ねはんぎょう》に説《と》かれた覚徳比丘《かくとくびく》と有徳王《うとくおう》について言及《げんきゅう》していった。

覚徳比丘は、過去世《かこせ》に歓喜増益如来《かんぎぞうやくにょらい》という仏《ほとけ》が出現《しゅつげん》し、その滅後《めつご》、あと四十年で正法《しょうほう》が滅《ほろ》んでしまうという時に、正法を守《まも》り、持《たも》ち抜いた僧《そう》である。覚徳比丘は、決然《けつぜん》と立ち上が

り、正法を説き、戒律を破る者た
殺《ころ》そうと迫《せま》っていった。

正法の外護者《げごしゃ》である国王《こくおう》の有徳《うとく》は、それを知ると、法を守《まも》り、覚徳比丘《かくとくびく》を助《たす》けるために果敢《かかん》に戦《たたか》った。覚徳比丘は難《なん》を免《まぬか》れたが、有徳王は戦いのなかで殺されてしまう。有徳王の体《からだ》には、傷《きず》のないところは芥子粒《けしつぶ》ほどもなかった。それほど壮絶《そうぜつ》な戦いを展開《てんかい》したのである。

この功徳《くどく》によって、有徳王は、やがて阿閦仏《あしゅくぶつ》の国に生まれて第一の弟子《でし》になり、覚徳比丘は第二の弟子となったと説かれている。

有徳王は、釈尊《しゃくそん》の過去世《かこせ》の修行中《しゅぎょうちゅう》の姿《すがた》を示《しめ》すものであるが、現代《げんだい》でいえば、現実《げんじつ》の社会《しゃかい》のなかで戦い、生きる、死身弘法《ししんぐほう》の在家《ざいけ》の仏法指導者《ぶっぽうしどうしゃ》といってよい。

また、これは、まさに仏法が滅《めつ》せんとする時の、信仰者《しんこうしゃ》の心構《こころがま》えを説くとともに、正法を守ることの功徳の大きさを教《おし》えている。

伸一《しんいち》は、訴《うった》えた。

「私ども創価学会《そうかがっかい》は、日夜《にちや》、朝《あさ》な夕《ゆう》な、不幸《ふこう》な人びとを救《すく》おうと折伏《しゃくぶく》に励《はげ》み、教学《きょうがく》に、座《ざ》談会《だんかい》にと、懸命《けんめい》に取り組《く》んでおります。また、総本山《そうほんざん》、日達上人《にったつしょうにん》をお守り申《もう》し上げております。この創価学会《そうかがっかい》の姿《すがた》、精神《せいしん》こそ、仏法《ぶっぽう》の方程式《ほうていしき》のうえから、有徳王《うとくおう》の姿であり、有徳王の精神であると、私は強《つよ》く信《しん》ずるものでございます」

伸一《しんいち》は、話《はな》しながら、戦時中《せんじちゅう》、宗門《しゅうもん》が謗法《ほうぼう》に染《そ》まり、腐敗《ふはい》、堕落《だらく》していったなかで、正法《しょうぼう》正義《しょうぎ》を貫《つらぬ》いて殉教《じゅんきょう》した牧口常三郎《まきぐちつねさぶろう》のことが頭《あたま》をよぎった。

牧口の振《ふ》る舞《ま》いは、有徳王のみでなく、覚徳比丘《かくとくびく》の姿でもあったのではないかと、彼《かれ》はふと思《おも》ったが、それには触《ふ》れなかった。

伸一は、将来《しょうらい》、いかなる時代《じだい》、いかなる状況《じょうきょう》に置《お》かれたとしても、学会は死身弘法《ししんぐほう》の精神で、日蓮大聖人《にちれんだいしょうにん》の仏法の正法正義を守《まも》り抜くことを決意《けつい》していた。

彼は、言葉《ことば》をついだ。

「思えば、昨年《さくねん》の五月三日、この壇上《だんじょう》において、日達上人《にったつしょうにん》より、『詮《せん》ずるところは天《てん》もすて給《たま》え諸難《しょなん》にもあえ身命《しんみょう》を期《ご》とせん』（御書《ごしょ》二三二ページ）との御聖訓《ごせいくん》を頂戴《ちょうだい》いたしました。

今、その御聖訓を、もう一度《いちど》、胸《むね》に刻《きざ》んで、勝って兜《かぶと》の緒《お》を締《し》めて、親愛《しんあい》なる皆様方《みなさまがた》のご協力《きょうりょく》を賜《たまわ》りながら、来年《らいねん》の五月三日をめざし、さらに、一歩《いっぽ》前進《ぜんしん》の指揮《しき》をとっていく決意でございます。

願《ねが》わくは、皆様も私とともに、御本尊様《ごほんぞんさま》を抱《だ》き締めて、広宣流布《こうせんるふ》への勝利《しょうり》の歩《あゆ》みを、貫《つらぬ》き通《とお》していっていただきたいのであります。

以上《いじょう》で、私のあいさつに代《か》えさせていただきます」

歓声《かんせい》と大拍手《だいはくしゅ》がドームにこだました。

黄金《おうごん》の凱歌《がいか》の年輪《ねんりん》を刻《きざ》んだ学会《がっかい》は、今、再《ふた》び第二年へと船出《ふなで》したのである。

学会歌の大合唱《だいがっしょう》のなかを退場《たいじょう》する伸一《しんいち》の胸《むね》には、闘魂《とうこん》の炎《ほのお》が鮮《あざ》やかに燃《も》え盛《さか》っていた。

彼《かれ》が進《すす》もうとする広宣流布《こうせんるふ》の道《みち》は、失敗《しっぱい》も、後退《こうたい》も許《ゆる》されなかった。いかなる困難《こんなん》が待《ま》っていようが、連続勝利《れんぞくしょうり》をもって踏破《とうは》しなければならない。

伸一は、それが、避《さ》けることのできない自己《じこ》の使命《しめい》であることを、深《ふか》く自覚《じかく》していた。

彼は、大鉄傘《だいてつさん》の高窓《たかまど》から差《さ》し込《こ》む光《ひかり》を仰《あお》いだ。

〝暗雲《あんうん》の上にも、いつも太陽《たいよう》は燦然《さんぜん》と輝《かがや》いている。私の太陽は戸田先生《とだせんせい》だ。その太陽を心《こころ》にいだいて、先生の弟子《でし》らしく、この一年もまた、走《はし》りに走ろう〟

光に照《て》らされた彼の顔《かお》に、さわやかな微笑《びしょう》が浮《う》かんだ。

青《あお》　葉《ば》

青葉には、青年《せいねん》の輝《かがや》きがある。

晴《は》れ渡《わた》る空《そら》の下《もと》、あふれる光《ひかり》を浴《あ》びて、彼《かれ》らは希《き》望《ぼう》の調《しら》べを自由《じゆう》に奏《かな》でる。

瑞々《みずみず》しい葉脈《ようみゃく》には、若《わか》き生命《せいめい》の鼓動《こどう》が脈打《みゃくう》ち、明日《あす》に向かい、盛《さか》んに養分《ようぶん》を吸《す》い上げる。

そして、風雨《ふうう》に耐《た》えて、新緑《しんりょく》から深緑《しんりょく》へと、自《みずか》らを深《ふか》めてゆく。

青葉茂《しげ》る青年の森《もり》をつくる——そこに山本伸一《やまもとしんいち》の広宣流布《こうせんるふ》の大構想《だいこうそう》があった。

中国《ちゅうごく》の『*管子《かんし》』にも「終身《しゅうしん》の計《けい》は人を樹《う》うるに如《し》くは莫《な》し」とある。生涯《しょうがい》の計画《けいかく》を立てるには、人材《じんざい》を育《そだ》てよ、との意味《いみ》だ。

広宣流布の世界《せかい》への本格的《ほんかくてき》な展開《てんかい》の時代《じだい》は、三十年後、四十年後になるにちがいない。その時、社会《しゃかい》の指導者《しどうしゃ》となっていくのは、現在《げんざい》の青年たちを第一陣《だいいちじん》とする、若き世代《せだい》である。

したがって、今から、青年たちを育成《いくせい》しておかなければ、盤石《ばんじゃく》な未来《みらい》の建設《けんせつ》はありえないことを、伸一《しんいち》は痛感《つうかん》していた。

彼《かれ》は、五月三日の本部《ほんぶ》総会《そうかい》が終了《しゅうりょう》したあと、青年部長《せいねんぶちょう》の秋月英介《あきづきえいすけ》をはじめ、運営《うんえい》にあたった男女《だんじょ》青年部の幹部《かんぶ》と懇談《こんだん》した。

そこで、彼は提案《ていあん》した。

「さあ、第二の幕《まく》が開いた。青年の大飛躍《だいひやく》の節《ふし》にするために、今日《きょう》を出発点《しゅっぱつてん》として、今年《ことし》を『青年の年』としたいと思《おも》うが、どうだろうか」

「はい！　結構《けっこう》です」

男子《だんし》部長の谷田昇一《たにだしょういち》が、元気《げんき》な声《こえ》で答《こた》えた。

伸一は言った。

「いかなる団体《だんたい》でも、青年に勢《いきお》いがあり、青年がいかんなく力《ちから》を発揮《はっき》しているところは、永遠《えいえん》に行《ゆ》き詰《づ》まりがない。

学会《がっかい》の未来《みらい》を担《にな》い、広布《こうふ》の永遠の道《みち》を開いていくのは青年部です。だから私は、全青年を、これまでにも増《ま》して、本格的《ほんかくてき》に育成《いくせい》したいと思う。青年部を中心《ちゅうしん》に、新《あたら》しい広宣流布《こうせんるふ》の流《なが》れをつくることが、会長就任《かいちょうしゅうにん》二年目の私のテーマです。

そのために、各方面《かくほうめん》の男子部総会も、女子部《じょしぶ》の総会も、すべて出席《しゅっせき》するつもりでいます。

真剣勝負《しんけんしょうぶ》で諸君《しょくん》を育《そだ》てていこうと思《おも》っている」

この一九六一年（昭和《しょうわ》三十六年）の七月は、男女青年部《だんじょせいねんぶ》の結成《けっせい》十周年《しゅうねん》にあたっており、五月から七月上旬《じょうじゅん》にかけて、各方面《かくほうめん》ごとに、男女別《べつ》に総会《そうかい》が予定《よてい》されていた。それは、男子部にとっては、秋《あき》に行《おこな》う精鋭《せいえい》十万の結集《けっしゅう》の事実上《じじつじょう》の開幕《かいまく》でもあった。

というのは、既《すで》に男子部は部員《ぶいん》二十五万人を擁《よう》しており、十万人の集《つど》いでは、代表《だいひょう》の参加《さんか》に終《お》わってしまう。そこで、十万人の集いは、首都圏《しゅとけん》の男子部が中心《ちゅうしん》となって行い、各方面での総会も、同じ意義《いぎ》を込《こ》めて開催《かいさい》することが決定《けってい》していたのである。

伸一《しんいち》の言葉《ことば》には、次第《しだい》に力《ちから》がこもっていった。

「戸田《とだ》先生《せんせい》の時代《じだい》、青年部は学会《がっかい》の全責任《ぜんせきにん》を担《にな》い、常《つね》に学会の発展《はってん》の原動力《げんどうりょく》になっていた。戸田先生の言われた七十五万世帯《せたい》は、誰《だれ》がやらなくとも、青年部の手で成就《じょうじゅ》しようという気《き》概《がい》があった。そして、各支部《しぶ》や地区《ちく》にあっても、青年が布教《ふきょう》の先頭《せんとう》に立ってきた。また、何か問題《もんだい》が生《しょう》じた時に、真《ま》っ先に飛《と》んで行き、対処《たいしょ》してきたのも青年部であった。すべてを青年部の手で担ってきました。

だから、戸田先生も、『青年部は私の直系《ちょっけい》だ』と言われ、その成長《せいちょう》に、最大《さいだい》の期待《きたい》を寄《よ》せてくださっていたのです。

しかし、学会《がっかい》が大きくなり、組織《そしき》が整《ととの》ってくるにつれて、青年《せいねん》が壮年《そうねん》や婦人《ふじん》の陰《かげ》に隠《かく》れ、十分《じゅうぶん》に力《ちから》が発揮《はっき》されなくなってきているように思《おも》えてならない。端的《たんてき》にいえば、自分《じぶん》たちだけで小《ちい》さくまとまっていく傾向《けいこう》にあることが、私は心配《しんぱい》なんです。青年部に、学会の全責任《ぜんせきにん》を担《にな》うという自覚《じかく》がなければ、いつまでたっても、後継者《こうけいしゃ》として育《そだ》つことなどできません。

今、かつての青年部が学会の首脳《しゅのう》となって、縦横無尽《じゅうおうむじん》に力を発揮して戦《たたか》っているが、皆《みな》、青年部の時代《じだい》から、全学会の責任をもつ決意《けつい》で、私とともに必死《ひっし》になって働《はたら》いてきた。その自覚と行動《こうどう》があったからこそ、今、学会の首脳として、立派《りっぱ》に指揮《しき》をとることができるのです」

それは、伸一《しんいち》の実感《じっかん》であった。彼《かれ》は、一部員《いちぶいん》であったころから、戸田《とだ》の広宣流布《こうせんるふ》の構想《こうそう》を実現《じつげん》するために、学会の全責任をもとうとしてきた。その自覚は班長《はんちょう》の時代も、青年部の室長《しつちょう》の時代も、常《つね》に変わらなかった。

もちろん、立場《たちば》、役職《やくしょく》によって、責任の分野《ぶんや》や役割《やくわり》は異《こと》なっていた。しかし、内面《ないめん》の自覚においては、戸田の弟子《でし》として、師《し》の心《こころ》をわが心とし、学会のいっさいを自己《じこ》の責任として考《かんが》えてきた。それゆえに、戸田の薫陶《くんとう》も生かされ、大いなる成長《せいちょう》もあったのである。

この見えざる無形《むけい》の一念《いちねん》こそが、成長の種子《しゅし》といってよい。

種子《しゅし》があれば、養分《ようぶん》を与《あた》え、水《みず》をやり、光《ひかり》が注《そそ》いでいけば、やがて芽《め》を出し、大樹《たいじゅ》に育《そだ》っていく。だが、種子がなければ、どんなに手をかけても、芽が出ることはない。

伸一《しんいち》は、愛《あい》する青年《せいねん》たちの胸中《きょうちゅう》に、全学会《ぜんがっかい》を担《にな》い立つ〝使命《しめい》の自覚《じかく》〟という、成長《せいちょう》の種子を植《う》えたかったのである。

全国《ぜんこく》に先駆《さきが》け、青年部の方面総会《ほうめんそうかい》の幕《まく》を開いたのは九州《きゅうしゅう》であった。

五月七日、福岡《ふくおか》スポーツセンターで、まず午前《ごぜん》十時前から、一万一千人が参加《さんか》し、女子部《じょしぶ》の九州総会が開催《かいさい》された。

山本《やまもと》伸一は、若《わか》い女性《じょせい》たちのために、わかりやすい譬《たと》えを引いて、仏法《ぶっぽう》とは何かを話《はな》していった。

「たとえば、道路交通法《どうろこうつうほう》という法律《ほうりつ》があります。これは、円滑《えんかつ》に車《くるま》が走《はし》り、また、人命《じんめい》を守《まも》るために、つくられたものです。

そして、私たちは、たとえば、信号《しんごう》が赤《あか》になれば止《と》まり、青《あお》になれば進《すす》むことができると教《おそ》わり、それを守ることによって、安全《あんぜん》に往来《おうらい》することができます。しかし、もし、それを知らずに、あるいは、せっかく教わっても、聞き入れようとせず、歩行者《ほこうしゃ》が赤信号を渡《わた》れば、どうなるか。必《かなら》ず車《くるま》に、はねられるなどの事故《じこ》に遭《あ》うことになってしまいます。道路交通法以外《どうろこうつうほういがい》にも、国で定《さだ》めた法律《ほうりつ》は、たくさんあります。それを破《やぶ》って、窃盗《せっとう》や詐欺《さぎ》を働《はたら》いたりすれば、裁《さば》きを受けなければならない。そうなれば、被害者《ひがいしゃ》だけでなく、自分《じぶん》も不幸《ふこう》になってしまう。

また、人が定めた法律ではありませんが、自然界《しぜんかい》にも、自然界の法則《ほうそく》があります。たとえば、日本の国に四季《しき》があるのも、その一つです。この法則を知り、活用《かつよう》して、米《こめ》なども田植《たう》えの時期《じき》を決め、秋《あき》に収穫《しゅうかく》してきました。しかし、それを知らないで、秋に田植えをしても、収穫は望《のぞ》めません。

同様《どうよう》に、大宇宙《だいうちゅう》を貫《つらぬ》く、生命《せいめい》の根本《こんぽん》の法則というのがあります。それが仏法《ぶっぽう》であり、その根源《こんげん》の力《ちから》が南無妙法蓮華経《なむみょうほうれんげきょう》なんです。

人びとは、国法《こくほう》については知っている。また、自然界の法則も学《まな》び、そこから、科学《かがく》の進歩《しんぽ》も生まれてきました。しかし、人間《にんげん》が幸福《こうふく》になるための、大宇宙の根本法則、生命の因果《いんが》の理法《りほう》は知りません。真実《しんじつ》の幸福を創造《そうぞう》していくには、その根本の法則を知り、それに則して生きていくことです。その仏法を、人びとに教《おし》えていくのが、私たちの広宣流布《こうせんるふ》です」

笑顔《えがお》で頷《うなず》く参加者《さんかしゃ》の姿《すがた》が目立った。

伸一《しんいち》は、最後《さいご》に、信心《しんじん》によって、自己自身《じこじしん》を人間革命《にんげんかくめい》し、幸福境涯《こうふくきょうがい》を築《きず》くとともに、日本、世界《せかい》の民衆《みんしゅう》を救《すく》いゆく日まで、前進《ぜんしん》の歩《あゆ》みを運《はこ》んでいこうと訴《うった》え、話《はなし》を結《むす》んだ。

午後《ごご》からは、同じ会場《かいじょう》で男子部《だんしぶ》の総会《そうかい》が行《おこな》われることになっていた。

女子部《じょしぶ》の総会が終《お》わり、男子部の入場《にゅうじょう》が始《はじ》まると、瞬《また》く間《ま》に、場内《じょうない》はいっぱいになり、参《さん》加者《かしゃ》は外《そと》にもあふれた。

午後二時、男子部の九州《きゅうしゅう》総会が開会《かいかい》された。

九州第一部長《ぶちょう》の川中弘法《かわなかひろのり》があいさつに立った。

「本日《ほんじつ》、ここに九州の男子部員二万三千八百人のうち、一万七千人が結集《けっしゅう》いたしました!」

場内には嵐《あらし》のような歓声《かんせい》と拍手《はくしゅ》が轟《とどろ》いた。

実《じつ》に、全九州の男子部員の七割以上《わりいじょう》が、一堂《いちどう》に会《かい》したことになる。見事《みごと》な大結集といってよい。それは、九州の男子部の幹部全員《かんぶぜんいん》が、一丸《いちがん》となり、一人《ひとり》も落《お》とすまいとの思《おも》いで、きめ細《こま》かな個人指導《こじんしどう》を重《かさ》ねてきた結果《けっか》であった。

川中は、その中核《ちゅうかく》の一人であった。

彼《かれ》の出身《しゅっしん》は、熊本県《くまもとけん》の天草《あまくさ》である。一九四八年(昭和《しょうわ》二十三年)に、十九歳で福岡県《ふくおかけん》の戸畑《とばた》に出て来た。ガラス工場《こうじょう》で働《はたら》きながら、夜《よる》は定時《ていじ》制高校《せいこうこう》に学《まな》んだ。やがて、塗装店《とそうてん》の営業《えいぎょう》の仕事《しごと》に移《うつ》り、夜間《やかん》の大学《だいがく》に進《すす》んだ。

入会《にゅうかい》は、一九五五年（昭和《しょうわ》三十年）のことである。信心《しんじん》を始《はじ》めた彼《かれ》は、広宣流布《こうせんるふ》という理想《りそう》をわが使命《しめい》とし、人生《じんせい》をかけた。そして、仕事に、学業《がくぎょう》に、学会活動《がっかいかつどう》にと、徹《てっ》して挑《いど》んだ。

「人生とは闘争《とうそう》なり」との言葉《ことば》を座右《ざゆう》の銘《めい》とし、燃《も》えるような求道《きゅうどう》の心《こころ》で、すべてに体当《たいあ》たりでぶつかっていった。ひとたび、こうと決めたら、どこまでも一途《いちず》に突《つ》き進んだ。裏表《うらおもて》のない、朗《ほが》らかな、さっぱりとした気性《きしょう》の青年《せいねん》であった。

営業《えいぎょう》の仕事でも、新《あら》たな取引先《とりひきさき》を開拓《かいたく》するなど、目覚《めざ》ましい実績《じっせき》をあげ、職場《しょくば》の第一人者《だいいちにんしゃ》となった。

また、学会活動に闘志《とうし》を燃やし、少《すく》ない時間をやりくりしては、布教《ふきょう》と友《とも》の激励《げきれい》に奔走《ほんそう》した。組織《そしき》でも、川中《かわなか》への信頼《しんらい》は厚《あつ》く、男子部《だんしぶ》の班長《はんちょう》と地区《ちく》の班長を兼任《けんにん》していたこともあった。当時《とうじ》、一つの班の折伏《しゃくぶく》は、平均《へいきん》して月に五、六世帯《せたい》であったが、彼の班では、五十世帯、六十世帯という記録的《きろくてき》な成果《せいか》をあげていった。

さらに、支部《しぶ》の男子部の責任者《せきにんしゃ》となった川中は、山本伸一《やまもとしんいち》が第三代会長《かいちょう》に就任《しゅうにん》した年の八月、男子部の手で五百十四世帯の折伏を成《な》し遂《と》げたのである。

これは、支部の全折伏数の三分《ぶん》の一にあたり、男子部の歴史《れきし》に金字塔《きんじとう》を打ち立てる快挙《かいきょ》となった。

彼《かれ》は、伸一《しんいち》が九州《きゅうしゅう》に来ると、いつも真《ま》っ先《さき》に出迎《でむか》えてくれた。

ある時、会長《かいちょう》となった伸一に、川中《かわなか》は言った。

「人間《にんげん》が自分《じぶん》を高めようとすれば、人生《じんせい》の師《し》が必要《ひつよう》です。私は、山本先生《やまもとせんせい》の弟子《でし》として、生涯《しょうがい》、戦《たたか》い抜いていこうと思《おも》います。これは、私が自分で決めたことです。

そして、戸田《とだ》先生と山本先生の姿《すがた》をもとに、弟子の在《あ》り方《かた》とは何かを考《かんが》えてみました。しかし、正直《しょうじき》なところ、深遠《しんえん》すぎて、私にはその奥底《おうてい》までは、とてもわかりません。また、私は、いつも山本先生の身近《みぢか》にいることもできません。ただ、山本先生の振《ふ》る舞《ま》いから、師の構想《こうそう》を実現《じつげん》していくのが弟子だということは、私にもわかります。

ですから私は、山本先生の示《しめ》された広宣流布《こうせんるふ》の目標《もくひょう》は、すべて成就《じょうじゅ》し、勝ち取っていこうと思います。その勝利《しょうり》の結果《けっか》をもって、先生にお応《こた》えしていくつもりです」

事実《じじつ》、川中は、必《かなら》ず勝利の報告《ほうこく》をもって、伸一のもとにやって来た。

また、会合《かいごう》の折《おり》などに、伸一は、よく「皆《みな》さんは、今日《きょう》は早《はや》く家《いえ》に帰《かえ》って、ゆっくり休《やす》んでください」と語《かた》ることがあった。しかし、川中は、部員《ぶいん》は休ませても、自《みずか》らは休もうとはしなかった。

彼《かれ》の行動《こうどう》は、師《し》と仰《あお》ぐ伸一《しんいち》を基準《きじゅん》にし、伸一の側《がわ》に立って物事《ものごと》を考《かんが》えていた。つまり、自《じ》分《ぶん》を「皆《みな》さん」の一人《ひとり》ととらえて、師と向かい合うのではなく、師と同じ方向《ほうこう》を見ながら、師とともに生きようとしていたのである。それは、弟子《でし》としての彼の哲学《てつがく》であった。

この九州男子部《きゅうしゅうだんしぶ》の総会《そうかい》の大結集《だいけっしゅう》の原動力《げんどうりょく》となったのも、川中《かわなか》であった。

彼は、方面《ほうめん》総会を前にして、同志《どうし》に訴《うった》えた。

「このたびの青年部《せいねんぶ》の方面総会の先駆《せんく》を切るのが、わが九州です。ということは、私たちが、全国《ぜんこく》の勝敗《しょうはい》の鍵《かぎ》を握《にぎ》ることになる。最初《さいしょ》に、九州が勝利《しょうり》すれば、ほかの方面も九州に負《ま》けるものかと、全力《ぜんりょく》で取り組《く》まざるをえないからです。今回《こんかい》は、九州男児《だんじ》の熱《ねつ》と力《ちから》を、全国の青年たちに見せてやりたいと思《おも》うが、どうだろうか！

そのためには、徹底的《てっていてき》に家庭訪問《かていほうもん》し、信心指導《しんじんしどう》をしていく以外《いがい》にありません。私は、全男子部員は山本先生《やまもとせんせい》の弟《おとうと》さんであると思っています。したがって、いかに小さな組織《そしき》であっても、組織の責任者《せきにんしゃ》になることは、先生から、最愛《さいあい》の弟さんの面倒《めんどう》をみるように、託《たく》されたことであると考えています」

川中は、さらに、自分の心情《しんじょう》を、皆に率直《そっちょく》に語《かた》っていった。

「山本先生から、『弟をよろしく』と頼《たの》まれれば、信心はもとより、仕事《しごと》や食事《しょくじ》のことまで心配《しんぱい》し、毎日《まいにち》、足《あし》を運《はこ》んで、励《はげ》ましていると思《おも》う。もし、その弟《おとうと》さんが、勤行《ごんぎょう》もしていないと聞いたら、徹底《てってい》して話《はな》し合っているはずです。

でも、実際《じっさい》には、各組織《かくそしき》を見ていくと、勤行もしていないメンバーが、何人《なんにん》もいます。それを放《ほう》っておくというのは、無責任《むせきにん》であり、無慈悲《むじひ》です。もちろん、個人指導《こじんしどう》は、決《けっ》して簡単《かんたん》なものではありません。まだ仏法《ぶっぽう》の偉大《いだい》さがわからずに、信心《しんじん》に対《たい》して否定的《ひていてき》な人もいれば、なかには、怒鳴《どな》り出す人もいるかもしれません。

しかし、皆《みな》、先生《せんせい》の大切《たいせつ》な弟さんなのだという思いで、粘《ねば》り強《づよ》く対話《たいわ》して、全九州《ぜんきゅうしゅう》の男子《だんし》部員《ぶいん》を、一人残《ひとりのこ》らず、一騎当千《いっきとうせん》の人材《じんざい》に育《そだ》て上げ、この総会《そうかい》に勢《せい》ぞろいさせたいのです」

川中《かわなか》の訴《うった》えは、同志《どうし》の心《こころ》を打った。皆、新《あら》たな思いで、個人指導に取《く》り組んでいった。

川中もバイクを駆《か》って、同志の家々《いえいえ》を巡《めぐ》った。そして、帰宅《きたく》すると、一人ひとりの同志の総会への参加《さんか》を念《ねん》じて、唱題《しょうだい》を続《つづ》けた。彼《かれ》は、文字通《もじどお》り、〝*止暇断眠《しかだんみん》〟の活動《かつどう》を展開《てんかい》したのである。それは、自己自身《じこじしん》への〝挑戦《ちょうせん》〟であった。

その彼の決意《けつい》と実践《じっせん》が、全九州に燃《も》え広《ひろ》がり、火の国・九州は大勝利《だいしょうり》を飾《かざ》り、さらに、それが、全国《ぜんこく》に燃え広がっていくのである。勇気《ゆうき》は波動《はどう》する。生命力《せいめいりょく》も伝播《でんぱ》していく。

山本伸一《やまもとしんいち》は、この九州男子部の総会の席上《せきじょう》、こう語《かた》った。

「先ごろ、ソ連《れん》が人類初《じんるいはつ》の有人宇宙飛行《ゆうじんうちゅうひこう》を成《な》し遂《と》げましたが、その宇宙飛行士の*ガガーリン少佐《しょうさ》も、皆《みな》さんと同じ青年《せいねん》であります。

私どもは、ガガーリン少佐のように、新聞《しんぶん》やテレビで報《ほう》じられることもなければ、脚光《きゃっこう》を浴《あ》びることもありません。しかし、世界《せかい》の人びとを救《すく》おうと、日夜《にちや》、弘教《ぐきょう》に励《はげ》み、広宣流布《こうせんるふ》をめざす私どもの活動《かつどう》は、ガガーリン少佐の壮挙《そうきょ》に、勝《まさ》るとも劣《おと》らない大事業《だいじぎょう》であると、申《もう》し上げておきたいのであります」

ひと月前の四月十二日、ユーリー・ガガーリン少佐を乗《の》せたボストーク1号《ごう》が打ち上げられ、一時間四十八分《ふん》で地球《ちきゅう》を一周《しゅう》することに成功《せいこう》していた。これが人類の有史以来《ゆうしいらい》、初の宇宙旅行《りょこう》となったのである。

飛行を終《お》えたガガーリン少佐の「地球は青《あお》かった」との言葉《ことば》は、あまりにも有名《ゆうめい》だが、当《とう》時《じ》、彼《かれ》は二十七歳の青年であった。

今、山本伸一《やまもとしんいち》のもとに集《つど》った青年たちは、大多数《だいたすう》が貧《まず》しい無名《むめい》の若者《わかもの》である。いわゆる〝エリート〟は、ほとんどいなかった。しかし、彼らは、民衆《みんしゅう》の心《こころ》を知っていた。不幸《ふこう》に苦《くる》しむ友《とも》を救おうとする一途《いちず》な情熱《じょうねつ》があった。それこそが、真《しん》の指導者《しどうしゃ》の最大《さいだい》の要件《ようけん》といってよい。その青年たちを、次代《じだい》のリーダーに育《そだ》て上げることが、伸一の念願《ねんがん》であった。

続《つづ》いて、伸一《しんいち》は、人生《じんせい》の大成《たいせい》の道《みち》は、決《けっ》して遠《とお》い彼方《かなた》にあるのではなく、今、自分《じぶん》がいるところにあると語《かた》り、各人《かくじん》の仕事《しごと》で、各人の世界《せかい》で、第一人者《だいいちにんしゃ》、大勝利者《だいしょうりしゃ》になることを訴《うった》え、この日の指導《しどう》とした。

九州《きゅうしゅう》の青年部《せいねんぶ》総会《そうかい》を終《お》えた伸一は、福岡《ふくおか》から空路《くうろ》、大阪《おおさか》に飛《と》び、九日には京都《きょうと》の舞鶴《まいづる》に向かった。この日、学会《がっかい》の建立寄進《こんりゅうきしん》による実度寺《じつどじ》の落慶入仏式《らっけいにゅうぶつしき》と、舞鶴支部《しぶ》の結成大会《けっせいたいかい》が行《おこな》われたのである。

舞鶴は、伸一にとって、三度目の訪問《ほうもん》である。彼《かれ》が最初《さいしょ》に舞鶴に来たのは、一九五八年（昭和三十三年《しょうわ》）の一月のことであった。当時《とうじ》、療養中《りょうようちゅう》であった戸《と》田城聖《だじょうせい》の名代《みょうだい》として、舞鶴の地を踏《ふ》んだ彼は、指導会をはじめ、同志《どうし》の激励《げきれい》に全力《ぜんりょく》で臨《のぞ》んだ。

二度目の訪問は、その年の六月であった。戸田の逝去《せいきょ》から、二カ月後のことである。京都まで来た伸一は、時間をやりくりして、急遽《きゅうきょ》、舞鶴まで足《あし》を運《はこ》んだ。師《し》の逝去の悲《かな》しみに沈《しず》む同志に、希望《きぼう》と勇気《ゆうき》を与《あた》えたかったのである。

この時は、わずか四時間ほどの舞鶴の滞在《たいざい》であったが、彼は、拠点《きょてん》となっている地区《ちく》部長《ぶちょう》の家《いえ》で質問会《しつもんかい》を行い、メンバーの指導、激励にあたった。

舞鶴《まいづる》は、戦時中《せんじちゅう》は軍港《ぐんこう》として栄《さか》え、大陸《たいりく》への出兵《しゅっぺい》の港《みなと》ともなった。そして、戦後《せんご》は、大陸からの引揚港《ひきあげこう》に指定《してい》され、約《やく》六十六万の人が、この港に帰《かえ》って来たのである。

三年ぶりに舞鶴の地を訪問《ほうもん》した伸一《しんいち》を、雲《くも》一つない五月晴《さつきば》れの空《そら》と、同志《どうし》の笑顔《えがお》が迎《むか》えてくれた。

彼《かれ》は、まず午後《ごご》一時から行《おこな》われた、実度寺《じつどじ》の落慶入仏式《らっけいにゅうぶつしき》に参列《さんれつ》した。

あいさつに立った彼は、戦時中、舞鶴が軍港であったことから、軍部《ぐんぶ》政府《せいふ》と戦《たたか》ってきた創《そう》価学会《かがっかい》の歴史《れきし》に触《ふ》れ、学会こそ、真実《しんじつ》の平和《へいわ》を創造《そうぞう》しゆく宗教《しゅうきょう》であると訴《うった》えた。

そして、かつては、この舞鶴から、兵士《へいし》たちが戦争《せんそう》に出かけていったが、これからは仏法《ぶっぽう》を持《たも》った皆《みな》さんが、〝仏《ほとけ》の使《つか》い〟〝平和の使者《ししゃ》〟として、世界《せかい》に羽《は》ばたいていただきたいと呼《よ》びかけ、話《はなし》を結《むす》んだ。

実度寺の落慶入仏式が終《お》わると、伸一は、ワイシャツ姿《すがた》で庭《にわ》に出た。そして、役員《やくいん》の青年《せいねん》たちを見ると、手招《てまね》きした。

伸一の周《まわ》りを、二、三十人の青年が囲《かこ》んだ。彼は、これまで以上《いじょう》に青年と会って、語《かた》り合おうと決意《けつい》していた。

伸一は、青年たちに尋《たず》ねた。

「みんな、勉強《べんきょう》はしているかい」

頷《うなず》く人もあれば、頬《ほお》を赤《あか》らめて、視線《しせん》を落《お》とす人もいた。

「ともかく勉強だよ。どんなに忙《いそが》しくても、月に一冊《さつ》や二冊の本《ほん》は読《よ》まなくてはならない。社会《しゃかい》でも偉《えら》くなった人は、仮《かり》に、学校《がっこう》は出ていなくても、皆《みな》、懸命《けんめい》に勉強している。今、苦《く》労《ろう》して真剣《しんけん》に学《まな》び、力《ちから》をつけることです。

特《とく》に教学《きょうがく》が大事《だいじ》だよ。教学は、人生《じんせい》、生き方《かた》の軌《き》道《どう》をつくる。教学の研鑽《けんさん》がなくなると、なんのための信心《しんじん》か、わからなくなり、感情《かんじょう》や利《り》害《がい》に左《さ》右《ゆう》され、策略《さくりゃく》で動《うご》くようになってしまうものです。

ところで、何か質問《しつもん》はないかい」

すると、一人《ひとり》の男子《だんし》部員《ぶいん》が尋《たず》ねた。彼《かれ》の顔《かお》には、疲労《ひろう》の色《いろ》が滲《にじ》み出ていた。

「先生《せんせい》、私は現在《げんざい》、仕事《しごと》が多《た》忙《ぼう》なために、学会活動《がっかいかつどう》に思《おも》うように参加《さんか》できません。仕事と学会活動は、どのように両立《りょうりつ》させていけばよいのでしょうか」

それは、かつて、伸一《しんいち》自身《しん》が悩《なや》み抜いてきた問題《もんだい》でもあった。

彼は、即座《そくざ》に答《こた》えた。

「結論《けつろん》を先に言えば、いかなる状態《じょうたい》にあっても、必《かなら》ず、すべてをやりきると決め、一歩《いっぽ》も退《しりぞ》かない決意《けつい》をもつことです。人間《にんげん》は厳《きび》しい状況下《じょうきょうか》に置《お》かれると、ともすれば、具体的《ぐたいてき》にどうするかという前に、もう駄目《だめ》だと思《おも》い込《こ》み、諦《あきら》めてしまう。つまり、戦《たたか》わずして、心《こころ》で敗北《はいぼく》を宣言《せんげん》しているものなんです。実《じつ》は、そこにこそ、すべての敗因《はいいん》がある。

自分《じぶん》は仕事《しごと》も学会活動《がっかいかつどう》もやりきるのだと決め、時間を見つけて、ともかく真剣《しんけん》に祈《いの》ることです。そして、生命力《せいめいりょく》と知恵《ちえ》をわかせ、工夫《くふう》していくことです。その工夫の仕方《しかた》は、仕事の内容《ないよう》や状況、立場《たちば》などによって異《こと》なってきます。

たとえば、幹部《かんぶ》で、出張《しゅっちょう》が多くて、メンバーを回ることができないような場合《ばあい》には、出張先から頻繁《ひんぱん》に手紙《てがみ》で激励《げきれい》するという方法《ほうほう》もある。さらに、平日《へいじつ》は、深夜《しんや》まで残業《ざんぎょう》があるが、日曜日《にちようび》は休《やす》みであるような場合には、その日曜日に、一週間分《しゅうかんぶん》の活動をするんです。具体的な工夫は、百人の人がいれば、百通《とお》りの方法があるが、原理《げんり》は同じです」

質問《しつもん》した青年《せいねん》の目は、次第《しだい》に輝《かがや》きを増《ま》していった。

彼《かれ》は、さらに話《はなし》を続《つづ》けた。

「また、自分が組織《そしき》の中心者《ちゅうしんしゃ》である場合には、自分がいない時に、代《か》わりに活動の指揮《しき》をとってもらえる後輩《こうはい》を育成《いくせい》することも大切《たいせつ》になる。

そして、組織として皆《みな》で決め、掲《かか》げた目標《もくひょう》は、何があっても達成《たっせい》し、結果《けっか》を出していくという決意《けつい》が大事《だいじ》です。自分《じぶん》が十分《じゅうぶん》に動《うご》けないからといって、組織《そしき》を停滞《ていたい》させるようなことがあってはなりません。

不思議《ふしぎ》なもので、青年《せいねん》にしても、あるいは壮年《そうねん》にしても、見事《みごと》な戦《たたか》いをしている組織のリーダーというのは、むしろ、仕事《しごと》が多忙《たぼう》な人が多い。そのなかで、必死《ひっし》になって活動《かつどう》している姿《すがた》が、みんなの心《こころ》を打ち、周囲《しゅうい》も本気《ほんき》になって頑張《がんば》ってくれるんです」

伸一《しんいち》は、この問題《もんだい》は、重要《じゅうよう》なテーマであるだけに、さまざまな角度《かくど》から語《かた》っておこうと思《おも》った。

「また、仕事と活動の両立《りょうりつ》といっても、時という問題も考《かんが》えねばならない。学生《がくせい》ならば、試験《しけん》の前には、一生懸命《いっしょうけんめい》に勉強《べんきょう》するのが当然《とうぜん》ですし、仕事にも勝負時《しょうぶどき》というのがある。その場合《ばあい》には、しばらくは、仕事に大半《たいはん》の時間を割《さ》くのは当然です。

したがって、両立といっても、ケース・バイ・ケースで考えなければならない。また、短《みじか》い単位《たんい》でとらえるのではなく、長《なが》い目で見ていく必要《ひつよう》もあります。

しかし、いかなる場合でも、青年時代《じだい》に、仕事も、学会活動《がっかい》もやりきったといえる戦いをすべきです。それが人生《じんせい》の基盤《きばん》になるからです。戸田先生《とだせんせい》も、よく『信心《しんじん》は一人前《いちにんまえ》、仕事は人の三人前働《はたら》きなさい』と言われていた。

こう言うと、一日《いちにち》は二十四時間しかないし、体《からだ》も一つしかないのに、仕事《しごと》も頑張《がんば》れ、学会《がっかい》活動《かつどう》も頑張れというのは、矛盾《むじゅん》しているのではないかと、思《おも》う人もいるでしょう」

伸一《しんいち》が言うと、頷《うなず》く青年《せいねん》もいた。

彼《かれ》は、笑《え》みを浮《う》かべながら、話《はなし》を続《つづ》けた。

「もし、それを矛盾というなら、すべてが矛盾になってしまう。現実《げんじつ》の生活《せいかつ》のなかで要請《ようせい》されていることも、考《かんが》えてみれば、相反《あいはん》していることばかりです。仕事で何かを生産《せいさん》する場合《ばあい》も、よい製品《せいひん》を作《つく》れと言われる。それには、より多くの時間がかかるのに、早《はや》く作ることが求《もと》められる。

諺《ことわざ》などもそうです。『武士《ぶし》は食《く》わねど高楊枝《たかようじ》』とあれば、『腹《はら》が減《へ》っては軍《いくさ》は出来《でき》ぬ』というのもある。『人を見たら泥棒《どろぼう》と思え』というかと思えば、『渡《わた》る世間《せけん》に鬼《おに》は無《な》い』という。

御書《ごしょ》にも、一見《いっけん》、相反するかのように思える御指導《ごしどう》もあります。たとえば、ある御手紙《おてがみ》のなかでは、たった一遍《ぺん》の題目《だいもく》でも成仏《じょうぶつ》できると仰《おお》せになっています。しかし、別《べつ》の個所《かしょ》では、どんなに題目を唱《とな》えても、謗法《ほうぼう》があれば、全《まった》く功徳《くどく》はないという意味《いみ》の指導をされている。また、ある御手紙では、百二十まで生きても、名《な》を汚《けが》して死《し》ぬよりは、一日でも名をあげることが大事《だいじ》であると述《の》べられている。ところが、ほかのところでは、若死《わかじ》にしてしまえば、なんにもならないとの仰《おお》せもあります。

何事《なにごと》にも両面《りょうめん》があり、一方《いっぽう》に偏《かたよ》らないからこそ、人間的《にんげんてき》なんです。つまり、人間が生きるということは、相反《あいはん》する課題《かだい》を抱《かか》え、その緊張感《きんちょうかん》のなかで、バランスを取りながら、自分《じぶん》を磨《みが》き、前へ、前へと、進《すす》んでいくということなんです。

だから、仕事《しごと》なら仕事だけ一本《いっぽん》に絞《しぼ》れば、すっきりすると思《おも》うかもしれませんが、何かを投《な》げ出そうとするのは誤《あやま》りです。仕事、勉強《べんきょう》、そして、学会活動《がっかいかつどう》と、大変《たいへん》であることは、よくわかっています。しかし、苦労《くろう》して、それをやり遂《と》げていくところに、本当《ほんとう》の修行《しゅぎょう》があり、鍛《きた》えがある。また、その苦労が、諸君《しょくん》の生涯《しょうがい》の財産《ざいさん》になるんです。

苦《くる》しいな、辛《つら》いなと思ったら、寸暇《すんか》を見つけて祈《いの》ることです。祈れば、挑戦《ちょうせん》の力《ちから》がわいてくるし、必《かなら》ず事態《じたい》を開くことができます。そして、やがては、自由自在《じゆうじざい》に、広宣流布《こうせんるふ》のため、活動に励《はげ》める境涯《きょうがい》になっていきます。

皆《みな》、苦労をすることは損《そん》だと思っているが、長《なが》い目で見れば得《とく》です。それが、全部《ぜんぶ》、人生《じんせい》の財産になる。だから、うんと苦労し、苦労を楽《たの》しもうよ」

青年《せいねん》たちの顔《かお》に、さわやかな微笑《びしょう》が浮《う》かんだ。

青年に知識《ちしき》や技術《ぎじゅつ》を教《おし》える学校《がっこう》はある。しかし、人生や生き方《かた》を教え、生命《せいめい》を錬磨《れんま》する教《きょう》育機関《いくきかん》はない。だが、そこにこそ、人間教育《にんげんきょういく》の基本《きほん》がある。

伸一《しんいち》は、人間をつくることを忘《わす》れた、日本の高学歴化《こうがくれきか》のもたらす偏頗《へんぱ》さを心配《しんぱい》していた。彼《かれ》は、学会《がっかい》という校舎《こうしゃ》なき〝民衆大学《みんしゅうだいがく》〟で、人間の教育を、人格《じんかく》の教育を行《おこな》おうとしていた。そのようにして、磨《みが》き、鍛《きた》えられた青年《せいねん》たちが、各地《かくち》で、各界《かっかい》で、社会《しゃかい》を支《ささ》えていくなかに、一国《いっこく》の、また、世界《せかい》の、本当《ほんとう》の繁栄《はんえい》がもたらされるからである。

青年との語《かた》らいのあと、山本《やまもと》伸一は、舞鶴支部《まいづるしぶ》の結成大会《けっせいたいかい》に出席《しゅっせき》し、さらに、地区幹部《ちくかんぶ》の指導会《しどうかい》に臨《のぞ》んだ。

翌日《よくじつ》、彼は、支部長の多川兵造《たがわひょうぞう》と一緒《いっしょ》に、車《くるま》で市内《しない》を一巡《いちじゅん》した。多川は、運送業《うんそうぎょう》を営《いとな》む壮年《そうねん》で、妻《つま》の恵子《けいこ》が支部の婦人部長《ふじんぶちょう》であった。

伸一は、多川の案内《あんない》に耳《みみ》を傾《かたむ》けながら、車窓《しゃそう》の景色《けしき》を眺《なが》めた。新緑《しんりょく》の山々《やまやま》に囲《かこ》まれるように、穏《おだ》やかな青《あお》い海《うみ》が広《ひろ》がっている。

伸一は、舞鶴湾《わん》がよく見える場所《ばしょ》で、車を降《お》りると、多川に言った。

「舞鶴は、天然《てんねん》の良港《りょうこう》だ。すばらしい港《みなと》です。この舞鶴を、日本一の広宣流布《こうせんるふ》の港にしていきましょう。

多川さん、京都《きょうと》に支部があるのに、なぜ、舞鶴にも支部をつくったかわかりますか」

多川《たがわ》は黙《だま》っていた。

「それは、互《たが》いによきライバルとなって競《きそ》い合い、触発《しょくはつ》し合うところから、発展《はってん》が生まれるからです。

舞鶴《まいづる》が立ち上がれば、それが刺激《しげき》となって京都《きょうと》も頑張《がんば》る。すると、兵庫《ひょうご》も、大阪《おおさか》も力《ちから》を発揮《はっき》する。そして、関西《かんさい》が力を出せば東京《とうきょう》も立ち上がり、それは全国《ぜんこく》に波及《はきゅう》することになる。だから、舞鶴が大事《だいじ》なんです。ここから、全創価学会《ぜんそうかがっかい》を動《うご》かしていくんです」

伸一《しんいち》の話《はなし》を聞いて、多川は、自分《じぶん》の世界《せかい》が開かれていく思《おも》いにかられた。

〝そうか、私の活動《かつどう》の舞台《ぶたい》は、山《やま》と海《うみ》に囲《かこ》まれた一港町《いちみなとまち》ではあるが、それは全国に繋《つな》がる、先駆《さきが》けの港だったのか〟

多川は、胸中《きょうちゅう》に、闘志《とうし》が燃《も》え上がるのを覚《おぼ》えた。

山本伸一《やまもとしんいち》は、舞鶴から、奈良《なら》の指導《しどう》に向かい、この日は奈良で一泊《いっぱく》すると、翌《よく》十一日には、神戸《こうべ》の王子《おうじ》体育館《たいいくかん》で行《おこな》われた、神戸、兵庫の二支部《しぶ》合同《ごうどう》の結成大会《けっせいたいかい》に出席《しゅっせき》した。

この神戸で、彼《かれ》は、記録映画《きろくえいが》の製作《せいさく》を発表《はっぴょう》しようとしていた。

学会の広布《こうふ》の歩《あゆ》みは、その一こま一こまが、永遠不滅《えいえんふめつ》の黄金《おうごん》の輝《かがや》きを放《はな》っている。しかし、どんなに大きな会合《かいごう》でも、そこに参加《さんか》できるのは、二百万世帯《せたい》になんなんとする会員《かいいん》からすれば、ほんの一握《ひとにぎ》りの人たちでしかない。また、広宣流布《こうせんるふ》の波《なみ》は、世界《せかい》に広《ひろ》がっているが、ほとんどの会員は、その様子《ようす》を、直接《ちょくせつ》、目にすることはできない。

伸一《しんいち》は、全同志《ぜんどうし》が、その学会《がっかい》の躍動《やくどう》を実感《じっかん》し、共有《きょうゆう》するためには、どうすればよいのかを、既《すで》に、青年部《せいねんぶ》の室長《しっちょう》のころから考《かんが》えてきた。そして、学会の大きな行事《ぎょうじ》や活動《かつどう》の様子を映画《えいが》に記録《きろく》し、皆《みな》が観賞《かんしょう》できるようにしようと、着々《ちゃくちゃく》と計画《けいかく》を進《すす》めてきたのである。

学会の主要《しゅよう》行事は、一九五六年（昭和《しょうわ》三十一年）九月の青年部体育大会《たいいくたいかい》以来《らい》、伸一の提案《ていあん》で、十六ミリや八ミリの映画フィルムに収《おさ》められていた。これによって、戸田城聖《とだじょうせい》の原水爆禁止《げんすいばくきんし》宣言《せんげん》や大講堂落慶《だいこうどうらっけい》の記念式典《きねんしきてん》、さらに、インドのブッダガヤでの「東洋広布《とうようこうふ》」の石碑《せきひ》などの埋納《まいのう》も、映画として記録することができたのである。

映画の力《ちから》は実《じつ》に大きい。「百聞《ひゃくぶん》は一見《いっけん》に如《し》かず」との諺《ことわざ》があるが、居《い》ながらにして、万人《ばんにん》に一見の機会《きかい》を与《あた》えることができる。そして、優《すぐ》れた映画は、事実《じじつ》を映《うつ》し出すだけでなく、その底《そこ》に潜《ひそ》む真実《しんじつ》を、また、思想《しそう》、哲学《てつがく》を表現《ひょうげん》する。

この映画の力を最《もっと》も輝《かがや》かせた一人《ひとり》に、あの喜劇王《きげきおう》チャップリン＊がいる。なかでも、第二次《だいにじ》世界大戦中《せかいたいせんちゅう》の一九四〇年に公開《こうかい》された「チャップリンの独裁者《どくさいしゃ》」は、ヨーロッパを席巻《せっけん》していた独裁者《どくさいしゃ》ヒトラー*を痛烈《つうれつ》に批判《ひはん》し、笑《わら》い倒《たお》し、その本質《ほんしつ》を鋭《するど》くえぐり出していった。

当時《とうじ》、チャップリンがいたアメリカは、まだ参戦《さんせん》前で、公然《こうぜん》たるヒトラー批判は憚《はばか》られる雰囲気《ふんいき》があり、そうした行為《こうい》には非難《ひなん》も多かった。しかし、彼《かれ》は、たった一人《ひとり》で戦《たたか》いを挑《いど》み、独裁者ヒトラーの虚勢《きょせい》とウソを、一本《いっぽん》の映画《えいが》に、見事《みごと》に描《えが》き出して見せたのである。

二十世紀《せいき》は、一面《いちめん》、「映像《えいぞう》の時代《じだい》」といってよい。伸一《しんいち》は、その大きな可能性《かのうせい》に着目《ちゃくもく》し、広宣流布《こうせんるふ》という学会《がっかい》の大民衆運動《だいみんしゅううんどう》の真実《しんじつ》の姿《すがた》を、映像にとどめるために、この春《はる》、理事会《りじかい》で記録《きろく》映画の製作《せいさく》を、提言《ていげん》していた。以来《いらい》、検討《けんとう》が重《かさ》ねられ、それが、具体化《ぐたいか》しつつあったのである。

伸一が、その話《はなし》を神戸《こうべ》の地でしようと思《おも》ったのは、古《ふる》くから、海外《かいがい》との貿易《ぼうえき》の基地《きち》となってきた神戸は、新《あたら》しき文化《ぶんか》の都《みやこ》であると考《かんが》えていたからである。また、東京《とうきょう》、大阪《おおさか》、京都《きょうと》、名古屋《なごや》、神戸、横浜《よこはま》の日本の六大都市《だいとし》のなかで、これまで、支部《しぶ》がなかったのは神戸だけであった。そこに、いよいよ支部が誕生《たんじょう》したことから、伸一は、希望《きぼう》につながる発表《はっぴょう》をもって、その新《あら》たな出発《しゅっぱつ》を祝《いわ》いたかったからでもあった。

神戸、兵庫《ひょうご》の二支部合同《ごうどう》の結成大会《けっせいたいかい》の会場《かいじょう》は、熱気《ねっき》に満《み》ちていたが、外《そと》は激《はげ》しい雨《あめ》であった。伸一は、壇上《だんじょう》に立つと、その雨雲《あまぐも》を払《はら》うように、まず、神戸に会館《かいかん》を建設《けんせつ》することを発表し、希望《きぼう》の光《ひかり》を注《そそ》いだ。

皆《みな》の拍手《はくしゅ》が静《しず》まるのを待《ま》って、彼《かれ》は言葉《ことば》をついだ。

「さて、皆さんは、北海道《ほっかいどう》の本部《ほんぶ》はどのような建物《たてもの》なのだろうか、また、北海道の同志《どうし》は、どんな環境《かんきょう》のなかで活動《かつどう》をしているのかと、考《かんが》えることがあると思《おも》います。あるいは、沖縄《おきなわ》の同志はどんな人たちなのか、東北《とうほく》や中部《ちゅうぶ》の活動はどんな様子《ようす》なのか、さらには、アメリカ、ブラジル、東南《とうなん》アジアなどの状況《じょうきょう》を知りたい方《かた》も、数多《かずおお》くいらっしゃると思います。

そこで、学会《がっかい》に撮影班《さつえいはん》ともいうべきグループをつくって、そうした各地《かくち》の模様《もよう》を十六ミリフィルムなどに収《おさ》め、ニュースとして皆さんにお見せしたいと考えておりますが、この点《てん》はいかがでしょうか」

再《ふたた》び大歓声《だいかんせい》と拍手が、場内《じょうない》を包《つつ》んだ。

「兵庫《ひょうご》の皆さんが賛成《さんせい》してくださいましたので、私は、自信《じしん》をもって、これを進《すす》めてまいります。どうか、この記録映画《きろくえいが》の完成《かんせい》を楽《たの》しみにしていてください」

このあと、伸一《しんいち》は、信心《しんじん》の世界《せかい》にあっては、不純《ふじゅん》な利害《りがい》ではなく、どこまでも純粋《じゅんすい》な心《こころ》で広宣流布《こうせんるふ》の活動に取り組《く》んでいくことが大切《たいせつ》であると強調《きょうちょう》。一人《ひとり》ひとりが幸福《こうふく》な人生《じんせい》を築《きず》き上げてほしいと望《のぞ》み、指導《しどう》とした。

山本伸一《やまもとしんいち》は、十二日に、神戸《こうべ》から東京《とうきょう》に戻《もど》ると、翌《よく》十三日には沖縄《おきなわ》に向かった。十四日には、沖縄総支部《そうしぶ》の結成大会《けっせいたいかい》が行《おこな》われることになっていたのである。

前年《ぜんねん》の七月の訪問以来《ほうもんいらい》、まだ十カ月しかたっていなかったが、沖縄の盤石《ばんじゃく》な未来《みらい》を構築《こうちく》するために、彼《かれ》はしばらくは、毎年《まいとし》、沖縄に行こうと思《おも》っていた。

伸一は、那覇《なは》の空港《くうこう》に到着《とうちゃく》すると、迎《むか》えてくれた同志《どうし》に言った。

「いよいよ沖縄にも春《はる》が来たよ」

沖縄の、この十カ月の飛躍的《ひやくてき》な発展《はってん》は、メンバーの顔《かお》を一変《いっぺん》させていた。どの顔にも、自信《じしん》と喜《よろこ》びがあふれ、屈託《くったく》のない笑《え》みの花《はな》が光《ひか》っていた。

人が変われば、社会《しゃかい》も変わる。人が輝《かがや》けば、国土世間《こくどせけん》も輝く。依正《えしょう》は不二《ふに》であると、仏法《ぶっぽう》は教《おし》える。

伸一は、今、沖縄の栄光《えいこう》の未来を、確信《かくしん》することができた。

彼の、この沖縄の滞在《たいざい》は、わずか一泊《いっぱく》二日であったが、地区《ちく》幹部《かんぶ》との懇談会《こんだんかい》など、分刻《ふんきざ》みで同志の激励《げきれい》にあたった。

また、総支部結成大会では、沖縄に会館《かいかん》を建設《けんせつ》することを発表《はっぴょう》し、その落成式《らくせいしき》には、三たび沖縄《おきなわ》にやって来ることを約束《やくそく》したのである。

それは、まさに、新《あたら》しき希望《きぼう》が芽吹《めぶ》く、沖縄の広布《こうふ》の春《はる》の到来《とうらい》でもあった。

沖縄総支部《そうしぶ》の結成大会《けっせいたいかい》のあと、総支部長の高見福安《たかみふくやす》が伸一《しんいち》に言った。

「先生《せんせい》、いよいよ明日《あした》から、東南《とうなん》アジアの指導《しどう》に行《い》ってまいります」

この東南アジア指導は、伸一が一月から二月にかけてアジアを訪問《ほうもん》した折《おり》に、彼《かれ》が構想《こうそう》したもので、その後《ご》、理事会《りじかい》で検討《けんとう》し、決定《けってい》を見た計画《けいかく》であった。会長《かいちょう》の海外《かいがい》訪問を除《のぞ》いては、本部《ほんぶ》からの海外への幹部《かんぶ》派遣《はけん》の第一陣《だいいちじん》となる。

伸一は、その派遣メンバーのなかに、高見たち沖縄の幹部を入れるように提案《ていあん》していたのである。

「そうだったね。ご苦労様《くろうさま》。

沖縄はアジアの玄関《げんかん》だ。これからも、沖縄の人びとがどんどん東南アジアに出て行って、メンバーを激励《げきれい》していく流《なが》れをつくりたいと思《おも》っています。沖縄は、あの戦争《せんそう》で、最《もっと》も辛酸《しんさん》をなめた地域《ちいき》です。東南アジアの国々もそうです。それだけに、その沖縄に平和《へいわ》の楽土《らくど》を築《きず》きながら、皆《みな》が激励に行ってくれれば、一番《いちばん》、説得力《せっとくりょく》があります。

ところで、最初《さいしょ》に行くのは、台湾《たいわん》だったね」

「はい、そうです。私は十五日に台北《たいほく》（タイペイ）に入《はい》り、翌日《よくじつ》の夕方《ゆうがた》に、森川理事《もりかわりじ》たちと合流《ごうりゆう》するようになっております」

「私も、台湾《たいわん》に行《い》って同志《どうし》を励《はげ》ましたい。しかし、今は、それができないので、私の代《か》わりに、一人《ひとり》ひとりに会って、しっかりと激励《げきれい》してきてください。そして、何があっても負《ま》けずに、生涯《しようがい》、信心《しんじん》を全《まっと》うできるように、深《ふか》い魂《たましい》の楔《くさび》を打ってきてほしいんです。

やがて、学会《がっかい》は、日本からたくさんの同志が世界各国《せかいかっこく》に行き、また、世界中《じゆう》の同志が日本にやって来るという〝広布《こうふ》の大航海時代《だいこうかいじだい》〟を迎《むか》えます。その先駆《さきが》けとなるのが、今回《こんかい》の皆《みな》さんの東南《とうなん》アジア訪問《ほうもん》です。ですから、理事の森川さんを中心《ちゆうしん》に団結《だんけつ》して、無事故《むじこ》で、新《あたら》しい広宣流布《こうせんるふ》の流《なが》れを開いてきてください。私も題目《だいもく》を送《おく》っています」

高見《たかみ》は、伸一《しんいち》の話《はなし》に、自分《じぶん》たちの東南アジア指導《しどう》の、深い意義《いぎ》を感《かん》じ、発奮《はっぷん》した。

彼《かれ》は、翌《よく》十五日に沖縄《おきなわ》を発《た》ち、台北で森川らと合流した。そして、一行《いっこう》は、高雄《たかお》（カオション）などを回り、約《やく》百三十世帯《せたい》の同志を激励。台北に三地区、高雄に二地区《ちく》を結成《けっせい》した。

また、その間《かん》に、大客殿《だいきやくでん》の資材《しざい》となる、台湾の檜《ひのき》の購入《こうにゆう》のための調査《ちようさ》も行《おこな》っている。これは、戸田城聖《とだじようせい》の「大客殿には、台湾の檜も使《つか》いなさい」との、遺言《ゆいごん》によるものであった。

森川一正《かずまさ》や高見福安《ふくやす》ら、東南アジア派遣《はけん》メンバーの一行は、台湾のあと、フィリピンのマニラ、タイのバンコク、香港《ホンコン》を訪問《ほうもん》し、五月二十五日に帰国《きこく》することになる。

その間《かん》に彼《かれ》らは、フィリピンにマニラ地区《ちく》を、タイにバンコク地区を結成《けっせい》。また、訪問はできなかったが、インドネシア、ベトナム、ビルマ（現在《げんざい》のミャンマー）のメンバーを招《まね》いて打ち合わせを行《おこな》い、それぞれの国に地区を結成した。

山本伸一《やまもとしんいち》が切り開いた東洋広布《とうようこうふ》の道《みち》は、大きな広《ひろ》がりを見せ、民衆《みんしゅう》の幸福《こうふく》と平和《へいわ》への布陣《ふじん》が整《ととの》えられていったのである。


一方《いっぽう》、沖縄《おきなわ》から帰《かえ》った伸一は、理事《りじ》たちと、当面《とうめん》する今後《こんご》の活動《かつどう》の検討《けんとう》を重《かさ》ね、新《あら》たな前進《ぜんしん》のための布石《ふせき》に力《ちから》を注《そそ》いだ。

最初《さいしょ》のテーマは大客殿《だいきゃくでん》の供養《くよう》の推進《すいしん》であった。

清原《きよはら》かつが、協議《きょうぎ》してきた計画《けいかく》の細目《さいもく》を報告《ほうこく》した。それによると、供養の受け付《つ》け期間《きかん》は七月の二十一日から四日間で、全国《ぜんこく》の各《かく》地区ごとに実施《じっし》されることになっていた。

それを聞くと、伸一は尋《たず》ねた。

「その受け付けの責任者《せきにんしゃ》は誰《だれ》ですか」

「はい。それは地区部長《ぶちょう》ということになります」

伸一《しんいち》の目が光《ひか》った。

「理事《りじ》のあなたたちは、責任《せきにん》はもたないのですか。全部《ぜんぶ》、地区部長《ちくぶちょう》や地区担《たん》に任《まか》せればよいと考えているなんて、とんでもないことです！地区部長、地区担は、同志《どうし》に御供養《ごくよう》の意義《いぎ》を伝《つた》え、激励《げきれい》して歩《ある》くのに、精《せい》いっぱいです。御供養の受け付《つ》けの責任は、当然《とうぜん》、理事をはじめとして、支部《しぶ》の幹部《かんぶ》以上《いじょう》がもつべきです。そして、御供養を持参《じさん》してくださる方々《かたがた》を丁重《ていちょう》にお迎《むか》えし、私に代《か》わって、御礼申《おんれいもう》し上げ、最大《さいだい》に励《はげ》ましていかなくてはならない。

同志の皆《みな》さんは、日々《ひび》、生活《せいかつ》に追《お》われ、忙《いそが》しいなかで、学会活動《がっかいかつどう》に時間を割《さ》いて、広宣流《こうせんる》布《ふ》に尽力《じんりょく》してくださっている。しかも、そのなかで、汗水流《あせみずなが》して働《はたら》いて得《え》たお金《かね》を供養するために、足《あし》を運《はこ》んでくださる。尊《とうと》いことではないですか。

その同志の姿《すがた》は、それ自体《じたい》、菩薩《ぼさつ》であり、仏《ほとけ》の振《ふ》る舞《ま》いです。その方々に仕《つか》えて、奉仕《ほうし》していくのが幹部であり、そこに、功徳《くどく》もあるし、福運《ふくうん》もつくんです。

幹部というのは、いつも、〝どうすれば、みんなが元気《げんき》になるのか〟〝どうすれば、みんなに喜《よろこ》んでもらえるのか〟を、考え続《つづ》けていなくてはならない。その発想《はっそう》からは、今のような他人《たにん》任せの計画《けいかく》は、生まれるわけがない」

山本会長《やまもとかいちょう》の最高幹部《さいこうかんぶ》への指導《しどう》は、常《つね》に厳《きび》しかった。

最高幹部の双肩《そうけん》には、学会《がっかい》のいっさいがかかっているからである。

続《つづ》いて、議題《ぎだい》は、五月三日の総会《そうかい》で新設《しんせつ》された文化局《ぶんかきょく》の活動《かつどう》に移《うつ》った。

伸一《しんいち》は、この総会で言論部長《げんろんぶちょう》になった、青年《せいねん》部長で理事《りじ》の秋月英介《あきづきえいすけ》を見ると尋《たず》ねた。

「言論部の活動大綱《たいこう》などは、どうなっていますか」

秋月は、申《もう》し訳《わけ》なさそうに答《こた》えた。

「はい。ただ今、検討《けんとう》しておりますが……」

伸一は、鋭《するど》い口調《くちょう》で秋月に言った。

「遅《おそ》い。言論部を設《もう》けた意味《いみ》は明《あき》らかなのだから、どんどん具体的《ぐたいてき》な計画《けいかく》を練《ね》り、相談《そうだん》に来るべきです。

私から指示《しじ》がなければ、何も考《かんが》えないし、動《うご》こうとしないというのは、無責任《むせきにん》だ。青年が受け身であっては、社会《しゃかい》のなかでの戦《たたか》いは負《ま》けです。積極的《せっきょくてき》に何かしようとして叱《しか》られるのは恥《はじ》ではないが、青年が失敗《しっぱい》を恐《おそ》れて、何もしないで叱られるのは恥です」

「申し訳ありません。実《じつ》は、言論部の方向性《ほうこうせい》については、二つの考え方《かた》があり、どうすべきか、結論《けつろん》が出せずにおりました。

一つは、現在《げんざい》、社会《しゃかい》で既《すで》に活躍《かつやく》している、小説家《しょうせつか》やシナリオライターなどを部員《ぶいん》とし、信心《しんじん》の育成《いくせい》を行《おこな》うという方向《ほうこう》です。また、もう一つは、未来《みらい》のために、広《ひろ》く青年《せいねん》に対《たい》して、言論人《げんろんじん》としての教育《きょういく》を行うというものです。

今後《こんご》、言論部としては、どちらを基調《きちょう》にすべきか、先生《せんせい》のご意見《いけん》を、お伺《うかが》いできればと思《おも》います」

「両方《りょうほう》、必要《ひつよう》です。仏法《ぶっぽう》を根底《こんてい》にした、大文筆家《だいぶんぴつか》も育《そだ》てなくてはならないし、また、青年部員一人《ひとり》ひとりを、立派《りっぱ》な言論人に育成していくことも大事《だいじ》です。

これからのリーダーには書《か》く力《ちから》、語《かた》る力が大切《たいせつ》になる。青年部の最高幹部《さいこうかんぶ》になって、原稿《げんこう》一つ書けず、話《はなし》にも説得力《せっとくりょく》がないというのでは、社会をリードしていくことなどできません。その意味《いみ》でも、青年部の幹部は、言論活動《かつどう》を特別《とくべつ》な人だけに任《まか》せようとするのではなく、全員《ぜんいん》が言論の力を磨《みが》いていく必要がある。

したがって、たとえば、青年部の幹部で言論部第一部を構成《こうせい》し、文筆の専門家《せんもんか》で言論部第二部を構成して、二段構《だんがま》えで進《すす》んでいくようにしてはどうだろうか」

伸一《しんいち》の考《かんが》えは、至《いた》って柔軟《じゅうなん》であった。方向性をめぐる秋月《あきづき》の悩《なや》みは、一気《いっき》に解決《かいけつ》してしまった。

伸一《しんいち》は、続《つづ》いて教育部《きょういくぶ》について尋《たず》ねた。

教育部長《ぶちょう》は、婦人《ふじん》部長で理事《りじ》の清原《きよはら》かつである。清原は、教育部の準備状況《じゅんびじょうきょう》を伝《つた》えた。

「現在《げんざい》、各組織《かくそしき》から、教師《きょうし》を紹介《しょうかい》してもらい、名簿《めいぼ》を作《つく》っておりますが、間《ま》もなく終了《しゅうりょう》する予定《よてい》です。それをもとに、連絡《れんらく》を取り、牧口先生《まきぐちせんせい》のお誕生《たんじょう》の月である六月に、結成式《けっせいしき》を行《おこな》いたいと思《おも》っております」

「それはよい考《かんが》えだ。結成式は学会本部《がっかいほんぶ》でやることにしよう。

牧口先生は、民衆《みんしゅう》の救済《きゅうさい》のために、まず、教育改革《かいかく》を掲《かか》げて立ち上がられた。そして、その教育の根底《こんてい》となる哲学《てつがく》を、日蓮大聖人《にちれんだいしょうにん》の仏法《ぶっぽう》に求《もと》められた。本来《ほんらい》、仏法というのは、最高《さいこう》の人間《にんげん》教育なんです。私の最後《さいご》の事業《じぎょう》も、教育であると思っています。

日本は、確《たし》かに、豊《ゆた》かになりつつある。しかし、非行化《ひこうか》など、青少年問題《せいしょうねんもんだい》は、ますます深《しん》刻化《こくか》している。国にも、学校《がっこう》にも、教師にも、人間をどう教育するかという、明確《めいかく》な教育理《り》念《ねん》がないからです。もし、このままいけば、日本の将来《しょうらい》は、二十一世紀《せいき》は、どうなるのか、それが心配《しんぱい》なのです。

教育には、施設《しせつ》などの環境条件《かんきょうじょうけん》を整《ととの》えることも大事《だいじ》ですが、子供《こども》にとって最大《さいだい》の教育環境は、教師自身《じしん》です。教育部は、その教師を育《そだ》てていくんです」

清原《きよはら》は、山本会長《やまもとかいちょう》の教育部《きょういくぶ》への限《かぎ》りない期待《きたい》と、大きな使命《しめい》を感《かん》じた。

伸一《しんいち》は、理事長《りじちょう》の原山幸一《はらやまこういち》を見ながら言った。

「今日《きょう》は、私の方《ほう》から一つ提案《ていあん》があります。それは次代《じだい》の中核《ちゅうかく》を育成《いくせい》するために、青年部《せいねんぶ》の最高幹部《さいこうかんぶ》のなかから、さらに理事を誕生《たんじょう》させたいということです。

青年は、ただ、育《そだ》て、育てと言っていれば育つというものではない。活躍《かつやく》の場《ば》と責任《せきにん》を与《あた》えることが大事《だいじ》です。経験《けいけん》の豊富《ほうふ》な理事の皆《みな》さんから見れば、若手《わかて》は心配《しんぱい》であると思《おも》うことが少《すく》なくないでしょう。しかし、責任を与えなくては成長《せいちょう》はないし、できるかどうかは、実際《じっさい》にやらせてみなければわかりません。その方向《ほうこう》で、今後《こんご》、人事《じんじ》の検討《けんとう》をお願《ねが》いします」

それから、伸一は、秋月英介《あきづきえいすけ》に視線《しせん》を注《そそ》いだ。

「ところで、秋月君《くん》。実《じつ》は君《きみ》に、これまで検討してきた記録映画《きろくえいが》の、製作《せいさく》の責任者をやってもらおうと思う。これは新《あたら》しい分野《ぶんや》の仕事《しごと》だから、青年が挑戦《ちょうせん》していってほしい。いろいろ仕事を抱《かか》えて大変《たいへん》だろうが、未来《みらい》のためにも、青年がすべてを担《にな》い、道《みち》を開いてもらいたいのだ」

「はい！」

秋月の返事《へんじ》には、決意《けつい》がこもっていた。

五月十六日は、五月度の男子部幹部会《だんしぶかんぶかい》であった。

当初《とうしよ》、山本伸一《やまもとしんいち》は、この会合《かいごう》に臨《のぞ》む予定《よてい》はなかった。しかし、青年《せいねん》の育成《いくせい》のために、スケジュールを調整《ちようせい》して、会合の途中《とちゆう》から、出席《しゆつせき》することにし、会場《かいじよう》の台東体育館《たいとうたいいくかん》に向かった。

伸一の男子部幹部会への出席は一年ぶりであった。

彼《かれ》の乗《の》った車《くるま》が浅草駅《あさくさえき》に差《さ》しかかると、何人《なんにん》かの青年たちが、会場をめざして走《はし》っていた。既《すで》に、幹部会は開会《かいかい》になっている時刻《じこく》である。仕事《しごと》を片付《かたづ》け、急《いそ》いでやって来たのであろう。

皆《みな》、額《ひたい》に汗《あせ》を滲《にじ》ませ、肩《かた》で息《いき》をしながら、走っていた。だが、いくら急いだところで、幹部会はもう始《はじ》まっているし、たとえ、駆《か》けても、時間にすれば、ほんの五分《ふん》か十分《ぷん》ほど、早《はや》く着《つ》くにすぎない。それでも、懸命《けんめい》に走る青年の姿《すがた》に、伸一は、熱《あつ》い求道《きゆうどう》の息吹《いぶき》を感《かん》じた。

社会性《しやかいせい》という面《めん》から見れば、事故《じこ》など起《お》こさないためにも、走って会場に向かったりするべきではない。しかし、大切《たいせつ》なのは、その心《こころ》である。たとえ、会合は始まっていても、一分でも、一秒《びよう》でも早く、会場に到着《とうちやく》し、少《すこ》しでも多くのものを吸収《きゆうしゆう》しようという一念《いちねん》が、人を成長《せいちよう》させるのである。こうした姿勢《しせい》を忘《わす》れてはならない。

伸一《しんいち》は、現代《げんだい》という合理《ごうり》主義《しゅぎ》の時代《じだい》にあって、学会《がっかい》の精神《せいしん》というものを、どのようにして、一人《ひとり》ひとりに教《おし》えていけばよいか、思《おも》いをめぐらしていた。

幹部会《かんぶかい》は、山本会長《やまもとかいちょう》の出席《しゅっせき》で、爆発的《ばくはつてき》な盛《も》り上がりを見せた。青年部《せいねんぶ》の幹部たちは、会長の幹部会出席という事実《じじつ》から、五月三日の本部総会《ほんぶそうかい》のあとに伸一が言った、〝今年《ことし》は「青年の年」だ〟との言葉《ことば》の意味《いみ》を強《つよ》く実感《じっかん》していった。

この日、伸一は、講演《こうえん》のなかで、次《つぎ》のように、自《みずか》らの心情《しんじょう》を語《かた》った。

「私は力《ちから》もない、未完成《みかんせい》な人間《にんげん》であります。諸君《しょくん》から見れば、欠点《けってん》もたくさん目につくと思います。しかし、諸君を信頼《しんらい》し、その前途《ぜんと》に期《き》待《たい》を寄《よ》せ、日本の国を救《すく》い、広宣流布《こうせんるふ》をめざして戦《たたか》う心《こころ》は、誰《だれ》にも負《ま》けないと確信《かくしん》しております。

また、今年も、私自身《じしん》、四十余《よ》万の学会青年の一人として、青年部の真《ま》っただ中《なか》に入《はい》って戦い、前進《ぜんしん》していく決意《けつい》ですので、よろしくお願《ねが》いいたします」

伸一は、会長という役職《やくしょく》の高みから、青年にものを教えようとはしなかった。同じ一人の人間として、自らの魂《たましい》と行動《こうどう》とをもって、彼《かれ》らを触発《しょくはつ》しようとしていたのである。人間を育《はぐく》む最大《さいだい》の力は、触発力《りょく》にほかならない。

山本伸一は、翌《よく》十七日には、福島県《ふくしまけん》の郡山《こおりやま》に向かい、東北《とうほく》の三総支部《そうしぶ》の結成大会《けっせいたいかい》に出席した。

その帰途《きと》、彼《かれ》は、同行《どうこう》した青年部《せいねんぶ》の幹部《かんぶ》に語《かた》った。

「言論部《げんろんぶ》の件《けん》だが、ともかく青年部を中心《ちゅうしん》に、動《うご》き出すことが大事《だいじ》だと思《おも》う。言論部員は、まず、男女《だんじょ》青年部の支部《しぶ》の中心者としてはどうだろうか。そのメンバーが次《つぎ》に集《あつ》まる日は、確《たし》か十九日の夜《よる》だったね」

青年部の幹部は答《こた》えた。

「はい。首都圏《しゅとけん》の男女両部《りょうぶ》の支部の中心者が、学会本部《がっかいほんぶ》に集《つど》うようになっております」

「では、そこに私も出席《しゅっせき》し、その会合《かいごう》を言論部の結成式《けっせいしき》としよう」

彼は、どこにあっても、青年たちのことが、頭《あたま》から離《はな》れなかったのである。

十九日、学会本部に集ってきた青年たちに、伸一《しんいち》は語った。

「日蓮大聖人《にちれんだいしょうにん》は、身に寸鉄《すんてつ》も帯《お》びず、権力《けんりょく》、財力《ざいりょく》もたずに、言論をもって、国をあげての弾圧《だんあつ》と、敢然《かんぜん》と戦《たたか》われた。

言論には、時代《じだい》を創《つく》り、時代を左右《さゆう》し、時代を決定《けってい》しゆく力《ちから》がある。しかし、現在《げんざい》の言論界《かい》の実態《じったい》は、無責任《むせきにん》と退廃《たいはい》の風潮《ふうちょう》に流《なが》されています。世相《せそう》の腐敗《ふはい》の病根《びょうこん》も、まさに、ここにあると私は思う。そのなかにあって、真実《しんじつ》の人間《にんげん》の道《みち》を示《しめ》し、民衆《みんしゅう》を守《まも》り、世界《せかい》の平和《へいわ》への流《なが》れを開く言論《げんろん》を展開《てんかい》していくのが、わが創価学会《そうかがっかい》言論部です。私は、言論部の出発《しゅっぱつ》にあたり、その先駆《さきが》けとして、あえて、青年部《せいねんぶ》の幹部《かんぶ》である皆《みな》さんに、言論部員《ぶいん》の使命《しめい》を担《にな》っていただくことにしました。

今後《こんご》の具体的《ぐたいてき》な活動《かつどう》については、言論部長《ぶちょう》である秋月《あきづき》青年部長を中心《ちゅうしん》に検討《けんとう》していってもらいたいが、ともかく、一人《ひと》ひとりが各種《かくしゅ》の機《き》関紙《かんし》誌《し》をはじめ、あらゆるところで、民衆《みんしゅう》のための言論を、さらに、学会の正義《せいぎ》の主張《しゅちょう》を、力《ちから》の限《かぎ》り展開《てんかい》していってほしいんです。

私も書《か》きます。先頭《せんとう》に立って戦《たたか》います」

事実《じじつ》、伸一《しんいち》は、『大白蓮華《だいびゃくれんげ》』の巻頭言《かんとうげん》の執筆《しっぴつ》を続《つづ》けたほか、月刊誌《げっかんし》『潮《うしお》』などにも筆《ふで》を執《と》っている。

会長就任《かいちょうしゅうにん》第二年に入《はい》った伸一は、青年の育成《いくせい》を機軸《きじく》にしながら、全国各地《ぜんこくかくち》を巡《めぐ》り、動《うご》きに動き、語《かた》りに語った。

五月二十一日には、札幌《さっぽろ》で行《おこな》われた北海道総支部《ほっかいどうそうしぶ》の幹部会に出席《しゅっせき》していたかと思《おも》うと、二十四日には、名古屋《なごや》での中部《ちゅうぶ》三総支部の結成大会《けっせいたいかい》に姿《すがた》を見せた。そして、その三日後には、東京《とうきょう》での本部《ほんぶ》幹部会の壇上《だんじょう》にいるという具合《ぐあい》であった。

五月の二十七日は、五月度の本部幹部会が台東体育館《たいとうたいいくかん》で行《おこな》われ、この席上《せきじょう》、新《あら》たに六人の理事《りじ》が誕生《たんじょう》した。そのうちの三人が、男子部長《だんしぶちょう》の谷田昇一《たにだしょういち》など、青年部《せいねんぶ》の幹部《かんぶ》であった。この若々《わかわか》しい人事《じんじ》は、参加者《さんかしゃ》に、青年の時代《じだい》の到来《とうらい》を感《かん》じさせた。

また、海外《かいがい》に、東南《とうなん》アジア総支部《そうしぶ》が結成《けっせい》された。総支部長には森川一正《もりかわかずまさ》が、総支部婦人部《ふじんぶ》長には本部常任委員《ほんぶじょうにんいいん》の中原涼子《なかはらりょうこ》が、総支部幹事《かんじ》には三川健司《みかわけんじ》が就任《しゅうにん》した。

さらに、本部に広報局《こうほうきょく》が新設《しんせつ》され、秋月英介《あきづきえいすけ》が広報局長《きょくちょう》になった。これが学会《がっかい》の記録映《きろくえい》画《が》を担当《たんとう》していく部門《ぶもん》であり、いよいよ映画製作《せいさく》という、山本伸一《やまもとしんいち》の構想《こうそう》が、具体化《ぐたいか》していったのである。

一方《いっぽう》、言論部《げんろんぶ》も、青年部の幹部からなる言論部第一部と、文筆《ぶんぴつ》の専門家《せんもんか》からなる言論部第二部の体制《たいせい》が、正式《せいしき》に発表《はっぴょう》された。

青年の育成《いくせい》のための、伸一の布石《ふせき》は、あらゆる場《ば》で次々《つぎつぎ》となされていった。

五月二十九日には、六月の活動《かつどう》をめぐって、理事会が開催《かいさい》されたが、その折《おり》、伸一は提案《ていあん》した。

「青年部を育《そだ》てるためには、男子部、女子部《じょしぶ》の幹部だけに任《まか》せていてはならないのではないか。というのは、人生《じんせい》の問題《もんだい》になれば、同世代《どうせだい》の幹部では、どうしても対応《たいおう》できないこともあるからです。また、男女青年部が、自分《じぶん》たちだけで小《ちい》さくまとまっていると、全学会という視野《しや》に立てなくなってしまう場合《ばあい》もある。

そこで、六月度から、男女青年部《だんじょせいねんぶ》の幹部会《かんぶかい》は、本部《ほんぶ》幹部会と同格《どうかく》とし、青年部の支援《しえん》の一《いっ》環《かん》として、私をはじめ、全理事《ぜんりじ》室《しつ》が参加《さんか》するようにしたいと思《おも》う」

そこには、青年を思う、伸一《しんいち》の烈々《れつれつ》たる決意《けつい》があった。理事の皆《みな》が同意《どうい》した。

青年の育成《いくせい》は、ようやく全理事室の共通《きょうつう》の課題《かだい》となりつつあったのである。

このころ、伸一が最《もっと》も心《こころ》を砕《くだ》いていたのは、記録映画《きろくえいが》の製作《せいさく》であった。広報局《こうほうきょく》には、局長《きょくちょう》の秋月英介《あきづきえいすけ》のほかに、二人《ふたり》の青年が正規《せいき》の職員《しょくいん》として配属《はいぞく》になり、六月上旬《じょうじゅん》の映画の公開《こうかい》をめざして、作業《さぎょう》は急《きゅう》ピッチで進《すす》められていた。

映画の題名《だいめい》は「聖教《せいきょう》ニュース」と決まった。また、第一号《ごう》の企画《きかく》は、会長就任《かいちょうしゅうにん》一周年《しゅうねん》となる五月三日の本部総会《そうかい》をはじめ、沖縄《おきなわ》の総支部《そうしぶ》結成大会《けっせいたいかい》など、五月度の諸行事《しょぎょうじ》が収録《しゅうろく》されることになった。そして、当面《とうめん》は、毎月《まいつき》、約《やく》三十分《ぷん》のニュース映画を一本《いっぽん》ずつ、製作していくことになったのである。

映画製作の担当者《たんとうしゃ》は、広報局の設置《せっち》の発表《はっぴょう》前から、既《すで》に作業を進め、五月の諸行事については、山本《やまもと》伸一の指示《しじ》を受けて、フィルムに収《おさ》めていた。したがって、それを編集《へんしゅう》すれば、

二、三十分程度《ぷんていど》のニュース映画《えいが》にまとめることは可能《かのう》であった。
しかし、現像《げんぞう》されたフィルムを映《うつ》してみると、各地《かくち》の総支部《そうしぶ》結成大会《けっせいたいかい》などの室内《しつない》の行事《ぎょうじ》は、光《ひかり》が足《た》りなかったらしく、大部分《だいぶぶん》が暗《くら》くなっていた。

広報局《こうほうきょく》の職員《しょくいん》には、飯坂芳夫《いいざかよしお》という映画関係《かんけい》の仕事《しごと》をしていた青年《せいねん》がいたが、撮影《さつえい》の専門家《せんもんか》ではなかった。また、学会《がっかい》には、撮影に必要《ひつよう》な、十分《じゅうぶん》な照明器具《しょうめいきぐ》もなかった。しかし、もはや、あとには引けなかった。彼《かれ》らは、ともかく、映画の第一号《ごう》の編集《へんしゅう》を行《おこな》いながら、第二号の撮影にも着手《ちゃくしゅ》していった。それぞれが撮影、録音《ろくおん》、編集、ナレーションの原稿《げんこう》執筆《しっぴつ》など、一人《ひとり》で何役《なんやく》もこなしながらの製作《せいさく》であった。

ある夜更《よふ》けに、伸一《しんいち》が作業室《さぎょうしつ》に顔《かお》を出した。

二人《ふたり》の青年が、黙々《もくもく》と仕事をしていた。会長《かいちょう》の伸一がやって来たことさえ気づかなかった。伸一が声《こえ》をかけると、驚《おどろ》いて、二人が顔《かお》を上げた。連日《れんじつ》、遅《おそ》くまで仕事をしているのであろう。その顔には疲労《ひろう》の色《いろ》が滲《にじ》んでいた。

席《せき》を立とうとする、二人を制《せい》して、伸一は言った。

「いや、そのままでいいよ。毎日《まいにち》、頑張《がんば》ってくれて、ありがとう。ところで、今、一番《いちばん》困《こま》っていることはなんだい？」

飯坂《いいざか》が答《こた》えた。

「実《じつ》は、撮影《さつえい》のためのフィルムが底《そこ》をついてしまったことです。既《すで》に、予算《よさん》は使《つか》いきってしまっておりますので……」

広報局《こうほうきよく》は新設《しんせつ》の部局《ぶきよく》でもあり、十分《じゆうぶん》な予算もないために、彼《かれ》らは節約《せつやく》に節約を重《かさ》ねていた。たとえば、約《やく》三十分《ぷん》のニュース映画《えいが》は、千フィート（一フィートは約三十・五センチ）ほどのフィルムになるが、撮影段階《だんかい》では、通常《つうじよう》、その十倍《ばい》にあたる一万フィートほどのフィルムを回すことになる。しかし、彼らは、切り捨《す》てる分《ぶん》を、極力《きよくりよく》、少《すく》なくするように工夫《くふう》しながら、撮影をしてきた。それでも、フィルムが足《た》りなくなってしまったのである。

「そうか、苦労《くろう》をかけてすまないね」

伸一《しんいち》は、当面《とうめん》、必要《ひつよう》なフィルムの費用《ひよう》を飯坂に聞くと、自分《じぶん》のポケットマネーをはたいて寄付《きふ》した。

「飯坂君《くん》、今は大変《たいへん》だと思《おも》うが、開拓《かいたく》には苦労はつきものだよ」

こう言って、伸一は、ニッコリと笑《わら》った。

飯坂芳夫《よしお》は、深夜《しんや》に、自分たちのことを気遣《きづか》い、訪《たず》ねてくれた山本伸一《やまもと》の真心《まごころ》に、熱《あつ》いものを感《かん》じた。

伸一《しんいち》は、静《しず》かに語《かた》っていった。

「予算《よさん》の面《めん》でも、何かと窮屈《きゅうくつ》な思《おも》いをさせて申《もう》し訳《わけ》ないが、各総支部《かくそうしぶ》に映写機《えいしゃき》も設置《せっち》しなければならないし、経費《けいひ》もかかっている。それに、学会《がっかい》の経費は、すべて学会員の浄財《じょうざい》で賄《まかな》われているのだから、節約《せつやく》を心《こころ》がけるのは当然《とうぜん》です。

そのうちに、人数《にんずう》も増《ふ》やすから、しばらくは我慢《がまん》して、知恵《ちえ》を働《はたら》かせ、工夫《くふう》しながら頑《がん》張《ば》ってほしい。最悪《さいあく》の条件《じょうけん》のなかで、最高《さいこう》の作品《さくひん》を作《つく》ってみせるぞという気概《きがい》で挑戦《ちょうせん》していってこそ、本当《ほんとう》の青年《せいねん》です。

人手《ひとで》もない、金《かね》もない、機材《きざい》もない、時間もないという、ないないづくしのなかで、見事《みごと》な作品を作り上げることができれば、人生《じんせい》の最大《さいだい》の財産《ざいさん》になる。また、それが開拓者《かいたくしゃ》だ。生《しょう》涯《がい》の最高の思い出をつくっていると思えば楽《たの》しくなるよ。

二人《ふたり》とも、体《からだ》の方《ほう》は大丈夫《だいじょうぶ》かい」

「はい！」

「体調《たいちょう》は、自分《じぶん》でうまくコントロールしていくんだよ。それも知恵です。ともかく、大変《たいへん》だなと思ったら、出来《でき》上がった映画《えいが》を見て、歓喜《かんき》して立ち上がっていく同《どう》志《し》の姿《すがた》を思い描《えが》くことだ。

映画作《えいがづく》りは、目立たないし、陰《かげ》の力《ちから》であるけれど、その影響力《えいきょうりょく》はすごい。家《いえ》でも、土台《どだい》というのは見えない。車《くるま》でも、エンジンは人の目には触《ふ》れない。人間《にんげん》の体《からだ》にしても、心臓《しんぞう》を見ることはできない。ものごとを支《ささ》えている、本当《ほんとう》に大切《たいせつ》な力は、いつも陰に隠《かく》れているものなんだよ。

この映画が完成《かんせい》すれば、学会《がっかい》の新《あたら》しい歴史《れきし》が開かれる。そして、何《なん》十万もの人が、奮《ふる》い立つはずだ。その使命《しめい》を担《にな》っているのが、君《きみ》たちだ。その意味《いみ》からすれば、君たちは、大指導者《だいしどうしゃ》と同じ働《はたら》きをしているんです」

伸一《しんいち》は、さらに、広報局《こうほうきょく》の未来構想《みらいこうそう》を語《かた》っていった。

「近《ちか》いうちに、総天然色《そうてんねんしょく》(カラー)のニュース映画も作《つく》っていこう。これからは、映画はカラーの時代《じだい》だからね」

当時《とうじ》、ニュース映画のほとんどは、まだモノクロ(白黒《しろくろ》)であった。

「それから、将来《しょうらい》は、同志《どうし》の体験談《たいけんだん》をもとにした劇《げき》映画やドキュメンタリーも作るようにしよう。映画によって、社会《しゃかい》の人びとが、学会の真実《しんじつ》の姿《すがた》を理解《りかい》していけば、広宣流布《こうせんるふ》の大きな力になるからね」

伸一の激励《げきれい》に、飯坂《いいざか》たちは疲《つか》れが吹《ふ》き飛《と》び、勇気《ゆうき》がわくのを感《かん》じた。二人《ふたり》は、部屋《へや》を出ていく伸一《しんいち》の後《うし》ろ姿《すがた》を、涙《なみだ》で見送《みおく》った。

「聖教《せいきよう》ニュース」の上映《じようえい》に向かって、各総支部《かくそうしぶ》には男子部《だんしぶ》を中心《ちゆうしん》に映写班《えいしやはん》が組織《そしき》されていった。

「聖教ニュース」第一号《ごう》の試作品《しさくひん》が完成《かんせい》したのは、六月初旬《しよじゆん》のことであった。映像《えいぞう》が暗《くら》く、鮮明《せんめい》でない部分《ぶぶん》もあったが、苦心《くしん》の末《すえ》に、なんとか作品にまとめ上げたのである。

山本伸一《やまもと》は、その試写《ししや》を見ると、広報局《こうほうきよく》のメンバーに言った。

「いいじゃないか。短期間《たんきかん》でよくできた。本当《ほんとう》にすばらしい内容《ないよう》だよ。歴史《れきし》を創《つく》ったね」

疲労《ひろう》のためか、少《すこ》しやつれた局員《きよくいん》の顔《かお》に、明《あか》るい微笑《びしよう》が浮《う》かんだ。

ニュース映画《えいが》の出来栄《できば》えとしては、今後《こんご》、改善《かいぜん》し、努力《どりよく》すべきことはたくさんあった。しかし、伸一は、何よりも、青年《せいねん》たちが彼《かれ》の期待《きたい》に、必死《ひつし》になって応《こた》えようとしてくれたことが嬉《うれ》しかったのである。

この「聖教ニュース」の初上映《はつ》は、六月九日に、東京《とうきよう》・大田区《おおたく》の大田産業会館《さんぎようかいかん》で開催《かいさい》された、関東《かんとう》第一総支部の地区部長会《ちくぶちようかい》のあとで行《おこな》われた。

会場《かいじよう》のライトが消《き》え、軽快《けいかい》な音楽《おんがく》とともに、スクリーンに「聖教ニュース」の文字《もじ》が浮かび上がると、大きな拍手《はくしゅ》がわき起《お》こった。

画面《がめん》には五月三日の本部総会《ほんぶそうかい》の模様《もよう》が映《うつ》し出され、ナレーションが流《なが》れた。

「……会長就任《かいちょうしゅうにん》一年にあたる第二十三回総会は、好天《こうてん》に恵《めぐ》まれ、東京《とうきょう》・日大講堂《にちだいこうどう》で盛大《せいだい》に行《おこな》われました」

参加者《さんかしゃ》は皆《みな》、真剣《しんけん》な表情《ひょうじょう》で、食《く》い入るようにスクリーンを見ていた。

会場《かいじょう》の一隅《いちぐう》で、映画《えいが》よりも、その参加者の表情を、じっと見ている二人《ふたり》の青年《せいねん》がいた。広報局《こうほうきょく》の飯坂芳夫《いいざかよしお》たちであった。彼《かれ》らは、人びとの反応《はんのう》を自分《じぶん》の目で確《たし》かめるまでは、作業《さぎょう》も手につかず、いたたまれずにやって来たのである。

スクリーンでは、山本《やまもと》会長が映し出され、就任第二年への決意《けつい》を、烈々《れつれつ》たる気迫《きはく》で語《かた》っていた。するとスクリーンに向かって大拍手が起こり、伸一《しんいち》が共戦《きょうせん》を呼《よ》びかけたシーンでは、場内《じょうない》に元気《げんき》な返事《へんじ》が響《ひび》いた。

さらに、画面は、沖縄総支部結成大会《おきなわそうしぶけっせいたいかい》に移《うつ》った。

〝悲劇《ひげき》の島《しま》〟を〝平和《へいわ》の島〟にしようと、奮《ふる》い立つ友《とも》の姿《すがた》を、皆、真剣なまなざしで見つめていた。

伸一がメンバーの敢闘《かんとう》を称《たた》え、同志《どうし》の代表《だいひょう》の胸《むね》に、学会《がっかい》の金《きん》のバッジをつける光景《こうけい》が放映《ほうえい》され、「沖縄健児の歌《おきなわけんじのうた》」の調《しら》べが流《なが》れた。

映画《えいが》を観賞《かんしょう》している人たちの目頭《めがしら》が潤《うる》み、すすり泣《な》きが聞こえてきた。

「聖教《せいきょう》ニュース」を観賞する人びとの様子《ようす》を見ていた飯坂芳夫《いいざかよしお》の目にも、涙《なみだ》があふれていた。いや、誰《だれ》よりも彼自身《かれじしん》が、一番《いちばん》、感激《かんげき》し、熱《あつ》い涙を流していた。

「す、すごいよ……」

飯坂は、隣《となり》にいた広報局員《こうほうきょくいん》に話《はな》しかけたが、あとは声《こえ》にならなかった。

映画が終《お》わると、嵐《あらし》のような拍手《はくしゅ》が轟《とどろ》いた。二人《ふたり》は目を赤《あか》く泣き腫《は》らしながら、喜《よろこ》びの固《かた》い握手《あくしゅ》を交《か》わした。

飯坂は、学会《がっかい》の動《うご》きを映画にする大きな意味《いみ》を肌《はだ》で知り、その作業《さぎょう》に携《たずさ》われることに、無《む》量《りょう》の喜《よろこ》びと誇《ほこ》りを感《かん》じた。以来《いらい》、彼は、肩《かた》に食《く》い込《こ》む撮影機材《さつえいきざい》の重《おも》さが、自分《じぶん》たちの使命《しめい》の重さのように思《おも》えてならなかった。

ところで、この映画製作《せいさく》の部門《ぶもん》は、後年《こうねん》、独立《どくりつ》し、やがて「シナノ企画《きかく》」となり、学会の真実《しんじつ》の姿《すがた》を伝《つた》える数々《かずかず》の映画やビデオを生み出し、仏法《ぶっぽう》への理解《りかい》の波《なみ》を、社会《しゃかい》に広《ひろ》げていくことになる。

こうして、言論部《げんろんぶ》も、広報局も、青年《せいねん》の力《ちから》で広布《こうふ》の未来《みらい》へと船出《ふなで》していった。

山本伸一《やまもとしんいち》は、六月五日には東京《とうきょう》・台東体育館《たいとうたいいくかん》で行《おこな》われた女子部《じょしぶ》の幹部会《かんぶかい》に、翌《よく》六日には、同じ会場《かいじょう》で開かれた男子部《だんしぶ》の幹部会に出席《しゅっせき》した。

創価《そうか》の若人《わこうど》の成長《せいちょう》は、目覚《めざ》ましかった。

五月度の活動《かつどう》で、男子部は、一万二千四百世帯《せたい》の弘教《ぐきょう》と一万二千九百人の部員増加《ぶいんぞうか》を成《な》し遂《と》げ、部員数は二十七万人に達《たっ》した。また、女子部は、六千三百世帯の弘教と一万人の部員増加を行《おこな》い、部員数は二十万人に迫《せま》ろうとしていた。

しかも、この六月度から男女青年部《だんじょせいねんぶ》の幹部会は、本部《ほんぶ》幹部会と同格《どうかく》になり、山本会長《かいちょう》も、毎回《まいかい》、出席するとあって、青年たちの広宣流布《こうせんるふ》の主体者《しゅたいしゃ》としての自覚《じかく》は、さらに一段《いちだん》と深《ふか》まっていった。

青年の育成《いくせい》の要諦《ようてい》は、第一に、いかに使命《しめい》の自覚を促《うなが》すかにある。

そして、第二に、挑《いど》むべき目標《もくひょう》の明確化《めいかくか》である。

青年部の目標は明確であった。各方面《かくほうめん》ごとの総会《そうかい》の開催《かいさい》と、男子部の場合《ばあい》ならば、代表《だいひょう》十万の結集《けっしゅう》に向け、弘教を推進《すいしん》し、部員の増加を図《はか》っていくことであった。

そのうえで、指導者《しどうしゃ》は、活動が円滑《えんかつ》に進《すす》むように、こまやかな配慮《はいりょ》を重《かさ》ねていくことが大《たい》切《せつ》になる。

たとえば、伸一《しんいち》は、幹部会《かんぶかい》の開始時刻《かいしじこく》にも心《こころ》を配《くば》った。当初《とうしょ》、男子部《だんしぶ》、女子部《じょしぶ》ともに、午《ご》後六時過《す》ぎに開会《かいかい》となることがしばしばあったが、それまでに参加者《さんかしゃ》が会場《かいじょう》に来るには、かなり無理《むり》があった。伸一は、それを知ると、午後六時半《はん》の開会にしてはどうかと、提案《ていあん》したのである。

六月十一日、山本《やまもと》伸一は名古屋《なごや》で行《おこな》われた中部《ちゅうぶ》の青年部《せいねんぶ》総会《そうかい》に出席《しゅっせき》した。九州《きゅうしゅう》に続《つづ》いて、中部も、大成功《だいせいこう》の総会となった。午前《ごぜん》十一時半から行われた女子部の総会には一万六千人が、午後三時からの男子部総会には一万八千人が参加したのである。

十三日、中部の青年部総会を終《お》えて、総本山《そうほんざん》に参詣《さんけい》していた伸一のもとに、訃報《ふほう》が、入《はい》った。

九州第一総支部《そうしぶ》の婦人部長《ふじんぶちょう》である柴山美代子《しばやまみよこ》が、この日、熊本市内《くまもとしない》の正宗寺院《しょうしゅうじいん》で開かれた婦人部の会合《かいごう》に出席中《ちゅう》、心臓《しんぞう》マヒのために急逝《きゅうせい》したのだ。

九州からの電話《でんわ》での報告《ほうこく》によれば、彼女《かのじょ》は、御書講義《ごしょこうぎ》をしたあと、いくつかの質問《しつもん》に答《こた》えているうちに、急《きゅう》に机《つくえ》に体《からだ》を伏《ふ》せた。そして、そのまま、御本尊《ごほんぞん》の前で、多くの同志《どうし》に囲《かこ》まれて、眠《ねむ》るように、安《やす》らかに息《いき》を引き取ったというのである。四十九歳であった。

彼女《かのじょ》は、夫《おっと》の邦夫《くにお》とともに、九州《きゅうしゅう》の中核《ちゅうかく》として活躍《かつやく》してきた婦人《ふじん》であった。

伸一《しんいち》が指揮《しき》をとった山口《やまぐち》の開拓指導《かいたくしどう》の折《おり》にも、乳飲《ちの》み子《ご》を連《つ》れて参加《さんか》していた姿《すがた》が、彼《かれ》の頭《あたま》に浮《う》かんだ。

いつも質素《しっそ》な服《ふく》を清楚《せいそ》に着《き》こなし、髪《かみ》も自分《じぶん》できれいにセットし、さわやかな笑顔《えがお》で人に接《せっ》していた。そして、もの静《しず》かな語《かた》り口《くち》のなかにも、信心《しんじん》への強《つよ》い確信《かくしん》が貫《つらぬ》かれ、同志《どうし》の信《しん》頼《らい》は厚《あつ》かった。

伸一が、何よりも感心《かんしん》していたのは、彼女の、家族《かぞく》への配慮《はいりょ》であった。

また、学会活動《がっかいかつどう》で家《いえ》を空《あ》けた時には、帰宅《きたく》すると、夫に三つ指《ゆび》をついて、「ただ今、学会活動させていただいて帰《かえ》ってまいりました。ありがとうございました」と、あいさつするように心《こころ》がけていたという。

夫妻《ふさい》で東京《とうきょう》の本部《ほんぶ》幹部《かんぶ》会《かい》などにやって来る時も、寝台車《しんだいしゃ》の中《なか》で、夫のズボンを寝押《ねお》しすることを忘《わす》れなかった。

彼女には、四人の子供《こども》がいたが、留守《るす》にする場合《ばあい》には、それぞれの子供に菓子《かし》を用意《ようい》し、一人分《ひとりぶん》ずつ、紙《かみ》で巾着《きんちゃく》の形《かたち》に包《つつ》んで置《お》いていった。子供たちは、母《はは》の心の温《ぬく》もりを感じたにちがいない。

周囲《しゅうい》の人は、彼女《かのじょ》がグチや文句《もんく》を口《くち》にしたのを聞いたこともなかったし、疲《つか》れた顔《かお》をしているところを見たこともなかった。家庭《かてい》にあっても、主婦《しゅふ》としてやるべきことはきちんとやり、友《とも》のため、広布《こうふ》のために、九州《きゅうしゅう》を駆《か》け巡《めぐ》ってきたのである。

思《おも》いがけない訃報《ふほう》に接《せっ》し、伸一《しんいち》は愕然《がくぜん》とした。彼《かれ》にとって、ともに広布に生きる同志《どうし》の死《し》ほど、辛《つら》く、悲《かな》しいことはなかった。

伸一は、一年前に、福岡《ふくおか》を訪問《ほうもん》した折《おり》のことが思い出された。

その時、伸一が居合《いあ》わせた同志に、十月の北《ほく》・南米指導《なんべいしどう》の予定《よてい》を伝《つた》え、皆《みな》はどこに行きたいかを尋《たず》ねた。すると、柴山美代子《しばやまみよこ》は言った。

「私の夢《ゆめ》は、ヨーロッパに仏法《ぶっぽう》を弘《ひろ》めに行くことです。……でも、来世《らいせ》になってしまうかもしれません。

ともかく、先生《せんせい》がアメリカを訪問されている間《あいだ》、福岡は日本の広布の先駆《せんく》を切って、立派《りっぱ》に留守《るす》をお守《まも》りします」

事実《じじつ》、この年の十月、彼女が婦人部長《ふじんぶちょう》として指揮《しき》をとっていた福岡支部《しぶ》は、二千三十世帯《せたい》の弘法《ぐほう》を成《な》し遂《と》げ、全国第一位《ぜんこくだいいちい》の、見事《みごと》な成果《せいか》を残《のこ》したのである。

柴山《しばやま》は、九州《きゅうしゅう》の〝広布《こうふ》の母《はは》〟ともいうべき婦人《ふじん》であった。

彼女《かのじょ》の死《し》は、宿命《しゅくめい》といえば宿命であろうが、この世の使命《しめい》を果《は》たしての臨終《りんじゅう》にちがいないと、伸一《しんいち》は思《おも》った。だが、それにしても、柴山が元気《げんき》に活躍《かつやく》し続《つづ》けるために、自分《じぶん》にできることはなかったのだろうかと、彼《かれ》は自身《じしん》に問《と》い続けた。

伸一が柴山の訃報《ふほう》を聞いた時、彼女の夫《おっと》の邦夫《くにお》は、ちょうど、月例登山《げつれいとざん》のために総本山《そうほんざん》に来ていた。

伸一は、邦夫の心中《しんちゅう》を案《あん》じながら言った。

「男性《だんせい》にとって妻《つま》を亡《な》くしたことは、最《もっと》も辛《つら》く悲《かな》しいことでしょう。しかし、あなたが気《き》弱《よわ》になれば、一番悲《いちばんかな》しむのは、きっと亡くなった奥《おく》さんです。奥さんは、あなたのことも、子供《こども》さんたちのことも、じっと、見守《みまも》っているはずです。どうか、強《つよ》い心《こころ》で、この悲しみを乗《の》り越《こ》えてください。私も、すぐに、そちらにまいります」

伸一は、彼女の成仏《じょうぶつ》を強く確信《かくしん》することができた。彼が心配《しんぱい》していたのは、残《のこ》された四人の子供たちのことであった。長女《ちょうじょ》は十九歳で、次女《じじょ》は十七歳、三女は十五歳、一番下《した》の男《おとこ》の子は六歳である。

六月十六日、伸一は、福岡《ふくおか》での告別式《こくべつしき》に参列《さんれつ》した。

彼《かれ》は、そこで、関係者《かんけいしゃ》から、柴山美代子《しばやまみよこ》の臨終《りんじゅう》の模様《もよう》を詳《くわ》しく聞くことができた。知らせを受けて、熊本《くまもと》に駆《か》けつけた長女《ちょうじょ》は、既《すで》に帰《かえ》らぬ人となってしまった母《はは》に向かい、こう語《かた》りかけたという。

「お母《かあ》さん、よく頑張《がんば》ったね……。戦《たたか》いのなかで、こんなにたくさんの同志《どうし》の方《かた》に見守《みまも》られて死《し》ぬなんて、お母さんも、きっと、きっと本望《ほんもう》だったよね」

伸一は、長女が母の死を、どう受け止《と》めているかを知り、幾分《いくぶん》、安心《あんしん》することができた。

葬儀《そうぎ》は厳粛《げんしゅく》に、そして、盛大《せいだい》に営《いとな》まれた。

全九州《ぜんきゅうしゅう》から、多くの同志が弔問《ちょうもん》に訪《おとず》れた。その参列者《さんれつしゃ》の人波《ひとなみ》は、長《なが》く、長く続《つづ》き、約《やく》一万人にのぼった。

告別式《こくべつしき》では、婦人部長《ふじんぶちょう》の清原《きよはら》かつが弔辞《ちょうじ》を読《よ》んだ。

「美代子さん、ゆっくりお休《やす》みなさいね。……私もあなたのように、戦いのなかで、みんなのなかで死んでいきたい」

それは、清原の率直《そっちょく》な思《おも》いであったにちがいない。

あまりにも早《はや》い人生《じんせい》の終幕《しゅうまく》であったが、柴山美代子は、不惜身命《ふしゃくしんみょう》の精神《せいしん》を、身をもって教《おし》えているかのようでもあった。

参列者《さんれつしゃ》は彼女《かのじょ》の遺影《いえい》に、その遺志《いし》を継《つ》いで、広宣流布《こうせんるふ》に生き抜くことを誓《ちか》うのであった。

葬儀《そうぎ》のあと、山本伸一《やまもとしんいち》は、三人の娘《むすめ》を呼《よ》んで言った。

「お母《かあ》さんは、偉大《いだい》な方《かた》でした。あなたたちが、終生《しゅうせい》、誇《ほこ》ることができる立派《りっぱ》な母親《ははおや》です。今、皆《みな》さんが、悲《かな》しく、辛《つら》い気持《きも》ちであることは、よくわかります。

しかし、お母さんの最大《さいだい》の願《ねが》いは、子供《こども》たちが、挫《くじ》けたりすることなく、すくすくと育《そだ》ち、幸《しあわ》せになっていくことだと思《おも》います。また、お母さんと同じ心《こころ》で、生涯《しょうがい》、多くの人びとの幸福《こうふく》のために尽《つ》くす人になってほしいと、願っていたはずです。

これから先、まだまだ、苦《くる》しいことや大変《たいへん》なこともあるかもしれませんが、御本尊《ごほんぞん》から離《はな》れずに、信心《しんじん》を貫《つらぬ》いていくならば、必《かなら》ず幸せになれます。だから、何があっても負《ま》けずに、信心し抜いていくんですよ。

あなたたちに、何かあったら、同志《どうし》がみんなで守《まも》っていきます。また、遠慮《えんりょ》しないで、私の所《ところ》へ、相談《そうだん》にいらっしゃい。お母さんのお墓《はか》も、つくりましょう」

三人の娘は、涙《なみだ》をこらえて、何度《なんど》も頷《うなず》きながら、伸一の話《はなし》を聞いていた。

伸一は、彼《かれ》に出されたテーブルの上のビワを勧《すす》め、「さあ、元気《げんき》を出して」と励《はげ》ましながら、一人《ひとり》ひとりに手渡《てわた》していった。

翌日《よくじつ》、関西《かんさい》に向かう伸一《しんいち》を、遺族《いぞく》が空港《くうこう》に見送《みおく》りにやって来た。

彼《かれ》は、搭乗時刻《とうじようじこく》まで、祈《いの》るような気持《きも》ちで、柴山《しばやま》の娘《むすめ》たちと語《かた》り合った。

「生命《せいめい》は永遠《えいえん》なんだよ。だから、お母《かあ》さんは、すぐに生まれてくる。きっと、みんなの近《ちか》くに生まれてきて、みんなを見守《みまも》ってくれるよ。何も心配《しんぱい》することはないからね」

そして、出発《しゆつぱつ》が迫《せま》り、歩《ある》き出してからも、何度《なんど》も振《ふ》り返っては手を振り、「大丈夫《だいじようぶ》、大丈夫だよ」と声援《せいえん》を送《おく》った。

山本《やまもと》伸一は、関西では、十七日夜《よる》、京都市内《きようとしない》で行《おこな》われた、京都、平安《へいあん》、京洛《きようらく》、舞鶴《まいづる》の四支《し》部《ぶ》からなる、関西第四総支部の結成大会《けつせいたいかい》に出席《しゆつせき》した。

そして、翌十八日は関西青年部《せいねんぶ》総会《そうかい》であった。

総会は男女《だんじよ》ともに、大阪《おおさか》の港体育館《みなとたいいくかん》で開催《かいさい》された。女子部《じよしぶ》総会には三万人が、男子部《だんしぶ》総会には四万人が集《つど》い、関西の底力《そこぢから》を、いかんなく発揮《はつき》した若人《わこうど》の大総会となった。

伸一は、男子部総会では、今後《こんご》のために、労働運動《ろうどううんどう》に対《たい》する学会《がつかい》の基本的《きほんてき》な態度《たいど》を明《あき》らかにした。

社会《しやかい》には、学会のめざすものと労働運動とは、互《たが》いに相《あい》いれざるものであるかのような認《にん》識《しき》があったし、男子部員からも、学会員としての労働運動への取り組《く》みについて、しばしば質問《しつもん》を受けていたからである。

「よく、男子部《だんしぶ》の皆《みな》さんから、自分《じぶん》は労働運動《ろうどううんどう》をしたいのだが、学会員《がっかいいん》としてどうすべきかと、聞かれることがあります。

学会員は、労働運動をやってはいけないように思《おも》うのは錯覚《さっかく》です。当然《とうぜん》、やることはいっさい自由《じゆう》です。日蓮大聖人《にちれんだいしょうにん》は『一切法《いっさいほう》は皆是仏法《みなこれぶっぽう》なり』(御書《ごしょ》五六二ページ)と仰《おお》せである。幸福《こうふく》になる根本《こんぽん》は信心《しんじん》以外《がい》にありませんが、ほとんどの青年部員《せいねんぶいん》は労働者なのですから、皆さんが労働運動や組合《くみあい》運動で活躍《かつやく》するのは、自然《しぜん》なことであります。また、それは、決《けっ》して仏法と相反《あいはん》するものではありません。

かつて、戸田先生《とだせんせい》は、こう言われておりました。

『もし、自分の子供《こども》が赤旗《あかはた》を持《も》って、社会《しゃかい》のため、自分たちの正《ただ》しい権利《けんり》のために立ち上がるならば、私も、赤旗を持って運動に駆《か》けつける』

一方《いっぽう》、今日《こんにち》の労働運動の世界《せかい》にあっては、いわゆる〝労働貴族《きぞく》〟と言われるような人たちが、労働者の上に君臨《くんりん》しているという現実《げんじつ》もあります。

したがって、皆さんが信心を根本として、それぞれの職場《しょくば》にあって、労働者を守《まも》るために、労働運動を展開《てんかい》し、ある場合《ばあい》には、組合長や委員長《いいんちょう》、書記長《しょきちょう》となっていくことも、いっこうにかまいません。社会《しゃかい》のあらゆる事柄《ことがら》を、人間《にんげん》の幸福《こうふく》のために機能《きのう》させていくことが、広宣流布《こうせんるふ》の運動《うんどう》であるからです」

伸一《しんいち》は、仏法《ぶっぽう》は、人間を一つの枠《わく》のなかに閉《と》じ込《こ》めておくような、偏狭《へんきょう》なものではないことを、教《おし》えておきたかった。社会のため、人間のために、主体的《しゅたいてき》に行動《こうどう》し、貢献《こうけん》するなかに、仏法の実践《じっせん》もある。

山本伸一《やまもとしんいち》の人材育成《じんざいいくせい》の腕《かいな》は、男子部《だんしぶ》、女子部《じょしぶ》だけでなく、若《わか》き俊英《しゅんえい》・学生部《がくせいぶ》へと伸《の》びていった。

六月二十日、東京《とうきょう》の日比谷《ひびや》公会堂《こうかいどう》で行《おこな》われた第四回学生部総会《そうかい》に、伸一は勇《いさ》んで出席《しゅっせき》した。この学生部総会は、前年《ぜんねん》の六月の第三回総会で、一年間の目標《もくひょう》として掲《かか》げた「部員《ぶいん》六千人」を、見事《みごと》に達成《たっせい》しての集《つど》いであった。

一年前、学生部員は二千八百人にすぎなかった。まさに、三倍以上《ばいいじょう》の拡大《かくだい》である。比率《ひりつ》から見れば、男子部、女子部に勝《まさ》る、飛躍的《ひやくてき》な大発展《だいはってん》といってよい。しかも、学生部は、この一年、新《あら》たに雑誌《ざっし》『第三文明《だいさんぶんめい》』を発刊《はっかん》するなど、独自《どくじ》の運動を展開《てんかい》してきた。

そして、三月の教学試験《きょうがくしけん》でも好成績《こうせいせき》を示《しめ》し、たとえば、助教授合格者《じょきょうじゅごうかくしゃ》五百七十一人中《ちゅう》、学生部が四十五人を占《し》めていた。三月末《まつ》の時点《じてん》では、学会世帯《がっかいせたい》百八十五万のうち、学生部員《がくせいぶいん》は、わずか四千六百余《よ》人にすぎなかった。その学生部が、約《やく》十三分《ぶん》の一にあたる助教授《じょきょうじゅ》の合《ごう》格者《かくしゃ》を出したことは、大健闘《だいけんとう》といわざるをえない。

学生部総会《そうかい》の席上《せきじょう》、学生部長《ぶちょう》の渡吾郎《わたりごろう》は、第五回総会までの一年間の目標《もくひょう》として、「部員一万二千人」の達成《たっせい》を発表《はっぴょう》するとともに、全員《ぜんいん》が教学部員《きょうがく》になることを呼《よ》びかけた。

伸一《しんいち》は、学生部の盛《さか》んな意気《いき》と、目覚《めざ》ましい成長《せいちょう》に喜《よろこ》びを感《かん》じた。

会長講演《かいちょうこうえん》になると、彼《かれ》は懇談的《こんだんてき》に話《はなし》を進《すす》めた。

「最近《さいきん》、本部《ほんぶ》にもたくさんの外国人《がいこくじん》がやって来ますが、私は語学《ごがく》もできないものですから、大変《たいへん》に困《こま》っております。そこで、アメリカ人が来た場合《ばあい》には、『私はドイツ語ばかり勉強《べんきょう》したものですから、英語《えいご》はわからないのです』と言おうかと思《おも》っています。しかし、そこにドイツ人がやって来たら、これは困ったことになる」

爆笑《ばくしょう》が広《ひろ》がった。

「昨日《きのう》も、夜遅《よるおそ》くまで、青年《せいねん》部長や学生部長たちと打ち合わせをしていましたが、皆《みな》、おなかが空《す》いてきて、元気《げんき》がなくなり、話が湿《しめ》っぽくなってしまった。

そこで、私は『もう少《すこ》しユーモアのある、ウエットに富《と》んだ話をしようじゃないか』と言いました。

すると、すかさず、学生部《がくせいぶ》の幹部《かんぶ》から、『会長《かいちょう》、〝ウエット〟というのは、英語《えいご》で〝湿《しめ》った〟ということです。会長は〝機知《きち》〟を意味《いみ》する〝ウイット〟と、おっしゃりたいのではないでしょうか』と言われてしまいました」

伸一《しんいち》には、虚栄《きょえい》も、虚飾《きょしょく》もなかった。裸《はだか》の人間《にんげん》として語《かた》りかけていった。

笑《わら》いに次《つ》ぐ笑いの渦《うず》を巻《ま》き起《お》こしながら、彼《かれ》の話《はなし》は続《つづ》いた。

「さて、諸君《しょくん》にお願《ねが》いしておきたいことは、語学《ごがく》を磨《みが》き、世界《せかい》にたくさんの友人《ゆうじん》をつくっていただきたいということであります。日蓮大聖人《にちれんだいしょうにん》の仏法《ぶっぽう》が、世界に流布《るふ》されていくことは歴史《れきし》の必然《ひつぜん》です。ですから海外《かいがい》にあっては、焦《あせ》って、布教《ふきょう》をする必要《ひつよう》はありません。それよりも、世界に大勢《おおぜい》の友人をつくり、皆《みな》さんが、人間同士《どうし》の信頼《しんらい》を築《きず》いていくことです。

今、学会《がっかい》は、弘教《ぐきょう》の大波《おおなみ》を広《ひろ》げていますが、それはただ教勢《きょうせい》の拡大《かくだい》のために行《おこな》っているのではありません。どこまでも、人びとの幸福《こうふく》の実現《じつげん》であり、世界の平和《へいわ》のためです。

平和といっても、人間と人間の心《こころ》の結《むす》びつきを抜きにしては成《な》り立ちません。皆さんが世界の人びとと、深《ふか》い友情《ゆうじょう》で結ばれ、そのなかで、友人の方《かた》が、皆さんの生き方に感心《かんしん》し、共《きょう》感《かん》していくなら、自然《しぜん》と仏法への理解《りかい》も深まっていくものです。

この課題《かだい》を担《にな》うのは、語学《ごがく》をしっかり学《まな》んでいる人でなければ難《むずか》しいので、特《とく》に、学生部《がくせいぶ》の皆《みな》さんにお願《ねが》いしたいんです。世界《せかい》の方《ほう》は、一つよろしくお願いいたします。

私は、この秋《あき》、ヨーロッパを回る予定《よてい》でおります。しかし、語学は皆さんに任《まか》せて、私の方は、専《もっぱ》ら日本語ですませようと思《おも》っています。もし、『なんだ会長《かいちょう》は、日本語しかできないじゃないか』と言われましたら、『火星語《かせいご》ならできます』と答《こた》えるつもりです」

また、笑《わら》いに包《つつ》まれた。

世界を友情《ゆうじょう》で結《むす》べ——さりげない言葉《ことば》ではあるが、そこには、仏法者《ぶっぽうしゃ》の生き方《かた》の本義《ほんぎ》がある。仏法は、人間《にんげん》の善性《ぜんせい》を開発《かいはつ》し、人への思いやりと同苦《どうく》の心《こころ》を育《はぐく》む。それゆえに仏法者の行くところには、友情の香《かぐわ》しき花《はな》が咲《さ》くのである。そして、布教《ふきょう》も、その友情の、自然《しぜん》な発露《はつろ》にほかならない。

この総会《そうかい》に集《つど》った学生部員《ぶいん》の多くは、口角泡《こうかくあわ》を飛《と》ばして宗教《しゅうきょう》を論《ろん》ずることのみが、仏法者の姿《すがた》であると思っていた。もちろん、教《おし》えの正邪《せいじゃ》を決《けっ》するうえでは、それも必要《ひつよう》なことではあるが、一面《いちめん》にすぎない。

伸一《しんいち》は、次代《じだい》を担う若《わか》き俊英《しゅんえい》たちが、宗教のために人間があるかのように錯覚《さっかく》し、偏狭《へんきょう》な考《かんが》えに陥《おちい》ることを心配《しんぱい》していた。柔軟《じゅうなん》にして、大海《たいかい》のような広《ひろ》い心をもってこそ、まことの仏法者《ぶっぽうしゃ》であるからだ。

彼《かれ》は、学生部《がくせいぶ》という若木《わかぎ》を、おおらかに、すくすくと育《そだ》てたかった。

北《きた》の大地《だいち》は、新緑《しんりょく》に彩《いろど》られていた。

札幌《さっぽろ》の街路《がいろ》には、花《はな》を散《ち》らしたライラックの青葉《あおば》が風《かぜ》にそよぎ、夏《なつ》の間近《まぢか》いことを感《かん》じさせた。

六月二十五日、山本伸一《やまもとしんいち》は、札幌市《し》の中島《なかじま》スポーツセンターで開催《かいさい》された、北海道《ほっかいどう》の青年《せいねん》部総会《ぶそうかい》に出席《しゅっせき》した。午前《ごぜん》が女子部《じょしぶ》総会、午後《ごご》からは男子部《だんしぶ》総会となっていた。

会場《かいじょう》に到着《とうちゃく》すると、女子部のはつらつとした笑顔《えがお》が伸一を出迎《でむか》えてくれた。

しかし、彼の視線《しせん》をとらえたのは、その中心者《ちゅうしんしゃ》である北海道女子部の部長《ぶちょう》・嵐山春子《あらしやまはるこ》のやつれた姿《すがた》であった。彼は控室《ひかえしつ》に入《はい》ると、嵐山に尋《たず》ねた。

「体《からだ》は大丈夫《だいじょうぶ》かい」

「はい、大丈夫です。ご心配《しんぱい》をおかけして申《もう》し訳《わけ》ございません」

彼女《かのじょ》は、胸《むね》を張《は》り、笑顔で答《こた》えたが、相当《そうとう》、体力《たいりょく》が落《お》ちているようであった。

嵐山は胸を病《や》んでいた。

「今日《きょう》の総会《そうかい》で、あなたは何を話《はな》すようになっているの？」

「経過《けいか》報告《ほうこく》をするようになっています」

「そうか……。無理《むり》をしないで、今日は代《か》わりに、副部長《ふくぶちょう》に話《はなし》をしてもらいなさい」

嵐山《あらしやま》は、残念《ざんねん》そうな顔《かお》をしたが、伸一《しんいち》は隣《となり》にいた、北海道女子部《ほっかいどうじょしぶ》の副部長である漆原芳子《うるしばらよしこ》に言った。

「急《きゅう》で申《もう》し訳《わけ》ないが、今日は、あなたが代わりにやってください」

それから、諭《さと》すように嵐山に語《かた》った。

「あなたは、少《すこ》しでも休《やす》むようにしなさい。今は、ともかく元気《げんき》になることを考《かんが》えるんだ。北海道のためにも、後輩《こうはい》のためにも、健康《けんこう》になって、生きて生きて、生き抜いてほしい。それが私の願《ねが》いです」

彼女《かのじょ》は黙《だま》って頷《うなず》いた。その目に涙《なみだ》が光《ひか》った。

伸一が、嵐山春子《はるこ》と最初《さいしょ》に会ったのは、一九五五年（昭和《しょうわ》三十年）三月の*小樽問答《おたるもんどう》の折《おり》であった。法論《ほうろん》が大勝利《だいしょうり》に終《お》わった翌日《よくじつ》、彼女は伸一たちの宿舎《しゅくしゃ》に訪《たず》ねて来た。

嵐山は、清楚《せいそ》ななかに、芯《しん》の強《つよ》さを秘《ひ》めた女性《じょせい》であった。すずやかな瞳《ひとみ》には求道《きゅうどう》の輝《かがや》きがあり、その小柄《こがら》な体《からだ》は、闘志《とうし》でゴムマリのように弾《はず》んでいた。

彼女《かのじょ》は、一男三女《いちなんさんじょ》の長女《ちょうじょ》であった。嵐山《あらしやま》が小学生《しょうがくせい》の時に、父親《ちちおや》は戦死《せんし》していた。以来《いらい》、母《はは》親《おや》の手で子供《こども》たちは育《そだ》てられた。そのなかで、彼女は、子供のころから働《はたら》きながら、小《しょう》・中《ちゅう》学校《がっこう》に通《かよ》い、高校《こうこう》を卒業《そつぎょう》している。

当時《とうじ》、彼女は、入会《にゅうかい》して一年に満《み》たなかったが、銀行《ぎんこう》に勤《つと》めながら、留萌《るもい》の女子部《じょしぶ》の中心《ちゅうしん》として活躍《かつやく》していた。

小樽《おたる》での初《はじ》めての語《かた》らいの折《おり》、山本伸一《やまもとしんいち》は、嵐山春子《はるこ》に言った。

「あなたの活躍は、皆《みな》から話《はなし》を聞いて、よく知っています。私も全力《ぜんりょく》で応援《おうえん》します。尊《とうと》い青春《せいしゅん》を、法《ほう》のため、友《とも》のため、自身《じしん》のために、力《ちから》の限《かぎ》り生き抜き、ともに、社会《しゃかい》に幸福《こうふく》の花園《はなぞの》を築《きず》いていきましょう」

「はい！　頑張《がんば》ります」

彼女は、澄《す》んだ声《こえ》で、元気《げんき》に答《こた》えた。その目には、決意《けつい》の炎《ほのお》が燃《も》えていた。

嵐山は、この日から、それまでにも増《ま》して、北海《ほっかい》の原野《げんや》を駆《か》け巡《めぐ》った。汽車《きしゃ》に揺《ゆ》られ、雪《ゆき》を掻《か》き分けて歩《ある》き、羽幌《はぼろ》へ、増毛《ましけ》へと、友のために足《あし》を運《はこ》んだ。猛《たけ》り狂《くる》う吹雪《ふぶき》も、雪を舞《ま》い上げる、身を切るような北風《きたかぜ》も、彼女はものともしなかった。ただ広《こう》布《ふ》、ただ、ただ広布に青春をかけた。

嵐山《あらしやま》には、人への温《あたた》かな思《おも》いやりがあった。彼女《かのじょ》の勤《つと》める銀行《ぎんこう》の近《ちか》くにある病院《びょういん》に、喘息《ぜんそく》で入院《にゅういん》しているお年寄《としよ》りがいた。家族《かぞく》が見舞《みま》いに来ることも、ほとんどない人であった。

彼女は、その人と知り合いになると、毎日《まいにち》、病院を訪《たず》ね、励《はげ》ましの言葉《ことば》をかけた。そして、病室《びょうしつ》に花《はな》を飾《かざ》り、チーズやバターなど、栄養価《えいようか》の高い食《た》べ物《もの》を、そっと枕元《まくらもと》に置《お》いて帰《かえ》って来るのである。

ある日、お年寄りは、彼女の手を強《つよ》く握《にぎ》り締《し》め、涙《なみだ》で目を濡《ぬ》らして言った。

「人様《ひとさま》に、こんなに親切《しんせつ》にしてもらったことはなかった……」

その嵐山の体《からだ》も、以前《いぜん》から、結核《けっかく》に侵《おか》されていたのである。咳込《せきこ》み、痰《たん》に苦《くる》しみ、微熱《びねつ》にさいなまれながらの毎日であった。

しかし、彼女は、人と接《せっ》する時には、そんなことは少《すこ》しも感《かん》じさせなかった。いつも、笑《え》顔《がお》で友《とも》を包《つつ》み、一生懸命《いっしょうけんめい》に仏法《ぶっぽう》を語《かた》り、温かく励ましていったのである。

やがて、彼女の広布《こうふ》の活動《かつどう》の舞台《ぶたい》は札幌《さっぽろ》に移《うつ》る。

一九五六年（昭和《しょうわ》三十一年）の八月、北海道《ほっかいどう》に、札幌、函館《はこだて》、旭川《あさひかわ》、小樽《おたる》の四支部《しぶ》が結成《けっせい》された。嵐山はこの時、札幌支部の女子部《じょしぶ》の中心者《ちゅうしんしゃ》になった。二十一歳の若《わか》きリーダーの誕生《たんじょう》である。

このころ、彼女《かのじょ》は、母親《ははおや》が始《はじ》めた札幌《さっぽろ》の飲食店《いんしょくてん》を手伝《てつだ》っていた。仕事《しごと》と学会活動《がっかいかつどう》の問題《もんだい》では、相当《そうとう》、悩《なや》んでいたが、時間をやりくりしては活動に飛《と》び出し、北《きた》の大地《だいち》に広布《こうふ》の春風《はるかぜ》を巻《ま》き起《お》こしていった。

活動を終《お》えて、疲《つか》れきった体《からだ》に鞭打《むちう》つように、唱題《しょうだい》に励《はげ》み、毎日《まいにち》のように、同志《どうし》に激励《げきれい》の手紙《てがみ》を書《か》いた。

皆《みな》、彼女を姉《あね》のように慕《した》い、札幌の女子部《じょしぶ》は飛躍的《ひやくてき》に発展《はってん》した。

山本伸一《やまもとしんいち》は、折々《おりおり》に、嵐山春子《あらしやまはるこ》に、励ましの便《たよ》りを送《おく》った。彼女は、決《けっ》して、それを無《む》にせず、一つ一つの活動に、必《かなら》ず勝利《しょうり》の旗《はた》を打ち立てていった。

一九五六年（昭和三十一年《しょうわ》）十二月の第四回女子部総会《そうかい》で、嵐山は、代表《だいひょう》として、北海道《ほっかいどう》女子部の活動報告《ほうこく》をした。雪深《ゆきぶか》い北の大地での、乙女《おとめ》たちの活躍《かつやく》は、参加者《さんかしゃ》に大きな感動《かんどう》と衝撃《しょうげき》をもたらし、その波動《はどう》は、全国《ぜんこく》に広《ひろ》がったのである。

伸一が北海道に行くと、嵐山は体当《たいあ》たりするように指導《しどう》を求《もと》めた。しかも、自分《じぶん》だけでなく、次々《つぎつぎ》と、新《あたら》しい人材《じんざい》を伸一に引き合わせた。

皆の成長《せいちょう》のために、自分は何をすべきかを、彼女は、いつも考え、行動《こうどう》していた。それが《かんが》リーダーの姿勢《しせい》である。

五七年（昭和《しょうわ》三十二年）に北海道《ほっかいどう》の夕張《ゆうばり》で炭労問題《たんろうもんだい》が起《お》こると、彼女《かのじょ》は、同志《どうし》への炭労の理《り》不尽《ふじん》な仕打《しう》ちを許《ゆる》すまいと、決然《けつぜん》と立ち上がった。額《ひたい》に汗《あせ》を滲《にじ》ませ、友《とも》の家々《いえいえ》を駆《か》け巡《めぐ》った。友のために、力《ちから》の限《かぎ》り戦《たたか》おうとする健気《けなげ》な彼女の姿《すがた》は、さながら、*ジャンヌ・ダルクを思《おも》わせた。

その直後《ちょくご》に、大阪事件《おおさかじけん》が起こった。

嵐山《あらしやま》は、怒《いか》りと悔《くや》しさに打ち震《ふる》えながら、同志に言った。

「不幸《ふこう》な民衆《みんしゅう》の味方《みかた》となって、幸《しあわ》せを祈《いの》り、わが身を削《けず》ってきた山本室長《やまもとしっちょう》が、なぜ、逮捕《たいほ》されなければならないの！　学会《がっかい》を、そして、室長を苛《いじ》める国家権力《こっかけんりょく》が、私は憎《にく》い！」

彼女は祈った。

〝御本尊様《ごほんぞんさま》！　正義《せいぎ》のために立った山本室長が、無実《むじつ》の罪《つみ》で投獄《とうごく》されております。代《か》われるものなら、私は牢《ろう》にも入《はい》ります。しかし、今の私には、室長の健康《けんこう》と無事《ぶじ》を祈ることしかできません。どうか、室長が一日《いちにち》も早《はや》く牢から出られますように……〟

来る日も、来る日も、涙《なみだ》ながらの唱題《しょうだい》が続《つづ》いた。

そのなかで、室長の正義を、学会の正義を証明《しょうめい》するには、広宣流布《こうせんるふ》を進《すす》め、民衆の勝利《しょうり》の旗《はた》を翻《ひるがえ》すことだと、彼女は深《ふか》く思った。

〝私は戦《たたか》う！　断《だん》じて、すべての戦いに勝とう。勝利《しょうり》なくして、正義《せいぎ》の証明《しょうめい》はないのだもの……〟

烈風《れっぷう》に燃《も》え立つ炎《ほのお》のように、彼女《かのじょ》の闘魂《とうこん》は激《はげ》しく燃え上がった。彼女は、その思《おも》いを手紙《てがみ》に綴《つづ》り、伸一《しんいち》に出した。

伸一が出獄《しゅつごく》して、最初《さいしょ》に手にしたのは、烈々《れつれつ》たる意気《いき》と、健気《けなげ》な決意《けつい》が文面《ぶんめん》に滲《にじ》む、その嵐山《あらしやま》からの誓《ちか》いの手紙であった。

第二代会長《かいちょう》戸田城聖《とだじょうせい》が逝去《せいきょ》し、その一カ月後《ご》の五月三日の本部《ほんぶ》総会《そうかい》で、山本《やまもと》伸一が「七つの鐘《かね》」の未来構想《みらいこうそう》を発表《はっぴょう》した時も、嵐山春子《はるこ》は決然《けつぜん》と立ち上がった。

彼女は、同志《どうし》に語《かた》った。

「山本室長《しっちょう》は、戸田先生《せんせい》の弟子《でし》として、いよいよ立たれた。今は、ただ悲《かな》しんでいる時ではないわ。私たちも頑張《がんば》りましょう」

伸一は、この本部総会の翌日《よくじつ》、ともに新出発《しんしゅっぱつ》を誓う彼女に、色紙《しきし》に励《はげ》ましの言葉《ことば》を認《したた》めて贈《おく》っている。

明日《あす》を生きぬき

世紀《せいき》を築《きず》く
北海《ほっかい》の白蓮華《びゃくれんげ》と咲《さ》きゆけ

彼女《かのじょ》は、その言葉《ことば》を胸《むね》に刻《きざ》み、六月の二十二日に予定《よてい》されていた、第一回北海道女子部《ほっかいどうじょしぶ》総《そう》会《かい》の大成功《だいせいこう》をめざして、全力《ぜんりょく》で取り組《く》んでいった。

「北海道女子部は、今こそ立ち上がりましょう！」

嵐山《あらしやま》の叫《さけ》びは、北《きた》の大地《だいち》にこだました。

彼女は、なんと、この総会までに、北海道女子部が掲《かか》げた一年間の布教《ふきょう》の目標《もくひょう》を達成《たっせい》することを決意《けつい》したのである。また、総会をめざして鼓笛隊《こてきたい》の結成《けっせい》を提案《ていあん》し、自《みずか》ら責任《せきにん》をもって、その育成《いくせい》にあたった。そして、総会当日《とうじつ》には、部員《ぶいん》三千五百人を達成し、鼓笛隊の見事《みごと》な演奏《えんそう》をもって、伸一《しんいち》を迎《むか》えた。

気分《きぶん》の高揚《こうよう》から、その場限《ばかぎ》りの決意を語《かた》る人もいる。しかし、それは空《むな》しい言葉の遊《あそ》びにすぎない。

嵐山の言葉には、決定《けつじょう》した誓《ちか》いの一念《いちねん》があった。そして、すべてに実証《じっしょう》をもって応《こた》えた。

そこにこそ、人間《にんげん》の真実《しんじつ》がある。

しかし、このころから、彼女《かのじょ》の病状《びょうじょう》は悪化《あっか》の一途《いっと》をたどり、体《からだ》のやつれが目立つようになっていった。後《のち》にわかったことであるが、既《すで》に、安静《あんせい》を要《よう》する容体《ようだい》であったようだ。しかし、彼女も、それを決《けっ》して口《くち》にしなかった。

微熱《びねつ》が続《つづ》き、朝《あさ》、起《お》きると、布団《ふとん》は寝汗《ねあせ》に濡《ぬ》れていた。咳《せき》はますます激《はげ》しくなり、一束《ひとたば》のチリ紙《がみ》も、すぐになくなってしまうほど痰《たん》も出た。

伸一《しんいち》は、嵐山《あらしやま》と会うたびに、心配《しんぱい》して言った。

「会合《かいごう》に出席《しゅっせき》しなくてもよいから、休《やす》むようにしなさい。無理《むり》をせず、体をいたわることです」

それでも、彼女は女子部員《じょしぶいん》に頼《たの》まれれば、どこまでも出向いていった。

みんなのための幹部《かんぶ》である——こう決めていた彼女は、自分《じぶん》を待《ま》っている友《とも》がいると思《おも》うと、じっとしてはいられなかった。

零下《れいか》十数度の旭川《あさひかわ》へ、あるいは釧路《くしろ》へ、函館《はこだて》へ、肩《かた》で息《いき》をしながら、激励《げきれい》に歩《ある》いた。

伸一は、嵐山の様子《ようす》を耳《みみ》にするたびに、心《こころ》を痛《いた》めた。

〝彼女を休ませなければ大変《たいへん》なことになる〟

彼《かれ》は、北海道《ほっかいどう》に行《い》った折《おり》、嵐山《あらしやま》に語《かた》った。

「あなたは、しばらくの間《あいだ》、活動《かつどう》はやめて、ゆっくり療養《りょうよう》しなさい。病魔《びょうま》と闘《たたか》うということを、甘《あま》く考《かん》がえてはいけない。仏法《ぶっぽう》は道理《どうり》なんです」

すると、嵐山は、哀願《あいがん》するように言った。

「活動させてください。お願《ねが》いいたします……」

彼女《かのじょ》は不惜身命《ふしゃくしんみょう》の心《こころ》で、広布《こうふ》にいっさいを捧《ささ》げるつもりでいたのである。

「いけません。それは、あなたのわがままです！」

厳《きび》しい口調《くちょう》であった。

伸一《しんいち》は、嵐山の健気《けなげ》な心を、十二分《じゅうにぶん》に知り尽《つ》くしていた。彼も、同じ病《やまい》に苦《くる》しみ、同じ思《おも》いで、青春時代《せいしゅんじだい》を過《す》ごしてきたのだ。彼は、嵐山を、絶対《ぜったい》に死《し》なせたくはなかった。

それから伸一は、穏《おだ》やかな声《こえ》で、諭《さと》すように語っていった。

「あなたの気持《きも》ちは、私が、よく知っています。しかし、あなたは、ご家族《かぞく》にとっても、学会《がっかい》にとっても、かけがえのない大切《たいせつ》な人なのだから、断《だん》じて健康《けんこう》にならなければいけない。生きて、生きて、生き抜くんです。

そのための休養《きゅうよう》であり、新《あたら》しい未来《みらい》への出発《しゅっぱつ》のために休《やす》むんです。それは、決《けっ》して後退《こうたい》ではない……」

伸一《しんいち》を見つめる嵐山《あらしやま》の目に、大粒《おおつぶ》の涙《なみだ》があふれた。

「はい。わかりました」

伸一にとっても、辛《つら》い指導《しどう》であった。

一九五九年（昭和《しょうわ》三十四年）十一月の第七回女子《じょし》部《ぶ》総会《そうかい》で、嵐山は役職《やくしょく》から外《はず》れた。

その直前《ちょくぜん》、伸一は、彼女《かのじょ》に励《はげ》ましの手紙《てがみ》を送《おく》った。

「……広宣流布《こうせんるふ》の旅《たび》は、遠《とお》く、長《なが》い長い道程《どうてい》です。急《いそ》ぐ必要《ひつよう》はありません。若《わか》いあなた方《がた》は、これからの学会《がっかい》を、社会《しゃかい》を、日本を担《にな》っていく人たちです。それゆえに、今こそ、自分《じぶん》の体《からだ》を根本的《こんぽんてき》に立て直《なお》す時です。無理《むり》をして、病《やまい》を重《おも》くするより、堂々《どうどう》と闘病生活《とうびょうせいかつ》に入《はい》り、また、一つ立派《りっぱ》な体験《たいけん》をつくることです。戸田先生《とだせんせい》の子供《こども》として、法戦《ほうせん》を成《な》し遂《と》げるために、病魔《びょうま》と死魔《しま》とを打ち破《やぶ》り、元気《げんき》な生命《せいめい》になられんことを祈《いの》ってやみません」

伸一は、彼女が健康《けんこう》を回復《かいふく》し、再《ふたた》び、元気に組織《そしき》の第一線《だいいっせん》に復帰《ふっき》することを真剣《しんけん》に念《ねん》じて、題目《だいもく》を送り続《つづ》けた。

休養《きゅうよう》は、嵐山に新《あら》たな活力《かつりょく》をもたらした。彼女は、次第《しだい》に、健康を回復していった。

山本《やまもと》伸一が第三代会長《かいちょう》に就任《しゅうにん》すると、嵐山春子《はるこ》の祈りに一段《いちだん》と力《ちから》がこもった。彼女は、自《じ》分《ぶん》も一日《いちにち》も早《はや》く、病《やまい》を克服《こくふく》し、広布《こうふ》の庭《にわ》を駆《か》け巡《めぐ》りたいとの思《おも》いでいっぱいであった。

その願《ねが》いが通《つう》じたのか、この年の秋《あき》には、彼女《かのじょ》は組織《そしき》の第一線《だいいっせん》に復帰《ふっき》することができた。

そして、十一月の第八回女子部《じょしぶ》総会《そうかい》で、晴《は》れて北海道《ほっかいどう》女子部の部長《ぶちょう》に就任《しゅうにん》したのである。

彼女の北海道女子部の未来構想《みらいこうそう》は、大きく広《ひろ》がっていった。

嵐山《あらしやま》の家《いえ》で、副部長《ふくぶちょう》の漆原芳子《うるしばらよしこ》とともに、北海道の地図《ちず》を広げて、夜《よる》を徹《てっ》して構想を語《かた》り合ったこともあった。マッチの軸《じく》を使《つか》って、小《ちい》さな日の丸《まる》の旗《はた》を幾《いく》つも作《つく》り、「ここにも、女子部の組織を作りましょう」と言いながら、地図の上に旗を立てた。旗は瞬《また》く間《ま》に、四十本《ぽん》、五十本と立っていった。

嵐山は、瞳《ひとみ》を輝《かがや》かせて言った。

「必《かなら》ず、力《ちから》を合わせて、この構想を実現《じつげん》しましょうね。山本先生《やまもとせんせい》が期待《きたい》を寄《よ》せてくださる私たち北海道女子部が、全国《ぜんこく》に模範《もはん》を示《しめ》さなければ……」

嵐山は燃《も》えた。若駒《わかごま》のように北国《きたぐに》の山河《さんが》を走《はし》った。

そして、活動《かつどう》の最大《さいだい》の焦点《しょうてん》として、力を注《そそ》いできたのが、この一九六一年（昭和《しょうわ》三十六年）六月二十五日の、第二回となる北海道女子部総会であった。

北海道の女子部の陣容《じんよう》は急速《きゅうそく》に拡大《かくだい》し、この総会の時点《じてん》で、部員数《ぶいんすう》は約《やく》八千五百に達《たっ》した。三年前の部員数《ぶいんすう》は三千五百あまりであることを思《おも》えば、飛躍的《ひやくてき》な大発展《だいはってん》である。しかも、総会《そうかい》には、七千余《よ》の女子部員《じょしぶいん》が参加《さんか》している。なんと八割《わり》を優《ゆう》に超《こ》える同志《どうし》が、この日、一堂《いちどう》に集《つど》ったのである。

嵐山《あらしやま》の決意《けつい》通《どお》りに、北海道《ほっかいどう》女子部は、全国《ぜんこく》に見事《みごと》な模範《もはん》を示《しめ》したのであった。しかし、その嵐山の体《からだ》に、再《ふたた》び病魔《びょうま》は猛威《もうい》をふるって、襲《おそ》いかかったのである。

総会は、大成功《だいせいこう》のうちに幕《まく》を閉《と》じた。

伸一《しんいち》は、嵐山の登壇《とうだん》をやめさせたが、彼女《かのじょ》の心《こころ》の内《うち》を思うと、身を切られるように辛《つら》かった。今回《こんかい》だけは、話《はなし》をさせるべきではなかったかという、後悔《こうかい》もあった。

だが、めっきり痩《や》せ、服《ふく》もだぶつき、喘《あえ》ぐように息《いき》をしている嵐山に話をさせることなど、とてもできなかった。

女子部総会に引き続《つづ》き、午後《ごご》一時から行《おこな》われた、北海道男子部《だんしぶ》総会も、大勝利《だいしょうり》の集いとなった。

さらに、伸一は、夜《よる》には、東札幌《ひがしさっぽろ》と西《にし》札幌の二支部《しぶ》合同《ごうどう》の結成大会《けっせいたいかい》に出席《しゅっせき》し、ここでも、全力《ぜんりょく》で指導《しどう》にあたった。

伸一は、会合《かいごう》が終了《しゅうりょう》したあとも、嵐山と、彼女の今後《こんご》の問題《もんだい》について話《はな》し合いを重《かさ》ねた。

東京《とうきよう》に戻《もど》る飛行機《ひこうき》のなかでも、伸一《しんいち》は、彼女《かのじよ》のことが気になって仕方《しかた》なかった。

〝彼女は、自分《じぶん》の命《いのち》は、もう長《なが》くはないと感《かん》じているにちがいない。そして、限《かぎ》りある命を鮮《あざ》やかに燃《も》え上がらせ、この世の使命《しめい》を果《は》たそうと考《かんが》えているのであろう……〟

伸一は、胸《むね》が締《し》めつけられる思《おも》いがした。

〝生きてほしい。絶対《ぜったい》に死《し》なせてはならない……〟

しかし、この北海道《ほつかいどう》での嵐山《あらしやま》との語《かた》らいが、伸一にとって、彼女との最後《さいご》の対面《たいめん》となるのである。

六月二十七日夜《よる》、東京の台東体育館《たいとうたいいくかん》で、六月度本部《ほんぶ》幹部会《かんぶかい》が行《おこな》われた。

幹部会が始《はじ》まり、理事《りじ》の山際洋《やまぎわひろし》が登壇《とうだん》した。六月度の活動《かつどう》の成果《せいか》の発表《はつぴよう》である。皆《みな》、固唾《かたず》を飲《の》んで、耳《みみ》をそばだてた。

「六月度の本尊流布《ほんぞんるふ》は、三万七千五百五十六世帯《せたい》でございます。

五月末《まつ》の学会《がつかい》総世帯が百九十六万五千世帯でしたので、今月《こんげつ》をもちまして、二百万世帯を見事《みごと》に達成《たつせい》いたしました！

おめでとうございます。また、大変《たいへん》にありがとうございました」

大歓声《だいかんせい》があがり、会場《かいじょう》を揺《ゆ》るがさんばかりの、拍手《はくしゅ》がわき起《お》こり、しばし、鳴《な》りやまなかった。

二百万世帯《せたい》の達成《たっせい》は、この年の一年間の目標《もくひょう》であった。それをわずか半年《はんとし》で達成してしまったのだ。ここにまた一つ、広宣流布《こうせんるふ》の未曾有《みぞう》の金字塔《きんじとう》が打ち立てられたのである。

地位《ちい》や財力《ざいりょく》、権力《けんりょく》を使《つか》っての勧誘《かんゆう》ではない。無名《むめい》の民衆《みんしゅう》が、人びとの幸福《こうふく》と平和《へいわ》を願《ねが》い、誠実《せいじつ》と情熱《じょうねつ》をもって、それぞれの立場《たちば》で仏法《ぶっぽう》を語《かた》り説《と》くという、地道《じみち》な活動《かつどう》の積《つ》み重《かさ》ねによって成就《じょうじゅ》されたものである。それは、伸一《しんいち》と心《こころ》を同じくした、同志《どうし》の発心《ほっしん》がもたらした壮《そう》挙《きょ》であった。

そして、各地《かくち》でその推進力《すいしんりょく》となったのが青年部《せいねんぶ》であった。青年部の手による布教《ふきょう》は、実《じつ》に、毎月《まいつき》の入会者《にゅうかいしゃ》の三、四割《わり》を占《し》めていた。今、新《あたら》しき広布《こうふ》の建設《けんせつ》もまた、青年が原動力《げんどうりょく》となっていくことが、証明《しょうめい》されたのである。それは、永遠《えいえん》に変わらざる、広布の方程式《ほうていしき》といえよう。

伸一は、創価《そうか》の大樹《たいじゅ》に、青年という瑞々《みずみず》しい青葉《あおば》が茂《しげ》り、初夏《しょか》の風《かぜ》にそよぐのを感《かん》じた。青葉が、灼熱《しゃくねつ》の太陽《たいよう》や雨《あめ》から人びとを守《まも》り、安《やす》らぎをもたらすように、創価の青年たちもまた、民衆を守る壮大《そうだい》な屋根《やね》となっていった。

この本部《ほんぶ》幹部《かんぶ》会《かい》では、下半期《しもはんき》の活動《かつどう》の大綱《たいこう》が発表《はっぴょう》された。それによると、下半期は、最前線《さいぜんせん》の組織《そしき》である組単位《くみたんい》の座談会《ざだんかい》の充実《じゅうじつ》を、活動の基本《きほん》として、進《すす》んでいくことになった。

そして、下半期に各方面《かくほうめん》ごとに開催《かいさい》が予定《よてい》されていた、青年部《せいねんぶ》の体育大会《たいいくたいかい》は中止《ちゅうし》とし、青年部が率先《そっせん》して、この座談会に取り組《く》むことが打ち出された。

組座談会の充実は、二百万世帯《せたい》の達成《たっせい》が目前《もくぜん》に迫《せま》ったころから、伸一《しんいち》が強調《きょうちょう》してきたことであった。

布教《ふきょう》の目的《もくてき》は、ただ会員《かいいん》を増《ふ》やすことにあるのではない。皆《みな》が幸福《こうふく》になっていくことにある。そのためには、拡大《かくだい》がなされれば、なされるほど、会員一人《ひとり》ひとりに光《ひかり》を当《あ》て、皆が仏法《ぶっぽう》への理解《りかい》を深《ふか》め、喜《よろこ》び勇《いさ》んで信心《しんじん》に励《はげ》めるように、きめ細《こま》かな指導《しどう》と激励《げきれい》を重《かさ》ねていくことが大切《たいせつ》になる。

その人間《にんげん》の交流《こうりゅう》の場《ば》となるのが座談会であり、なかでも、組織の最小単位《さいしょうたんい》である組で行《おこな》う座談会は、忌憚《きたん》のない人間の語《かた》らいのオアシスとなる。

当時《とうじ》の組は、平均《へいきん》十数世帯で構成《こうせい》されており、いわば、一人ひとりとの膝詰《ひざづ》めの語らいが可能《かのう》な、組織の単位といえた。そこには、小人数《こにんずう》であるだけに、質問《しつもん》があれば気兼《きが》ねなく尋《たず》ねることのできる雰囲気《ふんいき》もある。また、小回《こまわ》りも利《き》き、形式《けいしき》にとらわれることなく、新入会《しんにゅうかい》の友《とも》に合わせながら、話《はなし》を進《すす》めることもできる。

そして、そこに歓喜《かんき》の輪《わ》が広《ひろ》がり、信仰《しんこう》への強《つよ》い確信《かくしん》がみなぎっていく時、たくましい〝草《くさ》の根《ね》〟のような、強固《きょうこ》な創価《そうか》の基盤《きばん》がつくられていく。

この組座談会《くみざだんかい》を成功《せいこう》させるには、中心《ちゅうしん》となる幹部《かんぶ》はもとより、核《かく》となって、皆《みな》を触発《しょくはつ》することのできる同志《どうし》の存在《そんざい》が大切《たいせつ》になる。男女青年部《だんじょせいねんぶ》が、組座談会に本格的《ほんかくてき》に取り組《く》むことになった最大《さいだい》の理由《りゆう》も、そこにある。

伸一《しんいち》は、このところ、急速《きゅうそく》に力《ちから》を増《ま》してきた青年たちの座談会での活躍《かつやく》に、限《かぎ》りない期待《きたい》を寄《よ》せていた。彼《かれ》らの手で、脈動《みゃくどう》する広宣流布《こうせんるふ》の息吹《いぶき》を、第一線組織《だいいっせんそしき》の隅々《すみずみ》にまで送《おく》ってほしかったのである。

はつらつとした若人《わこうど》の姿《すがた》には希望《きぼう》があり、その一途《いちず》な情熱《じょうねつ》の言葉《ことば》は、人びとの勇気《ゆうき》を呼《よ》び覚《さ》ます。

青年が、青年部のなかだけでしか力を発揮《はっき》できないならば、本当《ほんとう》の時代建設《じだいけんせつ》の原動力《げんどうりょく》とはなりえない。青年部での薫陶《くんとう》は、世代《せだい》を超《こ》えて、各部《かくぶ》のメンバーを牽引《けんいん》していく力となってこそ意味《いみ》をもつ。青年は、人びとを希望の未来《みらい》へと導《みちび》く、先駆《さきが》けの光《ひかり》である。

本部幹部会《ほんぶかんぶかい》は、最後《さいご》に山本伸一《やまもとしんいち》の話《はなし》となった。

彼《かれ》は、参加者《さんかしゃ》に向かって深《ふか》く礼《れい》をすると、力強《ちからづよ》く語《かた》り始《はじ》めた。

「本年《ほんねん》の目標《もくひょう》である二百万世帯《せたい》が、悠々《ゆうゆう》と半年間《はんとしかん》で突破《とっぱ》できましたことを、まず、皆様方《みなさまがた》と一緒《いっしょ》に喜《よろこ》び合いたいと思《おも》います。大変《たいへん》にご苦労様《くろうさま》でございました」

参加者は、大拍手《だいはくしゅ》をもって、ともどもに二百万世帯達成《たっせい》の快挙《かいきょ》を祝《いわ》った。

「しかし、私は御礼申《おんれいもう》し上げることはできても、皆様に何も差《さ》し上げるものは、ございません。どうか、御本尊様《ごほんぞんさま》から、それぞれ、たくさんの大功徳《だいくどく》を頂戴《ちょうだい》していただきたいと思います」

朗《ほが》らかな笑《わら》いが、会場《かいじょう》に広《ひろ》がった。参加者の誰《だれ》もが、戦《たたか》い抜いた歓喜《かんき》を実感《じっかん》していた。

伸一は、話を続《つづ》けた。

「学会《がっかい》が大きくなれば、なかには、うまく学会を利用《りよう》しようという、悪《わる》い考《かんが》えをもって、入会《にゅうかい》する人も出てくるかもしれません。しかし、どこまでも創価《そうか》学会は、信心《しんじん》を根本《こんぽん》に、純《じゅん》粋《すい》に、日蓮大聖人《にちれんだいしょうにん》の御精神《ごせいしん》を精神として進《すす》んでいく団体《だんたい》であります。断《だん》じて、そうした行為《こうい》を許《ゆる》してはならないし、攪乱《かくらん》されてはならない。

したがって、幹部の皆様は、もし、学会を利用しようという不純《ふじゅん》な動《うご》きがあったならば、毅《き》然《ぜん》たる態度《たいど》で信心指導《しんじんしどう》に臨《のぞ》むとともに、全同志《ぜんどうし》に、清純《せいじゅん》なる信仰《しんこう》を伝《つた》え抜いていただきたいのであります。仮《かり》に、それによって、二百万世帯《せたい》の同志が、百万になったとしても、清《きよ》き信心によって結《むす》ばれた同志の団結《だんけつ》は、十倍《ばい》、二十倍の発展《はってん》をもたらす力《ちから》となります。私どもは、学会《がっかい》の、この清らかな信仰の純粋性《じゅんすいせい》を、永遠《えいえん》に守《まも》り抜いてまいろうではありませんか。

では、また、七月度の本部幹部会《ほんぶかんぶかい》に、元気《げんき》はつらつとした姿《すがた》で、集《つど》い合いましょう」

二百万世帯の峰《みね》を越《こ》えた学会は、勇躍《ゆうやく》、三百万世帯達成《たっせい》の新《あら》たな峰へ、前進《ぜんしん》を開始《かいし》したのである。

首脳《しゅのう》幹部の多くは、二百万世帯達成の喜《よろこ》びに酔《よ》っていた。しかし、伸一《しんいち》は、拡大《かくだい》にともなう、あらゆる問題点《もんだいてん》を、ただ一人《ひとり》、冷静《れいせい》に見すえていた。会長《かいちょう》である彼《かれ》の双肩《そうけん》にかかる社会《しゃかい》的《てき》な責任《せきにん》も、ますます重《おも》さを増《ま》しつつあった。

広宣流布《こうせんるふ》の道《みち》は、間断《かんだん》なき闘争《とうそう》である。巧妙《こうみょう》な弾圧《だんあつ》の策謀《さくぼう》も、攪乱《かくらん》もあるにちがいない。その道を踏破《とうは》できるのは、怒濤《どとう》も、嵐《あらし》も恐《おそ》れぬ真正《しんせい》の勇者《ゆうしゃ》である。

伸一は、この二百万世帯の同志を、一人も落《お》とすことなく、いかに幸福《こうふく》の彼岸《ひがん》に運《はこ》ぶかを考《かんが》えると、強《つよ》い緊張《きんちょう》を覚《おぼ》えるのであった。

立正安国《りっしょうあんこく》

梅雨《つゆ》は、まだ明《あ》けそうになかった。

総本山《そうほんざん》の参道《さんどう》には、深《ふか》い霧《きり》が立ち込《こ》めていた。

一九六一年（昭和《しょうわ》三十六年）七月三日、山本伸一《やまもとしんいち》は総本山にやって来た。戸田城聖《とだじょうせい》の墓参《ぼさん》のためである。

翌《よく》四日の朝《あさ》、戸田の墓前《ぼぜん》に立った伸一は、深い祈《いの》りを込めて題目《だいもく》を三唱《さんしょう》すると、しばらく墓石《ぼせき》に向かっていた。

それは、何かを語《かた》りかけているようでもあった。

十六年前にあたる終戦直前《しゅうせんちょくぜん》の四五年（昭和二十年）七月三日、戸田は恩師《おんし》牧口常三郎《まきぐちつねさぶろう》の広布《こうふ》への遺志《いし》を受け継《つ》ぎ、生きて獄門《ごくもん》を出た。

軍部《ぐんぶ》政府《せいふ》の弾圧《だんあつ》による、戦時下《せんじか》での二年間の獄中生活《ごくちゅうせいかつ》は、戸田の体《からだ》を、いたく、さいなんだ。彼《かれ》の体《からだ》は、やせ細《ほそ》り、地を踏《ふ》む足元《あしもと》もおぼつかなかった。

しかし、肋骨《ろっこつ》の浮《う》き出た彼の胸《むね》には、広宣流布《こうせんるふ》への激《はげ》しい闘志《とうし》が、炎《ほのお》のごとく燃《も》え上がっていた。それは敬愛《けいあい》する師匠《ししょう》を殺《ころ》し、民衆《みんしゅう》に塗炭《とたん》の苦《くる》しみを味《あじ》わわせた権力《けんりょく》の魔性《ましょう》への、怒《いか》りの火でもあった。

あの弾圧《だんあつ》によって、同志《どうし》のほとんどが退転《たいてん》し、頼《たよ》りとすべき人物《じんぶつ》は誰《だれ》もいなかった。戸田《とだ》は、広宣流布の命脈《めいみゃく》は、自分《じぶん》の双肩《そうけん》にかかっていることを自覚《じかく》していた。

戸田は、ただ一人《ひとり》、法旗《ほうき》を掲《かか》げて立つことを決意《けつい》した。そして、この日から、地下水《ちかすい》が泉《いずみ》となって地表《ちひょう》にあふれ出すように、広宣流布の法水《ほっすい》が、敗戦《はいせん》の焼《や》け野原《のはら》を潤《うるお》していった。

七月三日――それは、学会《がっかい》の新生《しんせい》の日であり、広宣流布の獅子王《ししおう》が、軍部政府《ぐんぶせいふ》という権力の鉄鎖《てつさ》から、野に放《はな》たれた日である。

伸一《しんいち》は、広宣流布とは、権力の魔性との戦《たたか》いであることを痛感《つうかん》していた。人間《にんげん》の尊厳《そんげん》を脅《おびや》かす、権力や武力《ぶりょく》などの外的《がいてき》な力《ちから》に対《たい》して、内《うち》なる精神《せいしん》の力をもって、人間性の勝利《しょうり》を打ち立てていくことが、仏法者《ぶっぽうしゃ》の使命《しめい》であるからだ。

牧口《まきぐち》、戸田の逮捕《たいほ》は、天照大神《てんしょうだいじん》の神札《かみふだ》を祭《まつ》らぬということが、直接《ちょくせつ》の契機《けいき》であった。だが、それは一つの象徴的《しょうちょうてき》な事例《じれい》にすぎない。

より本質的《ほんしつてき》には、国家神道《こっかしんとう》を精神《せいしん》の支柱《しちゅう》として民衆《みんしゅう》を隷属《れいぞく》させ、戦争《せんそう》を遂行《すいこう》する軍部政府《ぐんぶせいふ》にとって、万人《ばんにん》の尊厳《そんげん》と自由《じゆう》と平等《びょうどう》を説《と》く仏法《ぶっぽう》を流布《るふ》する団体《だんたい》を、放置《ほうち》しておくことができなかったからにちがいない。

時代《じだい》は移《うつ》り、戦後《せんご》、日本は民主主義《みんしゅしゅぎ》国家となったものの、民衆を隷属させようとする魔性《ましょう》の力《ちから》の本質《ほんしつ》は、依然《いぜん》として変わっていないと、伸一《しんいち》は思《おも》った。

伸一が、それを身をもって感《かん》じたのが、あの大阪事件《おおさかじけん》であった。奇《く》しくも、その逮捕《たいほ》の日も、一九五七年（昭和《しょうわ》三十二年）の七月三日であった。

彼《かれ》は、大阪地検《ちけん》の取り調《しら》べを思うと、激《はげ》しい怒《いか》りに震《ふる》えた。

無実《むじつ》であるにもかかわらず、罪《つみ》を認《みと》めなければ、戸田城聖《とだじょうせい》を逮捕するなどの、脅迫《きょうはく》とも言うべき検事《けんじ》の言動《げんどう》には、なんとしても学会《がっかい》を陥《おとしい》れようとする、邪悪《じゃあく》な意図《いと》があることは明《あき》らかであった。

新《あら》たな民衆勢力《せいりょく》の台頭《たいとう》を恐《おそ》れてのことであろう。

学会によって、民衆が社会《しゃかい》の主役《しゅやく》であることに目覚《めざ》め、現実《げんじつ》の政治《せいじ》を動《うご》かす力になりつつあったことは、国家権力《けんりょく》にとって大きな脅威《きょうい》であったにちがいない。

古来《こらい》、仏教《ぶっきょう》をはじめ、日本の宗教《しゅうきょう》は、国家権力に取り込《こ》まれ、むしろ、積極的《せっきょくてき》に与《くみ》することによって、擁護《ようご》されてきた。

福沢諭吉《ふくざわゆきち》は『文明論之概略《ぶんめいろんのがいりやく》』のなかで、次《つぎ》のように述《の》べている。

「宗教《しゅうきょう》は人心《じんしん》の内部《ないぶ》に働《はたら》くものにて、最《もっと》も自由《じゆう》、最も独立《どくりつ》して、毫《ごう》も他《た》の制御《せいぎょ》を受けず、毫も他の力《ちから》に依頼《いらい》せずして、世に存《そん》すべきはずなるに、我《わ》が日本に於《お》ては則《すなわ》ち然《しか》らず」

そして、宗教が政治権力《せいじけんりょく》に迎合《げいごう》してきたことに触《ふ》れて、こう指摘《してき》している。

「その威力《いりょく》の源《みなもと》を尋《たず》ねれば、宗教の威力にあらず、ただ政府《せいふ》の威力を借用《しゃくよう》したるものにして、結局俗権中《けっきょくぞっけんちゅう》の一部分《いちぶぶん》たるに過《す》ぎず。仏教盛《ぶっきょうさかん》なりといえども、その教は悉皆政権《しっかいせいけん》の中《うち》に摂《せつ》取《しゅ》せられて、十方世界《じっぽうせかい》に遍《あまね》く照《て》らすものは、仏教の光明《こうみょう》にあらずして、政権の威光《いこう》なるが如《ごと》し」

仏教各派《かくは》にとっても、政権に摂取されることが、権力の弾圧《だんあつ》を回避《かいひ》し、自宗《じしゅう》の延命《えんめい》と繁栄《はんえい》を図《はか》る術《すべ》であったといえよう。

学会《がっかい》も、権力の意向《いこう》に従《したが》い、現実《げんじつ》の社会《しゃかい》の不幸《ふこう》に目をつぶり、単《たん》に来世《らいせ》の安穏《あんのん》や心《こころ》の平安《へいあん》を説《と》くだけの〝死《し》せる宗教〟であれば、何も摩擦《まさつ》は生《しょう》じなかったであろう。

しかし、それでは、民衆《みんしゅう》の幸福《こうふく》と社会の平和《へいわ》を実現《じつげん》するという、宗教の本来《ほんらい》の目的《もくてき》を果《は》たすことはできない。そして、宗教が民衆のための社会の建設《けんせつ》に突《つ》き進《すす》んでいくならば、民衆を支配《しはい》しようとする魔性《ましょう》の権力《けんりょく》の迫害《はくがい》を、覚悟《かくご》せざるをえない。

伸一《しんいち》にとって、この投獄《とうごく》は、民衆《みんしゅう》の凱歌《がいか》を勝ち取る人間主義《にんげんしゅぎ》運動《うんどう》の、生涯《しょうがい》の出発《しゅっぱつ》となったのである。

また、彼《かれ》が、決《けっ》して忘《わす》れることができないのは、弟子《でし》を思《おも》う、熱《あつ》い、熱い、師《し》の心《こころ》であった。

羽田《はねだ》の空港《くうこう》で、大阪府《おおさかふ》警《けい》に出頭《しゅっとう》するため、関西《かんさい》に向かう伸一に、戸田《とだ》はこう語《かた》った。

「……もしも、もしも、お前が死《し》ぬようなことになったら、私もすぐに駆《か》けつけて、お前の上にうつぶして一緒《いっしょ》に死ぬからな」

伸一は、羽田の空港での戸田の胸中《きょうちゅう》を思うと、感涙《かんるい》に目頭《めがしら》が潤《うる》んだ。

しかも、戸田は、伸一の勾留中《こうりゅうちゅう》、大阪地検《ちけん》に抗議《こうぎ》に来ていたのである。

戸田は、七月十二日に東京《とうきょう》の蔵前国技館《くらまえこくぎかん》で、伸一を不当逮捕《ふとうたいほ》した大阪府警並《なら》びに大阪地検を糾弾《きゅうだん》する東京大会《たいかい》を行《おこな》ったあと、やむにやまれぬ思いで、大阪にやって来た。そして、検《けん》事正《じせい》に面会《めんかい》を求《もと》めた。

当時《とうじ》、既《すで》に、戸田の体《からだ》はいたく憔悴《しょうすい》していた。同行《どうこう》した幹部《かんぶ》に支《ささ》えられ、喘《あえ》ぐように肩《かた》で息《いき》をし、よろめきながら、地検の階段《かいだん》を上がっていった。

戸田《とだ》は、可能《かのう》ならば、伸一《しんいち》に代《か》わって、自分《じぶん》が牢獄《ろうごく》に入《はい》ることも辞《じ》さない覚悟《かくご》だった。弟《で》子《し》のためには、命《いのち》を投《な》げ出すことさえ恐《おそ》れぬ師《し》であった。

彼《かれ》は検事正《けんじせい》に、強《つよ》い語調《ごちょう》で迫《せま》った。

「なぜ、無実《むじつ》の弟子を、いつまでも牢獄に閉《と》じ込《こ》めておくのか！　私の逮捕《たいほ》が狙《ねら》いなら、今すぐ、私を逮捕しなさい」

そして、伸一の一刻《いっこく》も早《はや》い釈放《しゃくほう》を求《もと》めたのである。

戸田は、地検《ちけん》から帰《かえ》る道《みち》すがら、何度《なんど》も、悔《くや》しそうに、こうつぶやいた。

「何も罪《つみ》など犯《おか》していないことは、伸一のあの人柄《ひとがら》を見れば、よくわかるじゃないか！」

伸一が、その事実《じじつ》を知ったのは、出獄後《しゅつごくご》のことであった。彼は、師の心《こころ》に泣《な》いた。また、戸田の抗議《こうぎ》は、民衆《みんしゅう》を守《まも》る指導者《しどうしゃ》の姿《すがた》を、身をもって教《おし》えてくれたようにも感《かん》じられてならなかった。

今、戸田の墓前《ぼぜん》に立つ伸一の胸《むね》には、「権力《けんりょく》の魔性《ましょう》と戦《たたか》え！　民衆を守れ！」との、師の言葉《ことば》がこだましていた。

彼は、深《ふか》い誓《ちか》いを込めて題目《だいもく》を三唱《さんしょう》した。

そして、戸田の心に応《こた》えるためにも、いよいよ山場《やまば》を迎《むか》えようとしている、大阪事件《おおさかじけん》の裁《さい》判《ばん》で、断《だん》じて、無罪《むざい》を勝ち取らなければならないと思《おも》った。

伸一《しんいち》は、この日、東京《とうきょう》に戻《もど》ると、夜《よる》には七月度の男子部幹部会《だんしぶかんぶかい》に出席《しゅっせき》した。幹部会は、未来《みらい》を開きゆく、座談会運動《ざだんかいうんどう》に取り組《く》む青年《せいねん》たちの、意欲《いよく》あふれる集《つど》いとなった。

青年部長《ぶちょう》の秋月英介《あきづきえいすけ》が、この下半期《しもはんき》は、民衆《みんしゅう》の語《かた》らいの園《その》ともいうべき小単位《しょうたんい》の座談会に全力《ぜんりょく》を注《そそ》ぎ、男子部の手で大成功《だいせいこう》させようと呼《よ》びかけると、朗《ほが》らかな拍手《はくしゅ》がわき起《お》こった。

青年たちは法旗《ほうき》を高々と掲《かか》げて、民衆のなかへ、人間《にんげん》のなかへ、本格的《ほんかくてき》な前進《ぜんしん》を開始《かいし》したのだ。

広宣流布《こうせんるふ》の主戦場《しゅせんじょう》とは、組織《そしき》の最前線《さいぜんせん》に、民衆のなかにこそある。

七月九日、方面別《ほうめんべつ》の青年部総会《そうかい》の掉尾《とうび》を飾《かざ》って、東北《とうほく》の総会が開催《かいさい》された。二日に行《おこな》われた、中国《ちゅうごく》の青年部総会（四国《しこく》も含《ふく》む）も、女子部《じょしぶ》一万二千人、男子部一万四千人が参加《さんか》して大成功を収《おさ》め、これまで、どの方面も、未曾有《みぞう》の大結集《だいけっしゅう》を成《な》し遂《と》げてきた。

それだけに、最後《さいご》の東北が、いかに有終《ゆうしゅう》の美《び》を飾るかが注目《ちゅうもく》されていた。

山本《やまもと》伸一が午前《ごぜん》九時過《す》ぎに、会場《かいじょう》の仙台市《せんだいし》レジャーセンターに到着《とうちゃく》すると、既《すで》に参加者は、場外《じょうがい》にもあふれていた。

場外《じょうがい》のメンバーには、米俵《こめだわら》の両端《りょうたん》に当《あ》てる藁製《わらせい》の丸《まる》いふたの「桟俵《さんだわら》」が配《くば》られ、皆《みな》、そこに腰《こし》を下《お》ろしていた。運営《うんえい》メンバーの配慮《はいりょ》であろうが、それにしても、「桟俵」を使《つか》うところが、いかにも農業《のうぎょう》の盛《さか》んな東北《とうほく》らしく、微笑《ほほえ》ましかった。

当初《とうしょ》、午前《ごぜん》十時から女子部《じょしぶ》総会《そうかい》が行《おこな》われる予定《よてい》であったが、伸一《しんいち》は、場外の友《とも》のことを考《かんが》え、開会《かいかい》を早《はや》めるように提案《ていあん》した。この日は晴天《せいてん》に恵《めぐ》まれ、昼《ひる》ごろには、かなり暑《あつ》くなることが予想《よそう》されたからである。

東北女子部の総会は、午前九時三十分《ぷん》に開会となった。一万二千人の大結集《だいけっしゅう》であった。

伸一は総会が終《お》わると、直《ただ》ちに場外に出た。炎天下《えんてんか》にいるメンバーのことが気がかりでならなかったのである。水銀柱《すいぎんちゅう》は三三度になっていた。

場外は、女子部だけでなく、既《すで》に、午後《ごご》の男子部《だんしぶ》総会の参加者《さんかしゃ》も詰《つ》めかけ、人で埋《う》まっていた。

彼《かれ》は、場外に設《もう》けられた壇《だん》の上に立つと、メンバーに呼《よ》びかけた。

「今日《きょう》は、暑いところ、大変《たいへん》にご苦労様《くろうさま》でございます。今、創価学会《そうかがっかい》の男女青年部員《だんじょせいねんぶいん》は、約《やく》五十万になろうとしております。もはや、日本第一の青年平和集団《へいわしゅうだん》です。この青年の力《ちから》をもって、日本に、世界《せかい》に、平和の楽土《らくど》を築《きず》いていこうではありませんか！　そこに、わが創価学会《そうかがっかい》の尊《とうと》い使命《しめい》があります……」

仲一《しんいち》は、五分《ふん》ほど話《はなし》をすると、扇子《せんす》を右手《みぎて》に掲《かか》げて言った。

「今日《きょう》は、ここで学会歌《がっかいか》の指揮《しき》をとりましょう」

鼓笛隊《こてきたい》が、「東洋広布《とうようこうふ》の歌《うた》」の調《しら》べを奏《かな》でると、彼《かれ》は、渾身《こんしん》の力《ちから》を振《ふ》り絞《しぼ》って、歌の指揮をとった。みちのくの青《あお》い大空《おおぞら》に、若人《わこうど》の歌声《うたごえ》は、高らかにこだました。

仲一の額《ひたい》には、瞬《また》く間《ま》に大粒《おおつぶ》の汗《あせ》が噴《ふ》き出た。

午後《ごご》は、東北男子《とうほくだんし》部《ぶ》総会《そうかい》である。この日、集《つど》った男子部員は一万六千人であった。実《じつ》に見事《みごと》な、方面別《ほうめんべつ》総会の掉尾《とうび》を飾《かざ》るにふさわしい大結集《だいけつしゅう》であった。

仲一は、東北男子部の健闘《けんとう》を称《たた》えつつ、「広宣流布《こうせんるふ》の総仕上《そうしあ》げは、東北健児《けんじ》の手で成《な》し遂《と》げていただきたい」と、力強《ちからづよ》く訴《うった》えた。

広宣流布の大事業《だいじぎょう》は、一朝一夕《いっちょういっせき》に出来《でき》上がるものではない。それには、大樹《たいじゅ》がしっかと大《だい》地《ち》に根を張《は》るように、粘《ねば》り強く、時をつくり、時を待《ま》ち、一つ一つの物事《ものごと》を、完璧《かんぺき》に仕上げていく着実《ちゃくじつ》さが求《もと》められる。

その忍耐《にんたい》強さ、堅実《けんじつ》さは東北人の優《すぐ》れた資質《ししつ》といえよう。ゆえに、仲一は、東北の青年《せいねん》たちに、広布の総仕上げを託《たく》したのである。

方面別《ほうめんべつ》の青年部総会《せいねんぶそうかい》は、これで幕《まく》を閉《と》じた。これまでに集《つど》った青年の合計《ごうけい》は、男子部《だんしぶ》が十一万五千人、女子部《じょしぶ》が八万八千人である。

あとは、秋《あき》に、首都圏《しゅとけん》を中心《ちゅうしん》に、全国《ぜんこく》の代表《だいひょう》が集うことになる。

この時、既《すで》に、男子部は十一月五日に、東京の国立競技場《こくりつきょうぎじょう》で代表十万人が参加《さんか》して行《おこな》われる総会が決定《けってい》していた。また、女子部も、男子部に続《つづ》いて十一月に、首都圏の友《とも》と各地《かくち》の代表が参加し、総会を開催《かいさい》することを計画《けいかく》していた。

一連《いちれん》の方面別の総会を大成功《だいせいこう》に終《お》えた今、青年たちの成長《せいちょう》は目覚《めざ》ましいものがあった。

伸一《しんいち》は、これで、十一月の男女青年部総会をめざして、一段《いちだん》と、組織《そしき》の拡充《かくじゅう》が図《はか》られれば、青年部の盤石《ばんじゃく》な基盤《きばん》が確立《かくりつ》できると確信《かくしん》した。

伸一が、各地の総会で青年と接《せっ》して、強《つよ》く感《かん》じたことは、青年たちが、人生《じんせい》の確《たし》かなる大《だい》哲学《てつがく》を求《もと》め、強い求道《きゅうどう》の心《こころ》を燃《も》やしていることであった。

彼《かれ》は、その青年たちの心に、どう応《こた》えていくかを考《かんが》え続けていた。

会長《かいちょう》といっても、自分《じぶん》は若輩《じゃくはい》であり、師匠《ししょう》である戸田城聖《とだじょうせい》に比《くら》べ、あまりにも無力《むりょく》であることを、彼は痛感《つうかん》していた。

しかし、戸田亡《な》き今、学会《がっかい》の柱《はしら》として全同志《ぜんどうし》を守《まも》り、支《ささ》えるとともに、青年たちを、自分以上《いじょう》の、広布《こうふ》と社会《しゃかい》のリーダーに育《そだ》て上げる責任《せきにん》があることを、彼《かれ》は自覚《じかく》していた。その責任を知るゆえに一人《ひとり》悩《なや》んだ。

およそ、青年《せいねん》を触発《しょくはつ》する何かを与《あた》え続《つづ》けることほど、難《むずか》しいことはない。

伸一《しんいち》は、それを可能《かのう》にするには、自分《じぶん》が、自身《じしん》の原点《げんてん》であり、規範《きはん》である師《し》の戸田《とだ》を、永《えい》遠《えん》に見失《みうしな》わないことだと思《おも》った。源《みなもと》を離《はな》れて大河《たいが》はないからだ。また、求道《きゅうどう》と挑戦《ちょうせん》の心《こころ》を忘《わす》れることなく、自己教育《じこきょういく》に徹《てっ》し、常《つね》に自分を磨《みが》き、高め、成長《せいちょう》させていく以外《いがい》にないと感《かん》じていた。そして、私心《ししん》を捨《す》て、人類《じんるい》の幸福《こうふく》のために生き抜く自《みずか》らの姿《すがた》を通《とお》して、青年の魂《たましい》を触発していこうと、伸一は誓《ちか》うのであった。

創価《そうか》の青年たちの、布教《ふきょう》の歩《あゆ》みは、十一月の総会《そうかい》をめざして、さらに、勢《いきお》いを増《ま》していった。

七月十日の七月度女子部幹部会《じょしぶかんぶかい》では、女子部は部員《ぶいん》二十万を達成《たっせい》したことが発表《はっぴょう》された。

一方《いっぽう》、男子部《だんしぶ》は部員三十万の達成を目前《もくぜん》にして、猛暑《もうしょ》のなかに鍛《きた》えの汗《あせ》を流《なが》そうと、弘法《ぐほう》の先駆《せんく》を切って突《つ》き進《すす》んでいた。

ようやく梅雨《つゆ》も明《あ》けた七月二十一日から、会員待望《かいいんたいぼう》の大客殿建立《だいきゃくでんこんりゅう》の供養《くよう》の受け付《つ》けが行《おこな》われた。納金《のうきん》は、二十四日までの四日間にわたり、各地区《かくちく》ごとに実施《じっし》された。

全国《ぜんこく》各地で、同志《どうし》は、爪《つめ》に火をともすようにして生活費《せいかつひ》を切り詰《つ》め、蓄《たくわ》えた真心《まごころ》の浄財《じょうざい》を持《も》って、喜々《きき》として会場《かいじょう》に駆《か》けつけてくれた。

この供養《くよう》に参加《さんか》した世帯《せたい》は、百四十一万九千五百三十二世帯であった。全会員《ぜんかいいん》世帯の七割《わり》が参加したことになる。また、供養の総額《そうがく》は約《やく》三十二億円余《おくえんよ》となった。当初《とうしょ》、本部《ほんぶ》で立てていた目標《もくひょう》は十億円であったので、その三倍以上《ばいいじょう》の供養ということになる。全同志の広宣流布《こうせんるふ》への情熱《じょうねつ》がもたらした結実《けつじつ》といってよい。

七月二十七日には、七月度の本部幹部会《かんぶかい》が行《おこな》われたが、その席上《せきじょう》、山本伸一《やまもとしんいち》は大客殿建立《だいきゃくでんこんりゅう》に対《たい》する、同志の真心の尽力《じんりょく》に、深《ふか》く感謝《かんしゃ》の意《い》を表《ひょう》して、次《つぎ》のようにあいさつした。

「まず、このたびの御供養の推進《すいしん》につきまして、衷心《ちゅうしん》より御礼申《おんれいもう》し上げます。本当《ほんとう》にご苦労様《くろうさま》でございました。また、大変《たいへん》にありがとうございました。

私ども首脳《しゅのう》幹部の責任《せきにん》におきまして、世紀《せいき》の大殿堂《だいでんどう》にふさわしい、皆様《みなさま》の期待通《きたいどお》りの、見事《みごと》な大客殿を建立してまいりますので、楽《たの》しみにお待《ま》ちいただければと思《おも》います。

そして、その落成《らくせい》の暁《あかつき》には、一人《ひとり》も残《のこ》らず、功徳《くどく》を受けきって、それぞれが世界一《せかいいち》の幸福者《こうふくもの》であるといえる姿《すがた》で、総登山《そうとざん》をしようではありませんか。

なお、御供養《ごくよう》の金額《きんがく》は、既《すで》に発表《はっぴょう》がありましたように、当初《とうしょ》の目標《もくひょう》を大幅《おおはば》に上回《うわまわ》ることができました。そこで、今後《こんご》、登《と》山者《ざんしゃ》の増加《ぞうか》が見込《みこ》まれておりますので、一棟《とう》に、千人から二千人ぐらい収容《しゅうよう》できる、近代的《きんだいてき》な総坊《そうぼう》を、数棟《すうとう》、建設《けんせつ》させていただきたいと思《おも》います。さらに、この御供養は、やはり将来《しょうらい》のために、総本山周辺《そうほんざんしゅうへん》の土地《とち》の確保《かくほ》や、全国《ぜんこく》の寺院《じいん》の建立《こんりゅう》などに使《つか》わせていただきたいと思いますが、いかがでしょうか」

皆《みな》が、拍手《はくしゅ》で応《こた》えた。

伸一《しんいち》は、参加者《さんかしゃ》に深《ふか》く礼《れい》をすると、話《はなし》を続《つづ》けた。

「いずれにせよ、この皆様《みなさま》の真心《まごころ》の御供養につきましては、日達上人《にったつしょうにん》にご相談申《そうだんもう》し上げ、すべて、総本山の隆昌《りゅうしょう》のために使わせていただきますので、よろしくお願《ねが》い申し上げます」

伸一は、この供養に参加した、同志《どうし》の信心《しんじん》の赤誠《せきせい》を思うと、胸《むね》が熱《あつ》くなるのを覚《おぼ》えた。

厳《きび》しい生活《せいかつ》のなかで、食費《しょくひ》などを切り詰《つ》めて、蓄《たくわ》えた金《かね》を供養した人も少《すく》なくない。山間《やまあい》の家《いえ》から、杖《つえ》をついて四里《り》、五里と歩《ある》いて、供養を持参《じさん》した年配者《ねんぱいしゃ》もいる。まさに、一人《ひとり》ひとりに涙《なみだ》ぐましい真心のドラマがある。

この信心の誠《まこと》を、大聖人《だいしょうにん》も御照覧《ごしょうらん》になられ、絶賛《ぜっさん》されているにちがいないと、伸一は思った。また、僧侶《そうりょ》は、その信徒《しんと》の真心の供養を、当然《とうぜん》のことのように思うのではなく、賛嘆《さんたん》と感謝《かんしゃ》の心《こころ》を忘《わす》れず、慈愛《じあい》をもって接《せっ》していってほしいと、念願《ねんがん》せずにはおれなかった。

なお、この本部幹部会《ほんぶかんぶかい》では、奄美大島支部《あまみおおしましぶ》など四十二の支部が誕生《たんじょう》している。これで、学会《がっかい》は二百五支部の陣容《じんよう》となった。

さらに、この日、各方面《かくほうめん》に本部長制が敷《し》かれた。これは弘教《ぐきょう》の伸展《しんてん》に伴《ともな》い、組織《そしき》が拡大《かくだい》し、大半《たいはん》の方面に複数《ふくすう》の総支部《そうしぶ》が誕生していたことから、各総支部を統括《とうかつ》するとともに、方面の独自性《どくじせい》を生かした活動《かつどう》を展開《てんかい》するために設《もう》けられたものであった。地域広布《ちいきこうふ》に向かっての、重層的《じゅうそうてき》な組織の布陣《ふじん》といってよい。

七月二十九日、山本伸一《やまもとしんいち》は、長野県《ながのけん》の霧ケ峰高原《きりがみねこうげん》での「水滸会《すいこかい》」の第六回野外研修《やがいけんしゅう》に出席《しゅっせき》した。

意気盛《いきさか》んな青年《せいねん》たちと会うことは、伸一にとって最大《さいだい》の喜《よろこ》びであった。

彼《かれ》が会場《かいじょう》のキャンプ場に到着《とうちゃく》したのは、午後《ごご》六時前であった。

「先生《せんせい》！　ありがとうございます」

先に到着していたメンバーが、元気《げんき》なあいさつで伸一を迎《むか》えてくれた。

青年たちは、昨年《さくねん》の犬吠埼《いぬぼうさき》での野外研修の時より、皆《みな》、動作《どうさ》もきびきびとし、一回《ひとまわ》りも二回りも成長《せいちょう》しているように感《かん》じられた。

犬吠埼《いぬぼうさき》で伸一《しんいち》から厳《きび》しい指摘《してき》を受けた彼《かれ》らは、同じ失敗《しっぱい》を繰《く》り返すまいと、水滸会員《すいこかいいん》の自覚《じかく》を新《あら》たにし、この一年、自分自身《じぶんじしん》を磨《みが》き抜いて、集《つど》って来たのであろう。

一人《ひとり》ひとりの表情《ひょうじょう》のなかにも、精鋭《せいえい》十万の結集《けっしゅう》をめざして戦《たたか》う、炎《ほのお》のような闘魂《とうこん》がみなぎっていた。

伸一は、準備《じゅんび》に精《せい》を出す、役員《やくいん》の青年《せいねん》たちを激励《げきれい》して歩《ある》いた。

小川《おがわ》の側《そば》では、炊事係《すいじがかり》の青年が食事《しょくじ》のしたくに励《はげ》んでいた。

「ご苦労様《くろうさま》！　炊事係のメンバーだね。ところで、この場所《ばしょ》で作業《さぎょう》をするように決めたのは誰《だれ》だい」

「はい、私です」

こう言って進《すす》み出たのは館山蔵造《たてやまくらぞう》という、炊事係の責任者《せきにんしゃ》をしていた青年であった。

「よい場所を選《えら》んだね。災害《さいがい》などで大勢《おおぜい》の人が避難《ひなん》する場合《ばあい》でも、まず、考《かんが》えなくてはならないのが水《みず》の確保《かくほ》だ。きれいな川《かわ》があれば、飲料水《いんりょうすい》にすることもできるし、炊事や洗濯《せんたく》もできる。だから、ここを押《お》さえたのは適切《てきせつ》だよ」

伸一の青年たちへの教育《きょういく》は、既《すで》にこの時から始《はじ》まっていた。

「では、避難所《ひなんじょ》など、たくさんの人が集《あつ》まる場合《ばあい》、水《みず》のほかに、まず考《かんが》えなくてはならないものは、なんだと思《おも》うかい」

青年《せいねん》たちは考え込《こ》んでいたが、一人《ひとり》が答《こた》えた。

「食糧《しょくりょう》だと思います」

「うん、もちろん食糧は大事《だいじ》だ。しかし、それは、誰《だれ》でも考えることだ。それに、いざとなれば、人間《にんげん》は二食や三食《しょく》は抜かしても我慢《がまん》することはできる。ところが、トイレというのは、いつまでも我慢するわけにはいかない。

だから、大勢《おおぜい》の人が集まる場合には、トイレの確保《かくほ》を、必《かなら》ず考えておかなければならない。これは、戸田先生《とだせんせい》が教《おし》えてくださったことだが、みんなも、ぜひ覚《おぼ》えておいてほしい」

辺《あた》りには、白《しろ》いベールのように霧《きり》が流《なが》れていた。その霧の彼方《かなた》に、うっすらと山並《やまな》みが見えた。

伸一《しんいち》の胸《むね》に、三年前の八月、初《はじ》めて霧ケ峰《きりがみね》に来た折《おり》のことが蘇《よみがえ》った。

彼《かれ》は、その時、美《うつく》しく、壮大《そうだい》な霧ケ峰の景観《けいかん》に感動《かんどう》し、亡《な》き戸田城聖《じょうせい》をしのび、〝先生をお連《つ》れしたかった〟と思った。また、浩然《こうぜん》の気を養《やしな》うために、いつか、この地に青年たちを招《まね》きたいとも思った。そして、戸田が最《もっと》も信頼《しんらい》を寄《よ》せていた「水滸《すいこ》会《かい》」の野外研修《やがいけんしゅう》の地に、

この霧ケ峰《きりがみね》を選《えら》んだのである。

盛夏《せいか》ではあったが、高原《こうげん》は肌寒《はださむ》かった。伸一《しんいち》は空《そら》を仰《あお》いだ。黄昏《たそがれ》の空は雲《くも》に覆《おお》われていた。雨《あめ》にならなければよいが、と思《おも》った。

メンバーは、互《たが》いに協力《きょうりょく》し合い、手際《てぎわ》よく、食事《しょくじ》の準備《じゅんび》を進《すす》めていた。彼《かれ》らが強《つよ》い団結《だんけつ》の心《こころ》をもったことが、伸一は嬉《うれ》しかった。

間《ま》もなく、野外《やがい》で円陣《えんじん》をつくり、食事が始《はじ》まった。中央《ちゅうおう》には薪《たきぎ》が組《く》み上げられ、日没《にちぼつ》とともに、点火《てんか》されることになっていた。

山本伸一《やまもとしんいち》は、用意《ようい》された席《せき》に着《つ》くと、皆《みな》に、にこやかに語《かた》りかけた。

「ご苦労様《くろうさま》。今日《きょう》は楽《たの》しくやろう！」

青年《せいねん》たちの顔《かお》にも微笑《びしょう》が浮《う》かんだ。和《なご》やかな雰囲気《ふんいき》のなかでの食事であった。

炊事係《すいじがかり》が作《つく》った豚汁《とんじる》と御飯《ごはん》に、缶詰《かんづめ》という質素《しっそ》な献立《こんだて》であったが、広大《こうだい》な自然《しぜん》のなかで、澄《す》んだ空気《くうき》とともに味《あじ》わう食事は、このうえなくうまかった。

しばらくすると、雨が降《ふ》り出し、次第《しだい》に激《はげ》しくなった。やむなく、早《はや》めに夕食《ゆうしょく》をすませて、それぞれのテントに戻《もど》り、待機《たいき》することにした。

ほどなく、雨は小降《こぶ》りになり、やがてあがった。メンバーは、再《ふたた》び野外に集《あつ》まった。薪に火がつけられ、キャンプファイアーを囲《かこ》んでの研修会《けんしゅうかい》が始《はじ》まった。

青年部《せいねんぶ》の幹部《かんぶ》や理事《りじ》たちが、順番《じゅんばん》にあいさつに立った。しかし、そのころから、また雨《あめ》が降《ふ》り始め、時とともに、雨脚《あまあし》は強《つよ》くなっていった。

雨に打たれながらも、キャンプファイアーは燃《も》え続《つづ》けていた。

伸一《しんいち》は、青年たちが用意《ようい》してくれた番傘《ばんがさ》を差《さ》し、皆《みな》にも、敷《し》いていた筵《むしろ》を被《かぶ》って、傘代《かさが》わりにするように伝《つた》えた。

降りしきる雨のなかで、伸一の指導《しどう》が始まった。

「どうか、風邪《かぜ》を引かないように工夫《くふう》していただきたい。

私の念願《ねんがん》は何か。それは諸君《しょくん》が将来《しょうらい》、人類《じんるい》の平和《へいわ》と幸福《こうふく》のために、世界《せかい》の檜舞台《ひのきぶたい》に雄飛《ゆうひ》していくことです。また、それが戸田先生《とだせんせい》の願《ねが》いでもありました。

私の行動《こうどう》は、すべて、そのためであり、それを最大《さいだい》の楽《たの》しみとして、全力《ぜんりょく》で道《みち》を開いているということを知ってほしいんです。

この世から不幸《ふこう》を絶滅《ぜつめつ》せんとされた戸田先生の構想《こうそう》を、私は先生の弟子《でし》として、ことごとく実現《じつげん》していく覚悟《かくご》でおります。また、実際《じっさい》に、そうしていかなければならない。しかし、それは、私一人《ひとり》ではできないし、また、私の命《いのち》の時間にも限《かぎ》りがあります。そう考《かんが》えると、その仕上《しあ》げの作業《さぎょう》は、青年部《せいねんぶ》、つまり、諸君《しょくん》に託《たく》すしかありません。

もし、私が倒《たお》れたとしても、その心《こころ》を受け継《つ》いで、諸君が戸田先生《とだせんせい》の構想《こうそう》を完成《かんせい》させていただきたい」

激《はげ》しい雨《あめ》に、時として伸一《しんいち》の声《こえ》は消《け》されそうになったが、メンバーは、一言《ひとこと》も聞き漏《も》らすまいと、耳《みみ》をそばだてていた。

伸一は話《はなし》を続《つづ》けた。

「戸田先生は、かつて、『三代会長《かいちょう》を支《ささ》えていくならば、絶対《ぜったい》に広宣流布《こうせんるふ》はできます』と言われた。これは、遺言《ゆいごん》ともいうべき指導《しどう》であった。

この先生の指導通《どお》りに、大先輩《だいせんぱい》である牧口門下《まきぐちもんか》も、私を守《まも》り支えてくださっている。ゆえに、私は悠々《ゆうゆう》と指《し》揮《き》をとることができるのです。

他教団《たきょうだん》を見ると、たいてい、中心者《ちゅうしんしゃ》が亡《な》くなると、分裂《ぶんれつ》していっている。しかし、学会《がっかい》は、この戸田先生の指導を皆《みな》が守ることによって、鉄《てつ》の団結《だんけつ》をもって進《すす》むことができた。これこそが、広宣流布を永遠《えいえん》ならしめる道《みち》です。

これからの学会は、第四代会長も、第五代会長も、青年部の出身者《しゅっしんしゃ》から出ることは間違《まちが》いない。その時にも、私の時以上《いじょう》に、皆で会長を守り、支えて、一層《いっそう》の前進《ぜんしん》をしていっていただきたい。

また、『水滸会《すいこかい》』の諸君《しょくん》は、勉強《べんきょう》し、苦労《くろう》して、自分《じぶん》を磨《みが》き、それぞれの分野《ぶんや》で一流《いちりゅう》の人材《じんざい》に育《そだ》ってほしい。そして、学会《がっかい》にあっても、諸君が中核《ちゅうかく》となって、広宣流布《こうせんるふ》のいっさいの責任《せきにん》を担《にな》っていただきたい。それが、私の希望《きぼう》であり、念願《ねんがん》です」

彼《かれ》らは、山本会長《やまもとかいちょう》の自分たちへの期待《きたい》の大きさを改《あらた》めて知り、身が震《ふる》える思《おも》いがした。

これで、研修会《けんしゅうかい》は解散《かいさん》となった。

横殴《よこなぐ》りの雨《あめ》で、伸一《しんいち》も、青年《せいねん》たちも、ビッショリと濡《ぬ》れていた。宿舎《しゅくしゃ》に向かう伸一を、メンバーは、学会歌《がっかいか》の熱唱《ねっしょう》で送《おく》った。

伸一は、青年たちと、もっと語《かた》り合い、励《はげ》ましたかった。彼は、しばらくすると、宿舎の広間《ひろま》に、メンバーの代表《だいひょう》を招《まね》いて質問会《しつもんかい》をもつことにした。青年たちは、喜々《きき》として集《つど》って来た。

伸一も、理事《りじ》たちも、雨でシャツが濡れてしまったために、やむなく、下着姿《したぎすがた》で質問会に臨《のぞ》んだ。

「みんな、聞きたいことがあれば、気楽《きらく》に、どんなことでも聞きなさい」

伸一が言うと、すかさず数人の手があがった。

質問《しつもん》の多くは、緊迫《きんぱく》した世界情勢《せかいじょうせい》のなかで、どうすれば恒久平和《こうきゅうへいわ》を実現《じつげん》できるのかという観点《かんてん》の質問であり、また、今後《こんご》、世界の広宣流布《こうせんるふ》をいかに進《すす》めていくかというものであった。そこには、世界と広布《こうふ》の未来《みらい》を真剣《しんけん》に悩《なや》み、考《かんが》える、真摯《しんし》な青年《せいねん》の使命感《しめいかん》と情熱《じょうねつ》がみなぎっていた。

伸一《しんいち》は、その気概《きがい》に頼《たの》もしさを覚《おぼ》えながら、一つ一つの質問に、誠実《せいじつ》に答《こた》えていった。

青年たちの質問のなかには、こんな質問もあった。

「御書《ごしょ》を拝《はい》しますと、成仏《じょうぶつ》の要諦《ようてい》は、仏法《ぶっぽう》に帰命《きみょう》、つまり、身命《しんみょう》を奉《たてまつ》ることであるとあります。私も、もし大法難《だいほうなん》があれば、牧口先生《まきぐちせんせい》のように死《し》を覚悟《かくご》で戦《たたか》いたいと決意《けつい》していま す。しかし、今のところ、そういう状況《じょうきょう》には、遭遇《そうぐう》しそうもありません。この帰命ということを、私たちは、どのように、とらえていけばよろしいのでしょうか」

仏法者として、いかに生きるべきかを、考え抜いた末《すえ》の質問であったにちがいない。

伸一は答えた。

「今の質問に関連《かんれん》して、まず、最初《さいしょ》に申《もう》し上げておきたいことは、私は、大事《だいじ》な会員《かいいん》が、法難によって命《いのち》を失《うしな》うような事態《じたい》は、絶対《ぜったい》に避《さ》けたいという思《おも》いで、指揮《しき》をとっているということです。だから、必死《ひっし》なんです。学会《がっかい》からは、一人《ひとり》たりとも、そんな犠牲者《ぎせいしゃ》は出したくはない。それが私の心《こころ》です。

しかし、いかに聡明《そうめい》に、知恵《ちえ》を働《はたら》かせて舵《かじ》をとったとしても、御聖訓《ごせいくん》に仰《おお》せの通《とお》り、命《いのち》に及《およ》ぶような大法難《だいほうなん》が起《お》こるかもしれない。その場合《ばあい》でも、なんとか私一人《ひとり》にとどめたい。

それが本当《ほんとう》のリーダーです。みんなを幸福《こうふく》にするために、現実《げんじつ》を見すえ、慎重《しんちょう》に、沈着《ちんちゃく》に、また、速《すみ》やかに、すべてに配慮《はいりょ》して、考《かんが》えに考えながら、広宣流布《こうせんるふ》を進《すす》めているんです。ただ、勢《いきお》いだけで進んでいけば、取り返しのつかない失敗《しっぱい》をしてしまうことにもなりかねない。指導者《しどうしゃ》の責任《せきにん》は重《おも》いんです」

皆《みな》、緊張《きんちょう》した顔《かお》で、伸一《しんいち》の話《はなし》を聞いていた。

「さて、帰命《きみょう》という問題《もんだい》ですが、現代《げんだい》の状況《じょうきょう》のなかでは、自分《じぶん》の人生《じんせい》の根本《こんぽん》の目的《もくてき》は広宣流布であると決めて、生きて、生きて、生き抜くことが、仏法《ぶっぽう》に身命《しんみょう》を奉《たてまつ》ることになるといえるでしょう。

広宣流布を自分の人生の根本目的とするならば、学会員《がっかいいん》として、職場《しょくば》にあっても第一人者《だいいちにんしゃ》にならざるをえない。自分が職場の敗北者《はいぼくしゃ》となってしまえば、仏法のすばらしさなど証明《しょうめい》できないし、誰《だれ》も信心《しんじん》など、するわけがないからです。

また、家庭《かてい》にしても、和楽《わらく》の家庭をつくらなければならないし、健康《けんこう》にも留意《りゅうい》することになる。
ゆえに、広宣流布《こうせんるふ》を根本《こんぽん》にした人生《じんせい》を歩《あゆ》むということは、社会《しゃかい》の勝利者《しょうりしゃ》となって、幸福《こうふく》になっていくということなんです。したがって、それは、決《けっ》して、悲壮感《ひそうかん》が漂《ただよ》うような生き方《かた》とはなりません」

いつの間《ま》にか、屋外《おくがい》の雨《あめ》の音《おと》も消《き》えていた。

伸一《しんいち》は、「帰命《きみょう》」ということについて、さらに別《べつ》の角度《かくど》から語《かた》っていった。

「見方《みかた》を変えて語るならば、たとえば、広宣流布のために活動《かつどう》する時間をどれだけもつか、ということにもなってきます。

これは、極《きわ》めて計量的《けいりょうてき》な言い方だが、仮《かり》に一日《いちにち》二時間の学会《がっかい》活動を、六十年間にわたってすれば、計算上《けいさんじょう》は五年間の命《いのち》を仏法《ぶっぽう》に捧《ささ》げたことになる。

ともあれ、広宣流布こそわが生涯《しょうがい》と決めて、自《みずか》らの使命《しめい》を果《は》たそうとしていく生き方自体《じたい》が、仏法に帰命していることに等《ひと》しいといえます」

伸一は、青年《せいねん》たちの率直《そっちょく》な質問《しつもん》を大切《たいせつ》にした。質問は求道《きゅうどう》の証《あかし》である。大勢《おおぜい》の人の前で、ものを尋《たず》ねるには勇気《ゆうき》もいる。しかし、それによって、自分《じぶん》だけでなく、多くの人びとの疑《ぎ》問《もん》を解消《かいしょう》し、理解《りかい》を促《うなが》していくがゆえに、質問する人の存在《そんざい》が大事《だいじ》になる。

宿舎《しゅくしゃ》での質問会《しつもんかい》が終《お》わるころには、雨《あめ》もすっかりあがり、空《そら》には月天子《がってんし》が輝《かがや》いていた。

翌日《よくじつ》は、快晴《かいせい》であった。「水滸会《すいこかい》」のメンバーは、朝《あさ》のうちにスポーツ大会《たいかい》を行《おこな》い、相撲《すもう》やドッジボールで鍛《きた》えの汗《あせ》を流《なが》した。

午前《ごぜん》九時にスポーツ大会が終《お》わると、伸一《しんいち》は、来年《らいねん》も、野外研修《やがいけんしゅう》を行うことを約束《やくそく》した。

それから彼《かれ》は、馬《うま》で、女子部《じょしぶ》の「華陽会《かようかい》」のメンバーが集《つど》って来ている、広場《ひろば》へ向かった。この日は「華陽会」の野外研修も行われることになっており、メンバーは、朝早《はや》く、霧《きり》ケ峰《がみね》に到着《とうちゃく》していたのである。

空は青《あお》く澄《す》み渡《わた》り、彼方《かなた》には、緑《みどり》に染《そ》まる、なだらかな起伏《きふく》の山《やま》が広《ひろ》がっていた。さわやかな高原《こうげん》の風《かぜ》に吹《ふ》かれながら、伸一は、さっそうと駒《こま》を進《すす》めた。

彼は、広場に集っている「華陽会」のメンバーの姿《すがた》を見ると、馬上《ばじょう》から手を振《ふ》った。

やがて、伸一を中心《ちゅうしん》に懇談《こんだん》が始《はじ》まった。

「今日《きょう》は、心身《しんしん》ともに鍛えて帰《かえ》ってください。また、存分《ぞんぶん》に遊《あそ》び、楽《たの》しんで、大いに英気《えいき》を養《やしな》ってください。人生《じんせい》を最高《さいこう》に楽しむということも、仏法《ぶっぽう》に通《つう》じます。

大聖人《だいしょうにん》は、あの佐渡《さど》の地にあっても、『流人《るにん》なれども喜悦《きえつ》はかりなし』（御書《ごしょ》一三六〇ページ）と仰《おお》せです。御本仏《ごほんぶつ》の大境界《だいきょうがい》、大確信《だいかくしん》から発《はっ》せられた御言葉《おことば》ですが、大聖人は、流罪《るざい》という大《だい》苦難《くなん》のなかでも、大歓喜《だいかんき》を感《かん》じておられた。

どんな環境《かんきょう》にあっても、人生《じんせい》を楽《たの》しみきっていけるのが信心《しんじん》です。

戸田《とだ》先生《せんせい》は、成仏《じょうぶつ》というのは、生きていること自体《じたい》が、楽しくて、楽しくてしょうがないという境涯《きょうがい》であると、よく語《かた》っておられた。

人間《にんげん》の人生には、苦労《くろう》はつきものです。学生《がくせい》のうちは、勉強《べんきょう》しなければならないし、会社《かいしゃ》に入《はい》れば、働《はたら》かなければならない。では、結婚《けっこん》すれば、楽《らく》になるかといえば、家事《かじ》や子育《こそだ》てに追《お》われ、まるで戦争《せんそう》のような生活《せいかつ》になる。

しかし、そのなかに、意義《いぎ》を見いだし、生きがいをつくり、目標《もくひょう》を定《さだ》め、はつらつと挑戦《ちょうせん》し、苦労をも楽しみながら、瞬間《しゅんかん》、瞬間を最高《さいこう》に有意義に、楽しみきって生きていける人が、人生の達人《たつじん》なのです。結局《けっきょく》、幸福《こうふく》とは、外《そと》にあるのではない。私たちの心《こころ》のなかにある。それを教《おし》えているのが仏法《ぶっぽう》です。

ましてや、今日《きょう》は、こんなに恵《めぐ》まれた大自然《だいしぜん》のなかにいるのだから、最高に楽しんで、有意義な思《おも》い出をつくってください」

野外研修《やがいけんしゅう》は、懇談《こんだん》のあと、スポーツ大会《たいかい》が行《おこな》われ、メンバーはバレーボールに興《きょう》じた。いくつかのグループに分かれ、バレーボールの対抗戦《たいこうせん》が終《お》わると、伸一《しんいち》は提案《ていあん》した。

「今度《こんど》は円陣《えんじん》を組《く》んで、ボールのパスの数《かず》を競《きそ》い合おうよ」

グループごとにパスが始《はじ》まった。どのグループも、長《なが》くは続《つづ》かなかった。早《はや》いところは、三、四回パスをしただけでボールを落《お》としてしまう。

それを見ていた伸一《しんいち》は、自分《じぶん》も円陣に加《くわ》わった。

「どこも、長く続かないようだから、ここは、百回までやろう」

「えっ、百回ですか！」

傍《かたわ》らにいたメンバーが驚《おどろ》きの声《こえ》をあげた。

「そうだ、百回だよ。必《かなら》ずやろうと決めて、みんなで団結《だんけつ》すればできるよ。目標《もくひょう》を決めたら、最後《さいご》までやり通《とお》すことが大事《だいじ》だからね。ソラッ、いくよ！」

伸一はボールを上げた。

パスをするたびに、皆《みな》で声を出して回数を数《かぞ》えた。

うまくボールをパスできない人がいても、周《まわ》りがそれをカバーし、ボールは再《ふたた》び空《そら》に舞《ま》った。パスは、二十、三十、四十と続いていった。

二人《ふたり》の人が、同時《どうじ》にボールをパスしようとして、ぶつかりそうになった。

「そういう時は、声をかけ合うんだよ」

伸一《しんいち》はアドバイスした。

皆《みな》、だんだんリズムに乗《の》ってきた。

「もう大丈夫《だいじょうぶ》だよ。絶対《ぜったい》に百までいくよ」

やがて、パスは八十回を超《こ》えた。周囲《しゅうい》には、ほかのグループも集《あつ》まって来て、一緒《いっしょ》に回数を数《かぞ》えた。パスをしているメンバーは、幾分《いくぶん》、緊張《きんちょう》し始《はじ》めた。

伸一は呼《よ》びかけた。

「楽《らく》な気持《きも》ちでやろう。油断《ゆだん》しなければできる。同じことの繰《く》り返しなんだから……」

九十回を過《す》ぎた。回数を数える声《こえ》が、一段《いちだん》と高らかに辺《あた》りにこだました。

メンバーには、ここまできたのだから、絶対《ぜったい》に落《お》とすものかという気迫《きはく》が漂《ただよ》っていた。

落とすか、と思《おも》われたボールも、驚《おどろ》くほど上手《じょうず》に受けて、パスしていった。

「……九十六、九十七、九十八、九十九、百」

百回を超えても、まだ、パスは続《つづ》いた。

「百三、百四、百五、百六……」

ボールを落としてしまったのは、百十回を過ぎた時であった。

終《お》わると、一斉《いっせい》に拍手《はくしゅ》がわき起《お》こった。

汗《あせ》を拭《ぬぐ》いながら、伸一《しんいち》は言った。

「百回以上《いじょう》できるとは、誰《だれ》も思《おも》わなかっただろう。でも、できたじゃないか。みんなが心《こころ》を一つにして団結《だんけつ》した時に、思わぬ力《ちから》が出るんだ。学会《がっかい》はこうやって進《すす》んでいくんだよ」

それから休憩《きゅうけい》のあと、野外《やがい》で昼食《ちゅうしょく》となった。

伸一が昼食の場所《ばしょ》にやって来た時には、皆《みな》は、まだ揃《そろ》っていなかった。彼《かれ》の姿《すがた》を見ると、一人《ひとり》の女子部《じょしぶ》の幹部《かんぶ》がハンドマイクで、まくしたてるように叫《さけ》んだ。

「皆さん、大至急《だいしきゅう》、集《あつ》まってください！　急《いそ》いでください。早《はや》くしましょう！」

伸一は、笑《わら》いながら、その幹部に言った。

「こういう時は、そんなにワーワー言わずに、静《しず》かに、一言《ひとこと》、『集まりましょう』と言えばよい。ワーワー言わなくても、皆がきちんと集まるようにもっていってこそ、本当《ほんとう》のリーダーだよ」

ほどなく、大多数《だいたすう》のメンバーは食事《しょくじ》の席《せき》に着《つ》いた。

しかし、女子部の首脳《しゅのう》幹部の一人である、加賀弓枝《かがゆみえ》の姿が見えなかった。

「加賀さんがいないね」

伸一が言うと、近《ちか》くにいたメンバーが答《こた》えた。

「加賀《かが》さんは、まだ、食事《しょくじ》の準備《じゅんび》をしています」

「そうか、彼女《かのじょ》は、裏方《うらかた》に徹《てつ》しているな。陰《かげ》で黙々《もくもく》と頑張《がんば》る人なんだよ。そういうことが大事《だいじ》だね。みんなもリーダーとして、誰《だれ》が陰で頑張っているのか、誰が最《もっと》も苦労《くろう》しているのかを、常《つね》に見抜いていかなくてはならない。

華《はな》やかな表舞台《おもてぶたい》にばかり目がいき、表面《ひょうめん》だけしか見ないリーダーでは、後輩《こうはい》がかわいそうです。そうなれば、やがて、皆《みな》が見せかけだけを考《かんが》え、要領《ようりょう》よく立ち回るように、なってしまう。

たとえば、会合《かいごう》に出席《しゅっせき》しても、きれいな設営物《せつえいぶつ》があったら、誰が、どうやって作《つく》ってくれたのかを、すぐに考えなければならない。また、場外整理《じょうがいせいり》の役員《やくいん》はどうしているのか、寒《さむ》くはないのか、食事はとっているのかなど、その場《ば》にいない人たちのことを、どこまで配慮《はいりょ》できるかです。

結局《けっきょく》、見事《みごと》な組織《そしき》をつくっていくといっても、人間《にんげん》としての思《おも》いやりであり、心遣《こころづか》いがすべてだ。そこに人は心を打たれ、頑張ろうという気持《きも》ちにもなる。役職《やくしょく》の権威《けんい》でもなければ、理屈《りくつ》でもありません」

生きた教育《きょういく》とは、人と人との、自然《しぜん》な触《ふ》れ合いのなかにあるものだ。

たのである。

伸一《しんいち》は、一つ一つの事柄《ことがら》を通《とお》し、若《わか》い女性《じょせい》たちに、リーダーの在《あ》り方《かた》を教《おし》え、育《はぐく》んでいっ

食事《しょくじ》のあと、メンバーはフォークダンスを楽《たの》しんだ。

明《あか》るく、はつらつとした若々《わかわか》しい友《とも》の姿《すがた》には、花《はな》のような舞《まい》があった。

それを見ながら、伸一は女子部《じょしぶ》の中心幹部《ちゅうしんかんぶ》たちに語《かた》った。

「女子部は学会《がっかい》の花なんだから、いつも、このように楽しく、そして、常識豊《じょうしきゆた》かに、活動《かつどう》を進《すす》めていくことです。誰《だれ》が見ても、明るく、さわやかでいいなと思《おも》えることが、信心《しんじん》のすばらしさの証明《しょうめい》になるからだよ」

当時《とうじ》、女子部の中核《ちゅうかく》であった「華陽会《かようかい》」のメンバーは、日々《ひび》、布教《ふきょう》に明《あ》け暮《く》れていた。それは、三百万世帯《せたい》という広宣流布《こうせんるふ》の目標《もくひょう》を達成《たっせい》するうえでは、やむをえぬことでもあった。

しかし、伸一は、だからといって、悲壮感《ひそうかん》を漂《ただよ》わせて、なりふりかまわずに猪突猛進《ちょとつもうしん》するような女性に育《そだ》ってほしくはなかった。それでは長続《ながつづ》きしない。いな、世間《せけん》からも嫌《きら》われてしまうことになる。

人間性《にんげんせい》を開花《かいか》させるための信仰《しんこう》である。一輪《いちりん》の可憐《かれん》な花が、周囲《しゅうい》を明るくし、人びとの心《こころ》を和《なご》ませるように、信心に励《はげ》めば励むほど、思いやりにあふれ、明朗《めいろう》で快活《かいかつ》になっていって

こそ、本当《ほんとう》の信仰《しんこう》といえる。

野外研修《やがいけんしゅう》は、午後《ごご》三時半《はん》に終了《しゅうりょう》した。メンバーは、霧ケ峰《きりがみね》の雄大《ゆうだい》な自然《しぜん》のなかで浩然《こうぜん》の気を養《やしな》い、楽《たの》しく有意義《ゆういぎ》なひと時を過《す》ごした。

伸一《しんいち》は、もし可能《かのう》であれば、学会《がっかい》の全青年《ぜんせいねん》を、こうして、一人《ひとり》ずつ育《そだ》てていきたいと、深《ふか》く思《おも》った。

青年部は、七月三十一日の男子《だんし》部幹部《ぶかんぶ》会《かい》、八月一日の女子《じょし》部《ぶ》幹部会をもって、勇躍《ゆうやく》、八月度へのスタートを切った。なお、この男子部幹部会の席上《せきじょう》、男子部は部員《ぶいん》三十万を突破《とっぱ》したことが発表《はっぴょう》されている。

八月二日から十日にかけては、総本山大石寺《そうほんざんたいせきじ》で、恒例《こうれい》の夏季講習会《かきこうしゅうかい》が、四期《き》に分かれて行《おこな》われた。

山本伸一《やまもと》は、今回《こんかい》の講習会では、日蓮大聖人《にちれんだいしょうにん》の重書中《じゅうしょちゅう》の重書である「立正安国論《りっしょうあんこくろん》」を中心《ちゅうしん》に、御書講義《ごしょこうぎ》をすることになっていた。

彼《かれ》が、そう決めたのは、七月初旬《しょじゅん》のことであった。

学会が二百万世帯《せたい》を達成《たっせい》したことから、ここで、立正安国という仏法者《ぶっぽうしゃ》の目的《もくてき》と使命《しめい》を、再確認《さいかくにん》しておきたかったのである。

「立正《りっしょう》」とは「正《しょう》を立てる」、つまり、正法《しょうほう》の流布《るふ》であり、生命《せいめい》の尊厳《そんげん》、人間《にんげん》の尊重《そんちょう》という哲理《てつり》を、人びとの胸中《きょうちゅう》に確立《かくりつ》し、社会《しゃかい》の基本原理《きほんげんり》としていくことといってよい。そして、その目的《もくてき》は「安国《あんこく》」、すなわち「国を安《やす》んずる」ことであり、社会の繁栄《はんえい》と平和《へいわ》の建設《けんせつ》にほかならない。

創価学会《そうかがっかい》の使命《しめい》は、日蓮大聖人《にちれんだいしょうにん》が示《しめ》された、この立正安国の実現《じつげん》にある。宗教《しゅうきょう》が、現実《げんじつ》社会の人間の苦悩《くのう》の解決《かいけつ》から目を背《そむ》けるならば、もはや、それは宗教の死《し》といえる。

敗戦《はいせん》の焼《や》け野原《のはら》に、広宣流布《こうせんるふ》の旗《はた》を掲《かか》げて一人《ひとり》立った戸《と》田城聖《だじょうせい》の願《ねが》いも、悲嘆《ひたん》に暮《く》れる民《みん》衆《しゅう》に、永遠《えいえん》の幸福《こうふく》と平和の光《ひかり》を注《そそ》ぐことにあった。また、伸一《しんいち》が、会長《かいちょう》に就任《しゅうにん》して以来《いらい》、日々《ひび》、祈《いの》り念《ねん》じてきたことも、世界《せかい》の平和であり、大地震《おおじしん》などの災害《さいがい》がなくなり、穀物《こくもつ》が豊作《ほうさく》になることであった。

そして、戸田も、伸一も、社会の繁栄と平和のために、何をなすべきか、何ができるのかを、常《つね》に問《と》い、考《かんが》え続《つづ》けてきた。

たとえば、戸田が「原水爆禁止宣言《げんすいばくきんしせんげん》」を行《おこな》い、たとえ戦争《せんそう》に勝ったとしても、原水爆を使用《しよう》するものはサタンであると断《だん》じ、この思想《しそう》を世界に広《ひろ》めることを青年《せいねん》たちに託《たく》したのも、その思索《しさく》の結果《けっか》であった。さらに、同志《どうし》のなかから有為《ゆうい》な人材《じんざい》を、地方議会《ちほうぎかい》、参議院《さんぎいん》に送《おく》り出したのも、政治《せいじ》を民衆《みんしゅう》の手に取り戻《もど》し、人びとの生活《せいかつ》を向上《こうじょう》させ、日本という国の、恒久平和《こうきゅうへいわ》の道《みち》を開くためであった。

しかも、今後《こんご》、学会《がっかい》が、社会《しゃかい》のため、平和のために着手《ちゃくしゅ》すべき課題《かだい》は、ますます増《ふ》え続《つづ》けていくにちがいない。その時、立正安国《りっしょうあんこく》の原理《げんり》を正《ただ》しく理解《りかい》できずにいれば、混乱《こんらん》を生《しょう》じかねないことを憂慮《ゆうりょ》し、伸一《しんいち》は、今回《こんかい》の夏季講習会《かきこうしゅうかい》で、「立正安国論《ろん》」を講義《こうぎ》することにしたのである。

夏季講習会を前にして、彼《かれ》は、寸暇《すんか》をさいて「立正安国論」の研鑽《けんさん》に励《はげ》んできた。ある時は、学会本部《ほんぶ》の執務室《しつむしつ》で、ある時は、深夜《しんや》の自宅《じたく》で、また、ある時は、旅先《たびさき》の宿舎《しゅくしゃ》で、御書《ごしょ》を拝《はい》しては思索を重《かさ》ねた。

「立正安国論」は、これまでに、何度《なんど》となく学《まな》んだ御書であった。しかし、伸一は、新《あら》たな気持《きも》ちで、御述作《ごじゅっさく》の由来《ゆらい》から、丹念《たんねん》に研鑽していった。

「立正安国論奥書《おくがき》」には「正嘉《しょうか》より之《これ》を始《はじ》め文応元年《ぶんおうがんねん》に勘《かんが》え畢《おわ》る」（御書三三ページ）とあり、正嘉元年（一二五七年）八月二十三日の夜《よる》、鎌倉一帯《かまくらいったい》を襲《おそ》った大地震《おおじしん》を見て、「立正安国論」を著《あらわ》されるに至《いた》ったことが記《しる》されている。

大聖人《だいしょうにん》が、この地震《じしん》に遭遇《そうぐう》されたのは三十六歳。鎌倉《かまくら》の松葉ケ谷《まつばがやつ》の草庵《そうあん》におられたころであった。四年前の建長《けんちょう》五年（一二五三年）四月二十八日の*立教開宗以来《りっきょうかいしゅういらい》、地頭《じとう》に命《いのち》を狙《ねら》われ、故郷《こきょう》の安房《あわ》の国を追《お》われた大聖人は、政都《せいと》・鎌倉に出て、ここで広宣流布《こうせんるふ》の旗《はた》を掲《かか》げられていたのである。

このころ、毎年《まいとし》のように飢饉《ききん》が続《つづ》き、疫病《えきびょう》が蔓延《まんえん》していた。*『吾妻鏡《あずまかがみ》』などの記録《きろく》によれば、この年から文応元年《ぶんおうがんねん》（一二六〇年）までの四年間に限《かぎ》っても、数々《かずかず》の天変地夭《てんぺんちよう》が起《お》こっている。

この正嘉《しょうか》元年（一二五七年）の八月の大地震のあとも、余震《よしん》は長《なが》く続き、十一月にも、再《ふたた》び大地震が起こる。翌《よく》正嘉二年六月には、真冬《まふゆ》のような冷《ひ》え込《こ》みが続き、八月には、鎌倉に大《おお》風《かぜ》、京都《きょうと》に暴風雨《ぼうふうう》が襲《おそ》い、穀類《こくるい》に大被害《だいひがい》が出る。そして、十月になると、鎌倉は大雨《おおあめ》による洪水《こうずい》で民家《みんか》が流失《りゅうしつ》し、多数《たすう》の犠牲者《ぎせいしゃ》を出した。さらに、疫病が流行《りゅうこう》し、諸国《しょこく》に大飢饉が広《ひろ》がっていった。

正嘉三年の三月、災《わざわ》いを転《てん》じようと改元《かいげん》が行《おこな》われ、「正元《しょうげん》」となるが、疫病は年が明《あ》けても終息《しゅうそく》せず、四月には、また、改元され、「文応」となる。しかし、その四月に鎌倉で大火《たいか》があり、六月には大風と洪水が起こっている。

p226

大聖人《だいしょうにん》は、鎌倉《かまくら》にあって、地震《じしん》による避難民《ひなんみん》などの悲惨《ひさん》な姿《すがた》に接《せっ》し、胸《むね》を痛《いた》めてきた。

飢《う》えに苦《くる》しみ、傷《きず》ついた体《からだ》で、あてもなくさまよう人。泣《な》き叫《さけ》ぶ子供《こども》。乳飲《ちの》み子《ご》を抱《かか》え、途方《とほう》に暮《く》れる母親《ははおや》……。

路上《ろじょう》に倒《たお》れても助《たす》ける人さえなく、夥《おびただ》しい「死《し》」が眼前《がんぜん》に横《よこ》たわっていた。

幕府《ばくふ》は、事態《じたい》の打開《だかい》のために、真言《しんごん》の僧《そう》による加持祈禱《かじきとう》などを命《めい》じていたが、なんの効果《こうか》もなかった。

〝なぜ、これほど苦しまなければならないのか？〟

それが、人びとの共通《きょうつう》の思《おも》いであった。しかし、それに答《こた》えられる人は、誰《だれ》もいなかったのである。

この地獄絵《じごくえ》さながらの事態を、いかに転換《てんかん》していくか、日蓮《にちれん》大聖人は、悩《なや》み、考《かんが》え抜かれたにちがいない。

山本伸一《やまもとしんいち》は、御書《ごしょ》を拝《はい》しながら、大聖人の御姿《おすがた》を思い描《えが》いた。民衆《みんしゅう》の苦悩《くのう》を目《ま》の当《あ》たりにし、ともに悩み、苦しむ、大聖人の御振《おふ》る舞《ま》いが、彼《かれ》の胸に、ありありと浮《う》かんだ。

――正嘉《しょうか》二年（一二五八年）ごろ、鎌倉から駿河《するが》に向かう、一人《ひとり》の僧《そう》がいた。

彼《かれ》の目は、深《ふか》い憂《うれ》いをたたえていた。日蓮《にちれん》である。

彼は、天台宗《てんだいしゅう》の寺院《じいん》である、岩本実相寺《いわもとじつそうじ》を訪《たず》ねた。そこには、一切経《いっさいきょう》が整《ととの》えられていた。

日蓮は、この寺《てら》の経蔵《きょうぞう》で一切経をひもとき、人間《にんげん》の根本《こんぽん》をなす宗教《しゅうきょう》の乱《みだ》れに、天変地夭《てんぺんちよう》、飢饉疫癘《ききんえきれい》の根本原因《げんいん》があることを、経文《きょうもん》のうえからも、また、道理《どうり》のうえからも、明《あき》らかにしようと心《こころ》に決めていた。

経蔵に籠《こも》ると、彼は、来る日も、来る日も、一心《いっしん》に経典《きょうてん》に眼《まなこ》を注《そそ》いだ。

*大集経《だいじゅっきょう》を手にした時、日蓮の目は、鋭《するど》く光《ひか》った。そこには、仏法《ぶっぽう》が隠没《おんもつ》した時に起《お》こる、天変地夭などの様相《ようそう》が克明《こくめい》に書《か》かれてあった。それは、ことごとく、正嘉《しょうか》の大地震《おおじしん》以来《いらい》の世の中《なか》の姿《すがた》に符合《ふごう》していた。

〝この通《とお》りだ！〟

「仏法の隠没」は、日蓮自身《じしん》、最《もっと》も痛感《つうかん》し、憂慮《ゆうりょ》してきたことであった。仏教各派《ぶっきょうかくは》の寺院は、鎌倉《かまくら》にあっても甍《いらか》を連《つら》ね、むしろ、ますます隆昌《りゅうしょう》を誇《ほこ》っているかに見えた。しかし、釈尊《しゃくそん》が説《と》こうとした、真実《しんじつ》の仏法も、その精神《せいしん》も、もはや、そこにはなかった。

経文には、何が釈尊の真実の法《ほう》かは明瞭《めいりょう》である。

たとえば、法華経《ほけきょう》の開経《かいきょう》である無量義経《むりょうぎきょう》には、「四十余年《しじゅうよねん》未顕《みけん》真実」（四十余年には未《いま》だ真実を顕《あらわ》さず）とある。釈尊《しゃくそん》の五十年の説法《せっぽう》のうち、前の四十余年《しじゅうよねん》の説法は＊爾前権教《にぜんごんきょう》の教えであり、真実《しんじつ》を顕していないことが明言《めいげん》されているのだ。なぜなら、法華経《ほけきょう》が生命《せいめい》の真実の姿《すがた》、全体像《ぜんたいぞう》を説《と》いているのに対《たい》して、法華経以前《いぜん》の教えは、譬《たと》えなどによって示《しめ》した仮《かり》の教えであり、生命の部分観《ぶぶんかん》を説いたにすぎないからである。

そして、法華経の譬喩品《ひゆほん》には「不受余経一偈《ふじゅよきょういちげ》」（余経の一偈をも受けざれ）とある。根本《こんぽん》となるべき教えは、どこまでも法華経であるとの御指南《ごしなん》である。

当時《とうじ》、仏教界《ぶっきょうかい》には、天台《てんだい》、倶舎《くしゃ》、成実《じょうじつ》、律《りつ》、法相《ほっそう》、三論《さんろん》、華厳《けごん》、真言《しんごん》の八宗《しゅう》があり、さらに、新興《しんこう》の宗派《しゅうは》として念仏《ねんぶつ》や禅《ぜん》があった。

このうち、天台宗のほかは、爾前権教の経典《きょうてん》を拠《よ》り所《どころ》としていた。また、法華経を根本としていた天台宗さえも、＊伝教大師《でんぎょうだいし》の亡《な》きあと、真言密教《みっきょう》や念仏に染《そ》まり、本来《ほんらい》の釈尊の教えに背《そむ》いて久《ひさ》しかったのである。

譬えや部分観でしかない教えに執着《しゅうじゃく》し、それが全体像であり、真実であると信《しん》じればどうなるか。たとえば、虎《とら》の尻尾《しっぽ》を見て、これが虎というものかと思《おも》い、無防備《むぼうび》に近《ちか》づいていけば、襲《おそ》われてしまうことになろう。

それゆえに、日蓮《にちれん》は、立教開宗《りっきょうかいしゅう》の獅子吼《ししく》を発《はっ》して以来《いらい》、そうした諸宗《しょしゅう》の、教えの誤《あやま》りを指《し》摘《てき》してきたのである。

このころ、民衆《みんしゅう》の間《あいだ》に、最《もっと》も浸透《しんとう》していたのは、*法然《ほうねん》の浄土宗《じょうどしゅう》であったが、これは爾前権《にぜんごん》教《きょう》の浄土三部経《ぶきょう》をもととしていた。

法然は、娑婆世界《しゃばせかい》は穢土《えど》であり、ただ、ひたすら南無阿弥陀仏《なむあみだぶつ》と称《とな》えることによって、死《し》んだあとに、阿弥陀仏のいる西方極楽《さいほうごくらく》世界に生まれることができると説《と》いた。そして、浄土宗の依経《えきょう》である浄土三部経以外《いがい》の、法華経《ほけきょう》をはじめとする、いっさいの諸経《しょきょう》を否定《ひてい》したのである。

釈尊《しゃくそん》が、阿弥陀仏の西方極楽世界等《とう》、他《た》の世界に仏土《ぶつど》があると説いたのは方便《ほうべん》であり、譬《たと》えであった。娑婆世界の苦悩《くのう》に沈《しず》む人びとを励《はげ》ますために、仮《かり》に彼方《かなた》の世界の話《はなし》として、仏《ぶつ》国土《こくど》を描《えが》いたのである。

釈尊の真意《しんい》は、この娑婆世界こそ、本来《ほんらい》、浄土であると示《しめ》すことにあった。娑婆即寂光土《そくじゃっこうど》であり、衆生《しゅじょう》の心《こころ》が汚《けが》れていれば、住《す》む世界も穢土となり、心が清浄《しょうじょう》であるならば浄土となる。衆生の一念《いちねん》の転換《てんかん》によって、この娑婆世界に浄土を現出《げんしゅつ》させることができるのである。

それを説き示したのが法華経であった。

彼方の世界に救《すく》いを求《もと》める、念仏《ねんぶつ》の教《おし》えは、穢土である現実社会《げんじつしゃかい》への諦《あきら》めと無気力《むきりょく》と逃避《とうひ》をもたらしていくことになる。

しかも、天変地夭《てんぺんちよう》、飢饉疫癘《ききんえきれい》の相次《あいつ》ぐ、物情騒然《ぶつじょうそうぜん》たる世相《せそう》である。この念仏《ねんぶつ》の思想《しそう》に、一《いっ》種《しゅ》の終末観《しゅうまつかん》として広《ひろ》まっていた末法《まっぽう》思想が重《かさ》なり、人びとの不安《ふあん》や絶望《ぜつぼう》は深《ふか》まっていった。

まさに、「念仏の哀音《あいおん》」（御書《ごしょ》九六ページ）といわれるように、その厭世的《えんせいてき》な響《ひび》きは、疲《つか》れきった人心《じんしん》を、ますます衰弱化《すいじゃくか》させていったのである。

日蓮《にちれん》は、岩本実相寺《いわもとじっそうじ》で、寝食《しんしょく》を忘《わす》れ、経文《きょうもん》を次々《つぎつぎ》と精読《せいどく》していった。

それらの経々《きょうぎょう》から、彼《かれ》は国中《くにじゅう》を覆《おお》っている不幸《ふこう》の原因《げんいん》は、世をあげて、正法《しょうほう》である法華経《ほけきょう》に背《そむ》いているがゆえであると、明確《めいかく》に確信《かくしん》することができた。

人間《にんげん》は、何を信《しん》じるかによって、大きな影響《えいきょう》を受ける。友人《ゆうじん》でも、悪友《あくゆう》を善友《ぜんゆう》と信じて、ともに行動《こうどう》していれば、いつしか悪の道《みち》に入《はい》ってしまう。

ましてや、宗教《しゅうきょう》は人間の考《かんが》え方《かた》、生き方の根本《こんぽん》の規範《きはん》である。したがって、誤《あやま》った宗教を信じれば、人間の心《こころ》は濁《にご》り、欲望《よくぼう》に翻弄《ほんろう》され、あるいは、生命《せいめい》の活力《かつりょく》も奪《うば》われてしまう。

それは、当然《とうぜん》、人間の営《いとな》みである社会《しゃかい》に、争《あらそ》いや混乱《こんらん》、停滞《ていたい》を招《まね》いていくことになる。

さらに、人心、社会の乱《みだ》れは、依正《えしょう》は不二《ふに》であり、*一念三千《いちねんさんぜん》であるがゆえに、大自然《だいしぜん》にも、必《かなら》ず波及《はきゅう》していく。本来《ほんらい》、宇宙《うちゅう》は、それ自体《じたい》が一つの生命体であり、主体《しゅたい》である人間と、自然《しぜん》を含《ふく》めた環境世界《かんきょうせかい》とは、互《たが》いに関連《かんれん》し合っていると教《おし》えているのが仏法《ぶっぽう》である。人びとが塗炭《とたん》の苦《くる》しみを脱《だっ》するには、誤《あやま》った宗教《しゅうきょう》を捨《す》て、正《ただ》しい教えを根本《こんぽん》とする以外《いがい》にない――それが日蓮《にちれん》の結論《けつろん》であった。

しかも、経文《きょうもん》に照《て》らして見れば、*三災七難《さんさいしちなん》のうち、さらに、まだ起《お》こっていない、内乱《ないらん》を意味《いみ》する自界叛逆難《じかいはんぎゃくなん》と、他国《たこく》の襲来《しゅうらい》をさす他国侵逼難《しんぴつなん》が競《きそ》い起こることは間違《まちが》いなかった。

思《おも》えば、他宗《たしゅう》の僧《そう》らも、これらの経文を目にしていたはずである。しかし、彼《かれ》らは、そこに、世の中《なか》の不幸《ふこう》の根本原因《げんいん》を探《さぐ》り当《あ》てることはできなかった。それは、既《すで》に、彼らが、経文を根幹《こんかん》とすることもなければ、民衆《みんしゅう》の苦悩《くのう》を直視《ちょくし》し、その解決《かいけつ》の道《みち》を探ろうとする姿勢《しせい》も失《うしな》っていたことを裏付《うらづ》けている。

当時《とうじ》、天台宗《てんだいしゅう》をはじめ、真言《しんごん》、華厳《けごん》、律等《りっとう》の既成宗派《きせいしゅうは》は、鎮護国家《ちんごこっか》の仏教《ぶっきょう》に安住《あんじゅう》し、念仏《ねんぶつ》や禅《ぜん》の新興《しんこう》の宗派も、幕府《ばくふ》の要人《ようじん》に取り入ることに腐心《ふしん》していた。そして、各《かく》宗派は法論《ほうろん》を避《さ》け、教えの正邪《せいじゃ》を論議《ろんぎ》することもなかった。つまり、本来《ほんらい》、宗教的信念《しんねん》も、信条《しんじょう》も異《こと》なる者同士《ものどうし》が、互《たが》いに馴《な》れ合い、権力《けんりょく》に寄生《きせい》し、庇護《ひご》という美酒《びしゅ》に酔《よ》っていたのである。もはや、民衆の救済《きゅうさい》という宗教の大使命《だいしめい》は、全《まった》く忘《わす》れられていた。

また、幕府は、宗教の庇護と引き換《か》えに、政策《せいさく》への協力《きょうりょく》を要請《ようせい》するなど、政治権力《せいじけんりょく》と宗教とが、完全《かんぜん》に癒着《ゆちゃく》していたのである。

日蓮《にちれん》は、救世《きゅうせい》のために、諫暁《かんぎょう》の書《しょ》「立正安国論《りっしょうあんこくろん》」を認《したた》めた。そして、事実上《じじつじょう》の最高権力者《さいこうけんりょくしゃ》である＊北条時頼《ほうじょうときより》に、時頼の側近《そっきん》である＊宿屋入道《やどやにゅうどう》を通《とお》して、この書を上呈《じょうてい》した。文応元年《ぶんおうがんねん》（一二六〇年）の七月十六日のことである。

時頼は、寛元《かんげん》四年（一二四六年）、二十歳で執権《しっけん》になると、次々《つぎつぎ》に敵対者《てきたいしゃ》を退《しりぞ》け、北条家《け》の権力を固《かた》める一方《いっぽう》、政道《せいどう》を模索《もさく》し、武士《ぶし》の綱紀粛正《こうきしゅくせい》を進《すす》めていた。また、禅《ぜん》を信奉《しんぽう》し、三十歳の若《わか》さで、病気《びょうき》を理由《りゆう》に執権職《しょく》を譲《ゆず》って入道すると、臨済宗《りんざいしゅう》の最明寺《さいみょうじ》に退いてしまった。

だが、彼《かれ》の威光《いこう》は、衰《おとろ》えることなく、幕府内《ばくふない》に隠然《いんぜん》たる影響力《えいきょうりょく》をもっていたのである。しかも、正嘉《しょうか》の大地震《おおじしん》以来《らい》、打ち続《つづ》く災害《さいがい》、飢饉《ききん》、疫病《えきびょう》を、為政者《いせいしゃ》として深刻《しんこく》に、受け止《と》めていた。

彼は、ある時、こう嘆《なげ》いたといわれる。

「……政道に誤《あやま》りがあるのか。政治《せいじ》に私心《ししん》があるからであろうか。天《てん》が怒《いか》り、地が恨《うら》むような過《あやま》ちがどこにあるのか。いかなる罪《つみ》のゆえに、これほど民《たみ》が苦《くる》しまねばならないのか」

日蓮は、時頼のこの嘆きを、人づてに聞いていたであろう。また、「立正安国論」を上呈する以前《いぜん》にも、時頼と対面《たいめん》して、話《はなし》もしていた。こうした経緯《けいい》から日蓮は、時頼こそ、国主《こくしゅ》

として諫暁《かんぎょう》するに足《た》る人物《じんぶつ》と見たのであろう。
「立正安国論《りっしょうあんこくろん》」は、社会《しゃかい》の惨状《さんじょう》と民衆《みんしゅう》の苦悩《くのう》から書《か》き起《お》こされている。

「旅客来《りょきゃくきた》りて嘆《なげ》いて曰《いわ》く近年《きんねん》より近日《きんじつ》に至《いた》るまで天変地夭《てんぺんちよう》・飢饉疫癘《ききんえきれい》・遍《あまね》く天下《てんか》に満《み》ち広《ひろ》く地上《ちじょう》に迸《はびこ》る牛馬巷《ぎゅうばちまた》に斃《たお》れ骸骨路《がいこつみち》に充《み》てり……」（御書《ごしょ》一七ページ）

〈旅客が来て嘆いて言うには、近年から近日にいたるまで、天変や地夭、飢饉や疫病《えきびょう》があまねく天下に満ち、広く地上にはびこっている。牛馬は街中《まちなか》のいたるところに死《し》んでおり、その骸骨が路上《ろじょう》に満ちている……〉

この民衆の苦《くる》しみという現実《げんじつ》こそが、仏法《ぶっぽう》の出発点《しゅっぱつてん》であり、苦悩からの解放《かいほう》こそが、仏法の目的《もくてき》である。

日蓮《にちれん》は、同書《どうしょ》で「くに」を表現《ひょうげん》する際《さい》に、「国構《くにがま》え」に「玉《ぎょく》（王《おう》の意《い》）」と書く「国」や、「或《わく》（戈《ほこ》を手にして国境《こっきょう》と土地《とち》を守《まも》る意）」と書く「國《くに》」という字《じ》よりも、主《おも》に「国構え」に「民《たみ》」と書く「囻《くに》」の字を用《もち》いた。現存《げんそん》する御真筆《ごしんぴつ》では、「くに」を表《あらわ》す全《ぜん》七十一文字《もじ》のうち、約《やく》八割《わり》に当《あ》たる五十六文字に、「囻」が使《つか》われている。そこには、「民」に、より重《おも》きを置《お》く考《かん》え方《かた》が、象徴的《しょうちょうてき》に表れているといえよう。

「立正安国論」で、日蓮は、世の中《なか》の惨状《さんじょう》を嘆く客と、仏法を奉《ほう》ずる主人《しゅじん》との問答形式《もんどうけいしき》を用《もち》いた。

それは、正法流布《しょうほうるふ》といっても、権威《けんい》や権力《けんりょく》による強制《きょうせい》ではなく、どこまでも人間対人間《にんげんたいにんげん》の、条理《じょうり》を尽《つ》くした対話《たいわ》による、触発《しょくはつ》と合意《ごうい》に基《もと》づくものであることを表《あらわ》している。

日蓮《にちれん》が、北条時頼《ほうじょうときより》を諫暁《かんぎょう》したのも、為政者《いせいしゃ》の立場《たちば》にあって、悩《なや》み苦《くる》しむ、一人《ひとり》の人間としての時頼に、真実《しんじつ》の仏法《ぶっぽう》を教《おし》えるためであった。さらに、それによって時頼が、まことの人間の道《みち》に目覚《めざ》め、〝民《たみ》のための政治《せいじ》〟を行《おこな》っていくことを願《ねが》ってのことであった。

日蓮は、決《けっ》して、幕府《ばくふ》の庇護《ひご》を求《もと》めようとしていたのではない。

たとえば、幕府は、日蓮の佐渡《さど》流罪《るざい》のあと、彼《かれ》の予言《よげん》した他国侵逼《たこくしんぴつ》の難《なん》が現実《げんじつ》となりつつあることに恐《おそ》れをいだき、御堂《みどう》の寄進《きしん》を条件《じょうけん》に国家安泰《こっかあんたい》の祈願《きがん》を依頼《いらい》してきた。もし、権力に与《くみ》することを考《かんが》えるなら、この幕府の依頼は、またとない好機《こうき》であったといってよい。しかし、この時、日蓮は厳然《げんぜん》と、それを断《ことわ》っているのである。

また、「立正安国論《りっしょうあんこくろん》」には次《つぎ》のような記述《きじゅつ》もある。

——天下《てんか》の泰平《たいへい》を願うならば、国中《くにじゅう》の謗法《ほうぼう》を断絶《だんぜつ》しなければならないとの、主人《しゅじん》の言葉《ことば》に、客《きゃく》は、謗法を犯《おか》し、仏法の戒《いまし》めに違背《いはい》する人びと、すなわち、他宗《たしゅう》の僧《そう》らを斬罪《ざんざい》にしなければならないのか、と尋《たず》ねる。

その問《と》いに対《たい》して、主人《しゅじん》は「布施《ふせ》を止《とど》める」ことであると答《こた》えている。

それは、念仏《ねんぶつ》や禅《ぜん》などへの幕府《ばくふ》の保護《ほご》をやめさせ、国家権力《こっかけんりょく》とそれらの宗教《しゅうきょう》との癒着《ゆちゃく》を断《た》とうとするものといえる。

日蓮《にちれん》は、国家権力の威光《いこう》によって、宗教の盛衰《せいすい》が左右《さゆう》されることを拒否《きょひ》したのだ。そのうえで宗教対宗教の法論《ほうろん》、対話《たいわ》によって、教《おし》えの正邪《せいじゃ》を決《けっ》して、正法《しょうほう》を流布《るふ》しようとしていたのである。もし、宗教が権力の庇護《ひご》を求《もと》めるなら、宗教の堕落《だらく》以外《いがい》の何ものでもない。

また、この書《しょ》のなかで、日蓮は、誤《あやま》った教えを断絶《だんぜつ》しなければ、三災七難《さんさいしちなん》のうち、まだ現《あらわ》れていない自界叛逆《じかいほんぎゃく》と他国侵逼《たこくしんぴつ》の二難《なん》が必《かなら》ず起《お》こるであろうと述《の》べている。

しかし、それは、単《たん》に、未来《みらい》の終末《しゅうまつ》を占《うらな》うといった類《たぐ》いの予言《よげん》ではない。経文《きょうもん》を通《とお》して生《せい》命《めい》の法理《ほうり》を洞察《どうさつ》し、導《みちび》き出された、深《ふか》き知恵《ちえ》の発露《はつろ》であった。

そして、何よりも、これ以上《いじょう》、不幸《ふこう》な事態《じたい》を、絶対《ぜったい》に引き起こしてはならないという、大《だい》慈大悲《じだいひ》ゆえの警鐘《けいしょう》でもあった。

「立正安国論《りっしょうあんこくろん》」で、日蓮は、こう結論《けつろん》する。

「汝《なんじ》早《はや》く信仰《しんこう》の寸心《すんしん》を改《あらた》めて速《すみやか》に実乗《じつじょう》の一善《いちぜん》に帰《き》せよ」（御書《ごしょ》三二㌻）

〈あなたは、早く信仰の寸心を改めて、速《すみ》やかに、実乗の一善である、真実《しんじつ》の法に帰依《きえ》しなさい〉

不幸《ふこう》と苦悩《くのう》に覆《おお》われた社会《しゃかい》を変革《へんかく》し、「国を安《やす》んずる」直道《じきどう》は何か。日蓮《にちれん》は、それは、一人《ひとり》の人間《にんげん》の心《こころ》のなかに「正《しょう》を立てる」ことから始《はじ》まるのだと呼《よ》びかけている。「実乗《じつじょう》の一善《いちぜん》」とは、実大乗教《じつだいじょうきょう》たる法華経《ほけきょう》であり、一切衆生《いっさいしゅじょう》は本来《ほんらい》、仏《ほとけ》なりと教《おし》える、最《さい》高《こう》の人間尊厳《そんげん》の大法《だいほう》である。そして、一人ひとりの人間が、この妙法《みょうほう》に則《のっと》って、胸中《きょうちゅう》の仏の生命《せいめい》を開いていく時、その人の住《す》む場所《ばしょ》も、仏国土《ぶっこくど》と輝《かがや》いていくのである。

つまり、時代《じだい》、社会の創造《そうぞう》の主体《しゅたい》である、一人ひとりの人間の内発性《ないはっせい》の勝利《しょうり》を打ち立て、社会の繁栄《はんえい》と平和《へいわ》を創造していこうとするのが日蓮仏法《ぶっぽう》である。そして、その原理《げんり》を説《と》き明《あ》かしたのが、この「立正安国論《りっしょうあんこくろん》」であった。

衆生に仏を見る仏法は、すべての人間に絶対《ぜったい》の尊厳性と無限《むげん》の可能性《かのうせい》を見いだす。それは、揺《ゆ》るがざる民主《みんしゅ》の基盤《きばん》を形成《けいせい》する哲理《てつり》となるにちがいない。また、自《みずか》らに内在《ないざい》する仏の生命を顕《あらわ》していくということは、他者《たしゃ》への慈悲《じひ》の心を育《はぐく》むことでもある。

いわば、「実乗の一善に帰《き》せよ」とは、「偏頗《へんぱ》な生命観、人間観を排《はい》して、生命の尊厳に立ち返れ」「エゴを破《やぶ》り、慈悲を生き方《かた》の規範《きはん》にせよ」「真実《しんじつ》の人間主義《しゅぎ》に立脚《りっきゃく》せよ」との指南《しなん》といってよい。ここに、人類《じんるい》の繁栄と世界《せかい》の平和のための、普遍《ふへん》の哲理がある。

ところで、「立正安国論」は、北条時頼《ほうじょうときより》のもとに届《とど》けられはしたが、時頼はそれを黙殺《もくさつ》してしまった。

一説《いっせつ》によれば、「立正安国論《りっしょうあんこくろん》」を時頼《ときより》が手にしたところ、周囲《しゅうい》の者《もの》が、日蓮《にちれん》は慢心《まんしん》し、他《た》を軽《かろ》んじ、一宗《いっしゅう》を興《おこ》そうとして、この書《しょ》を書《か》いたものであると告《つ》げたことから、放置《ほうち》されたともいわれている。いずれにしても、時頼は日蓮の主張《しゅちょう》に、真摯《しんし》に耳《みみ》を傾《かたむ》けることはなかった。しかも、側近《そっきん》たちによって、その内容《ないよう》は歪曲《わいきょく》され、誹謗《ひぼう》されて、念仏《ねんぶつ》をはじめとする、他宗《たしゅう》の僧《そう》らに伝《つた》えられたのである。

鎌倉《かまくら》の地にあって、日蓮が他宗派《は》の誤《あやま》りを正《ただ》してきたことを、諸宗《しょしゅう》の僧は、いまいましく思《おも》っていた。そのうえ、時頼にまで諫暁《かんぎょう》の書を送《おく》り、自分《じぶん》たちを批判《ひはん》したと思うと、彼《かれ》らの怒《いか》りは頂点《ちょうてん》に達《たつ》した。

日蓮の身に、危険《きけん》が迫《せま》りつつあった。

日蓮は、「立正安国論」を北条《ほうじょう》時頼に上呈《じょうてい》すれば、激《はげ》しい迫害《はくがい》にさらされることは十分《じゅうぶん》に予測《よそく》していた。しかし、彼は、大難《だいなん》を覚悟《かくご》で、この書を上呈し、国主《こくしゅ》を諫暁したのである。それは、民衆《みんしゅう》の苦《くる》しみをわが苦《く》とする、同苦《どうく》ゆえの行動《こうどう》であった。

真実《しんじつ》の同苦は、ただ、苦悩《くのう》を分かち合い、ともに嘆《なげ》き悲《かな》しむことだけでは終《お》わらない。また、単《たん》に、同情《どうじょう》と慰《なぐさ》めの言葉《ことば》だけに終わるものでもない。まことの同苦の人には、人びとの苦悩《くのう》の解決《かいけつ》のための果敢《かかん》な行動《こうどう》がある。慈悲《じひ》から発《はっ》する、何ものをも恐《おそ》れぬ勇気《ゆうき》がある。そして、不屈《ふくつ》の信念《しんねん》の持続《じぞく》がある。

この「立正安国論《りっしょうあんこくろん》」の上呈《じょうてい》から四十日が過《す》ぎた、八月二十七日の夜《よる》のことである。鎌倉《かまくら》の松葉《まつば》ケ谷《がやつ》にあった日蓮《にちれん》の草庵《そうあん》が、念仏者《ねんぶつしゃ》たちによって襲《おそ》われるという事件《じけん》が起《お》こった。松葉ケ谷の法難《ほうなん》である。

日蓮の予測《よそく》は現実《げんじつ》となった。それは、彼《かれ》の、本格的《ほんかくてき》な迫害《はくがい》に次《つ》ぐ迫害の人生《じんせい》の始《はじ》まりであった。

山本伸一《やまもとしんいち》は、「立正安国論」を拝《はい》しながら、深《ふか》い感動《かんどう》を覚《おぼ》えた。

この一九六一年（昭和《しょうわ》三十六年）という年も、自然災害《しぜんさいがい》や疫病《えきびょう》が猛威《もうい》をふるっていた。

五月末《まつ》には、台風《たいふう》四号《ごう》の影響《えいきょう》によるフェーン現象《げんしょう》のため、東北《とうほく》・北海道《ほっかいどう》で火災《かさい》が頻発《ひんぱつ》した。さらに、梅雨期《ばいうき》に入《はい》ると、六月二十四日から一週間以上《しゅうかんいじょう》にわたって、豪雨《ごうう》に見舞《みま》われた。特《とく》に、長野県《ながのけん》の伊那《いな》方面《ほうめん》をはじめ、本州《ほんしゅう》、四国《しこく》で大きな被害《ひがい》が出て、死者《ししゃ》・行方不明者《ゆくえふめいしゃ》は、全国《ぜんこく》で三百五十人を超《こ》えた。

また、当時《とうじ》、ポリオ（小児《しょうに》マヒ）が大流行《だいりゅうこう》し、幼《おさな》い子を持《も》つ親《おや》たちを、恐怖《きょうふ》に陥《おとしい》れていた。

ソ連《れん》などには、ポリオに効《き》く生《なま》ワクチンがあり、既《すで》に、前年《ぜんねん》、ソ連から日本に十万人分《ぶん》の寄贈《きぞう》の話《はなし》が進《すす》んでいた。ところが、日本政府《せいふ》は、それにストップをかけたのである。そこには、反《はん》ソ的《てき》な政治勢力《せいじせいりょく》の意向《いこう》や、法律《ほうりつ》（薬事法《やくじほう》）をタテにした硬直《こうちょく》した役所《やくしょ》の姿勢《しせい》、自社《じしゃ》の薬《くすり》が売《う》れなくなることを恐《おそ》れた一部《いちぶ》の製薬会社《せいやくがいしゃ》の反対《はんたい》などもあったようだ。

国民《こくみん》の生命《せいめい》よりも、国家《こっか》の立場《たちば》や権威《けんい》、企業《きぎょう》の利害《りがい》が優先《ゆうせん》されていたのだ。

しかし、子供《こども》たちを救《すく》おうと、生ワクチンを求《もと》める人びとの声《こえ》は、国民運動《うんどう》となって広《ひろ》がった。その民衆《みんしゅう》の力《ちから》の前に、ようやく政府は重《おも》い腰《こし》を上げ、生ワクチン千三百万人分の緊急輸入《きんきゅうゆにゅう》を決定《けってい》。この年の七月、カナダから三百万人分、ソ連からは実《じつ》に一千万人分の生ワクチンが届《とど》けられたのである。

一方《いっぽう》、国際情勢《こくさいじょうせい》を見ても、東西冷戦《とうざいれいせん》の暗雲《あんうん》が影《かげ》を落《お》とし、世界《せかい》のあちこちで、対立《たいりつ》と分断《ぶんだん》のキナ臭《くさ》い硝煙《しょうえん》が漂《ただよ》っていた。

四月には、社会主義化《しゃかいしゅぎか》を進めるキューバに危機感《ききかん》をいだいたアメリカが、亡命《ぼうめい》キューバ人部隊《ぶたい》を後押《あとお》しして軍事侵攻《ぐんじしんこう》を企《くわだ》て、あえなく失敗《しっぱい》する事件《じけん》があった。いわゆる〝キューバ侵攻事件〟である。アメリカの前政権《ぜんせいけん》が計画《けいかく》していたものとはいえ、平和《へいわ》への希望《きぼう》を担《にな》って登場《とうじょう》した*ケネディ新政権は、初《はじ》めて、国際的な批判《ひはん》を浴《あ》びることになる。

また、インドシナ半島《はんとう》のラオスでは、アメリカの支援《しえん》を受けた右派《うは》、そして、中立派《ちゆうりつは》、左派《さは》の三派《ぱ》が入り乱《みだ》れての内戦状態《ないせんじようたい》にあった。五月ごろから、ようやく、停戦《ていせん》と連合政権《れんごうせいけん》の樹立《じゆりつ》へ向けて、具体的《ぐたいてき》な交渉《こうしよう》が進《すす》められるが、その後《ご》も混乱《こんらん》は収《おさ》まらなかった。

さらに、北緯《ほくい》一七度《ど》線《せん》を境《さかい》にして、北《きた》ベトナム（ベトナム民主共和国《みんしゆきようわこく》）と南《みなみ》ベトナム（ベトナム共和国）に分断《ぶんだん》されたベトナムでも、統合《とうごう》への民衆《みんしゆう》の素朴《そぼく》な願《ねが》いをよそに、対立《たいりつ》の溝《みぞ》は、一層《いつそう》、深《ふか》まろうとしていた。

アジアの共産主義化《きようさんしゆぎか》を恐《おそ》れるアメリカは、南ベトナムを支援する一方《いつぽう》、北ベトナムと南ベトナム国内《こくない》の共産主義勢力《せいりよく》の排除《はいじよ》に腐心《ふしん》してきた。前年末《ぜんねんまつ》に結成《けつせい》された南ベトナム解放民族《かいほうみんぞく》戦線《せんせん》に対《たい》しても、アメリカは〝北からの侵略《しんりやく》〟と敵視《てきし》し、一段《いちだん》と南ベトナム政府《せいふ》への軍事援《ぐんじえん》助《じよ》を強《つよ》めていくことになる。

こうして世界《せかい》が激動《げきどう》を続《つづ》けるなか、六月の三日、四日の両日《りようじつ》、ケネディが大統領《だいとうりよう》に就任《しゆうにん》して以来《いらい》、初《はつ》の米《べい》ソ首脳会談《しゆのうかいだん》がオーストリアのウィーンで開催《かいさい》された。世界の目は、東西《とうざい》の緊《きん》張緩和《ちようかんわ》への期待《きたい》をもって、この会談に注《そそ》がれた。

四十四歳の若《わか》き力《ちから》にあふれたケネディと、六十七歳の熟達《じゆくたつ》した手腕《しゆわん》の*フルシチョフは、白《はく》熱《ねつ》した議論《ぎろん》を展開《てんかい》した。しかし、*ベルリン問題《もんだい》、核実験停止《かくじつけんていし》の問題で、フルシチョフが強硬《きようこう》姿勢《しせい》を崩《くず》さなかったこともあり、両国《りょうこく》の対立《たいりつ》を浮《う》き彫《ぼ》りにする結果《けっか》に終《お》わった。

山本伸一《やまもとしんいち》は、混迷《こんめい》する世界《せかい》の動向《どうこう》に、切実《せつじつ》な思《おも》いをいだいていた。

立正安国《りっしょうあんこく》の「国」とは、単《たん》に一国《いっこく》に限《かぎ》ったものではない。一閻浮提《いちえんぶだい》であり、現代《げんだい》でいえば、広《ひろ》く世界をさすものといえる。

その世界に、恒久平和《こうきゅうへいわ》の楽園《らくえん》を築《きず》き上げるために、人間主義《にんげんしゅぎ》の哲学《てつがく》をもって、人びとの生命《せいめい》の大地《だいち》を耕《たがや》していくことが、立正安国の実践《じっせん》であり、そこに創価学会《そうかがっかい》の使命《しめい》がある。

彼《かれ》は、それを、この夏季講習会《かきこうしゅうかい》で、訴《うった》え抜いていかねばならないと決心《けっしん》した。

八月二日に始《はじ》まった、講習会の中心《ちゅうしん》となったのが、山本会長《かいちょう》の「立正安国論《ろん》」講義《こうぎ》であった。

講義の範囲《はんい》は、御書《ごしょ》の三十ページ十六行目《ぎょうめ》の「主人《しゅじん》の云《いわ》く、客明《きゃくあきらか》に経文《きょうもん》を見て猶斯《なおこ》の言《ことば》を成《な》す心《こころ》の及《およ》ばざるか理《り》の通《つう》ぜざるか……」から、本文《ほんぶん》の最後《さいご》までであった。「立正安国論」の結論部分《けつろんぶぶん》である。

総本山《そうほんざん》の大講堂《だいこうどう》に集《つど》った参加者《さんかしゃ》に、伸一は、気迫《きはく》と情熱《じょうねつ》を込《こ》めて講義していった。

「立正安国とは、わかりやすくいえば、真実《しんじつ》のヒューマニズムの哲理《てつり》を根本《こんぽん》に、一人《ひとり》ひとりが自《みずか》らの人間革命《にんげんかくめい》を行《おこな》い、社会《しゃかい》の繁栄《はんえい》と世界《せかい》の平和《へいわ》を創造《そうぞう》する主体者《しゅたいしゃ》となっていくということです。

日蓮大聖人《にちれんだいしょうにん》の御一代《ごいちだい》の弘法《ぐほう》は、『立正安国論《りっしょうあんこくろん》に始《はじ》まり、立正安国論に終《お》わる』と言われております。

大聖人が、この『立正安国論』をお認《したた》めになった目的《もくてき》は、地震《じしん》や洪水《こうずい》、飢餓《きが》、疫病《えきびょう》などに苦《くる》しみ喘《あえ》ぐ、民衆《みんしゅう》の救済《きゅうさい》にありました。そして、そのために、まことの人間の道《みち》を説《と》く仏法《ぶっぽう》という生命《せいめい》の哲理《てつり》を流布《るふ》し、人間自身《じしん》の革命をめざされたのです。つまり、一人《ひと》ひとりの悪《あく》の心《こころ》を滅《めっ》し、善《ぜん》の心を生《しょう》じさせ、知恵《ちえ》の眼《まなこ》を開かせて、利己《りこ》から利他《りた》へ、破壊《はかい》から創造へと、人間の一念《いちねん》を転換《てんかん》する戦《たたか》いを起《お》こされた。

なぜなら、人間こそが、いっさいの根本《こんぽん》であるからです。肥沃《ひよく》な大地《だいち》には、草木《そうもく》が繁茂《はんも》する。同様《どうよう》に、人間の生命の大地が耕《たがや》されれば、そこには、平和、文化《ぶんか》の豊《ゆた》かな実《みの》りが生まれるからであります……」

彼《かれ》は、初《はじ》めに、「立正安国論」の概要《がいよう》について、語《かた》ったあと、御文《ごもん》に即《そく》して、講義《こうぎ》していった。

*仁王経《にんのうきょう》の「国土《こくど》乱《みだ》れん時は先《ま》ず鬼神《きじん》乱る鬼神乱るるが故《ゆえ》に万民《ばんみん》乱る」（御書《ごしょ》三一ページ）の個所《かしょ》

では、三災七難《さんさいしちなん》の原因《げんいん》について論《ろん》じた。
「鬼神《きじん》というのは、目に見えない超自然的《ちょうしぜんてき》な働《はたら》きをもつものですが、現代的《げんだいてき》にいえば、思想《しそう》も、その一つといえます。つまり、国土《こくど》、社会《しゃかい》が乱《みだ》れる時には、まず、思想の乱れが生《しょう》じていきます。そして、この思想の混乱《こんらん》が、人びとの生命《せいめい》を蝕《むしば》み、意識《いしき》や思考《しこう》を歪《ゆが》め、それが、社会の混乱をもたらす原因となっていくのです。

たとえば、人びとが、利己主義《りこしゅぎ》に陥《おちい》って、私利私欲《しりしよく》のみを追《お》い求《もと》め、刹那《せつな》主義や快楽《かいらく》主義などに走《はし》れば、当然《とうぜん》、社会は荒廃《こうはい》していってしまう。また、別《べつ》の例《れい》をあげれば、ドイツの独《どく》裁者《さいしゃ》ヒトラーの、ナチズムという思想に、人びとが狂《くる》わされてしまった悲惨《ひさん》な結果《けっか》が、あのナチスによる侵略戦争《しんりゃくせんそう》であり、大量殺戮《たいりょうさつりく》でした。

社会の混乱や悲惨な現実《げんじつ》をもたらす原因は、人間《にんげん》という原点《げんてん》を忘《わす》れた考《かんが》え方《かた》に、皆《みな》が心《こころ》を奪《うば》われていくことにあります。

現在《げんざい》、日本にあっては、昨年《さくねん》の新安保条約《しんあんぽじょうやく》の成立以来《せいりついらい》、政治不信《せいじふしん》、政治離《ばな》れが起《お》こり、人びとの関心《かんしん》は、経済《けいざい》に向かっている。

確《たし》かに、党利党略《とうりとうりゃく》に終始《しゅうし》し、実力行使《じつりょくこうし》や強行採決《きょうこうさいけつ》など、議会制民主《ぎかいせいみんしゅ》主義を踏《ふ》みにじる現在の政治を見ていれば、国民《こくみん》が失望《しつぼう》し、不信をいだくのも当然かもしれない。それも、政治家が民衆《みんしゅう》の幸福《こうふく》を、人間《にんげん》という原点《げんてん》を忘《わす》れているからです。しかし、だからといって国民《こくみん》が政治《せいじ》に無関心《むかんしん》になって、監視《かんし》を怠《おこた》れば、政治の腐敗《ふはい》はさらに進《すす》んでいく。

また、人間を忘れた経済《けいざい》も冷酷《れいこく》です。ただ利潤第一主義《りじゅんだいいちしゅぎ》、経済第一主義に走《はし》れば、社会《しゃかい》はどうなるか。豊《ゆた》かにはなっても、人心《じんしん》はすさみ、自然環境《しぜんかんきょう》の破壊《はかい》も起《お》こり、結局《けっきょく》、人びとが苦《くる》しむことになります。

科学《かがく》の世界《せかい》にあっても、科学万能主義《ばんのうしゅぎ》に陥《おちい》れば、その進歩《しんぽ》は、かえって、人間性を奪《うば》い、人間を脅《おびや》かすものになっていきます。

ヒューマニズムに帰《かえ》れ――これが、現代的《げんだいてき》にいえば日蓮大聖人《にちれんだいしょうにん》の主張《しゅちょう》です。そして、政治や経済、科学に限《かぎ》らず、教育《きょういく》も、芸術《げいじゅつ》も、社会のすべての営《いとな》みを、人間の幸福のために生かしていく原理《げんり》が、立正安国《りっしょうあんこく》なのであります」

さらに伸一《しんいち》は、「須《すべから》く一身《いっしん》の安堵《あんど》を思《おも》わば先《ま》ず四表《しひょう》の静謐《せいひつ》を禱《いの》らん者《もの》か」（御書《ごしょ》三一ページ）の御文《ごもん》では、仏法者《ぶっぽうしゃ》の社会的使命《しめい》について論《ろん》じていった。四表とは、東西南北《とうざいなんぼく》の四方《しほう》であり、広《ひろ》く社会を、また、世界をさす。

「この意味《いみ》は、『当然《とうぜん》のこととして、一身の安堵、つまり、個人《こじん》の安泰《あんたい》を願《ねが》うならば、まず、四表、すなわち、社会の安定《あんてい》、世界の平和《へいわ》を祈《いの》るべきである』ということです。

ここには、仏法者《ぶっぽうしゃ》の姿勢《しせい》が明確《めいかく》に示《しめ》されている。

自分《じぶん》の安《やす》らぎのみを願《ねが》って、自己《じこ》の世界《せかい》にこもるのではなく、人びとの苦悩《くのう》を解決《かいけつ》し、社《しゃ》会《かい》の繁栄《はんえい》と平和《へいわ》を築《きず》くことを祈《いの》っていってこそ、人間《にんげん》の道《みち》であり、真《しん》の宗教者《しゅうきょうしゃ》といえます。

社会を離《はな》れて、仏法はない。宗教が社会から遊離《ゆうり》して、ただ来世《らいせ》の安穏《あんのん》だけを願うなら、それは、既《すで》に死《し》せる宗教です。本当《ほんとう》の意味《いみ》での人間のための宗教ではありません。

ところが、日本にあっては、それが宗教であるかのような認識《にんしき》がある。宗教が権力《けんりょく》によって、骨抜《ほねぬ》きにされてきたからです」

参加者《さんかしゃ》の目は、求道《きゅうどう》に燃《も》えていた。

山本伸一《やまもとしんいち》は、さらに、講義《こうぎ》を続《つづ》け、訴《うった》えた。

「世《よ》の中《なか》の繁栄と平和を築いていく要諦《ようてい》は、ここに示されているように、社会の安穏を祈る人間の心《こころ》であり、一人《ひとり》ひとりの生命《せいめい》の変革《へんかく》による〝個《こ》〟の確立《かくりつ》にあります。

そして、社会の安穏を願い、周囲《しゅうい》の人びとを思《おも》いやる心は、必然的《ひつぜんてき》に、社会建設《けんせつ》への自覚《じかく》を促《うなが》し、行動《こうどう》となっていかざるをえない。

創価学会《そうかがっかい》の目的《もくてき》は、この『立正安国論《りっしょうあんこくろん》』に示されているように、平和な社会の実現《じつげん》にあります。この地上《ちじょう》から、戦争《せんそう》を、貧困《ひんこん》を、飢餓《きが》を、病苦《びょうく》を、差別《さべつ》を、あらゆる〝悲惨《ひさん》〟の二字《にじ》を根絶《こんぜつ》していくことが、私たちの使命《しめい》です。

そこで、大事《だいじ》になってくるのが、そのために、現実《げんじつ》に何をするかである。実践《じっせん》がなければ、すべては夢物語《ゆめものがたり》であり、観念《かんねん》です。

具《ぐ》体的《たいてき》な実践にあたっては、各人《かくじん》がそれぞれの立場《たちば》で、考《かんが》え、行動《こうどう》していくことが原則《げんそく》ですが、ある場合《ばあい》には、学会《がっかい》が母体《ぼたい》となって、文化《ぶんか》や平和《へいわ》の交流機関《こうりゅうきかん》などをつくることも必要《ひつよう》でしょう。また、たとえば、人間《にんげん》のための政治《せいじ》を実現《じつげん》するためには、人格高潔《じんかくこうけつ》な人物《じんぶつ》を政界《せいかい》に送《おく》るとともに、一人《ひとり》ひとりが政治を監視《かんし》していくことも必要です。

しかし、その場合も、学会の役割《やくわり》は、誕生《たんじょう》のための母体であって、それぞれの機関などが、主体的《しゅたいてき》に活動《かつどう》を展開《てんかい》していかなくてはならない。その目的《もくてき》は、教団《きょうだん》のためといった偏狭《へんきょう》なものではなく、民衆《みんしゅう》の幸福《こうふく》と世界《せかい》の平和の実現です。

また、そうした社会的《しゃかいてき》な問題《もんだい》については、さまざまな意見《いけん》があって当然《とうぜん》です。試行錯誤《しこうさくご》もあるでしょう。しかし、根本《こんぽん》は『四表《しひょう》の静謐《せいひつ》』を祈《いの》る心《こころ》であり、人間が人間らしく、楽《たの》しく幸福に生きゆくために、人間を第一義《だいいちぎ》とする思想《しそう》を確立《かくりつ》することです。

さらに、その心を、思想を深《ふか》く社会に浸透《しんとう》させ、人間の凱歌《がいか》の時代《じだい》を創《つく》ることが、私どもの願《ねが》いであり、立正安国《りっしょうあんこく》の精神《せいしん》なのです」

伸一《しんいち》の講義《こうぎ》を通《とお》し、各地《かくち》から集《つど》った講習会《こうしゅうかい》の参加者《さんかしゃ》は、仏法者《ぶっぽうしゃ》の社会的使命《しゃかいてきしめい》に目覚《めざ》めていった。それは、社会の平和《へいわ》建設《けんせつ》への自覚《じかく》を促《うなが》し、新《あら》たな前進《ぜんしん》の活力《かつりょく》をもたらしていったのである。

八月三十日には、東京体育館《とうきょうたいいくかん》で本部幹部会《ほんぶかんぶかい》が行《おこな》われた。その席上《せきじょう》、発表《はっぴょう》された八月度の本尊流布《ほんぞんるふ》は、なんと八万七百二十五世帯《せたい》であった。学会始《がっかいはじ》まって以来《いらい》の成果《せいか》である。

また、この日、四国《しこく》に総支部《そうしぶ》が誕生《たんじょう》したほか、これまで五総支部の陣容《じんよう》だった関東《かんとう》が、一挙《いっきょ》に十五総支部になるなど、組織《そしき》も大きな飛躍《ひやく》を遂《と》げたのであった。

この八月には、アジアに続《つづ》いて、学会本部から幹部を派遣《はけん》しての海外指導《かいがいしどう》が行われた。メンバーは、副理事長《ふくりじちょう》でアメリカ総支部長の十条潔《じゅうじょうきよし》をはじめとする九人で、北米《ほくべい》の北部《ほくぶ》、北米の南部《なんぶ》、南米《なんべい》の三グループに分かれ、八月の十三日から二十八日までの十六日間にわたって実施《じっし》された。

この派遣メンバーにとっても、山本会長《やまもとかいちょう》の「立正安国論《りっしょうあんこくろん》」講義は、最大《さいだい》のエネルギー源《げん》となった。世界《せかい》平和の礎《いしずえ》を築《きず》くための派遣だという思《おも》いが、彼《かれ》らの闘志《とうし》を燃《も》え上がらせた。一行《いっこう》は、行く先々《さきざき》で、全力《ぜんりょく》でメンバーの激励《げきれい》にあたるとともに、組織の整備《せいび》に力《ちから》を注《そそ》いだ。

そして、北米《ほくべい》では、サンフランシスコ、シカゴ、ワシントンに支部《しぶ》を、ニューヨークをはじめ、各地《かくち》に二十三の地区《ちく》を結成《けっせい》した。また、南米《なんべい》では、ブラジルに五地区を結成。さらに、パラグアイにも初《はつ》の地区が誕生《たんじょう》したのである。

南米グループは、このパラグアイに向かうのに、ブラジルのサンパウロから、飛行機《ひこうき》でイグアスの滝《たき》の近《ちか》くの空港《くうこう》に出た。そして、ジープに乗《の》り継《つ》いで、丸一日《まるいちにち》がかりで、アルゼンチンのポサダスという町《まち》に行き、そこから、パラグアイのチャベスと呼《よ》ばれる、日系人《にっけいじん》の移住地《いじゅうち》に入《はい》った。

このチャベスには、三十四世帯《せたい》の日系人メンバーがいたのである。皆《みな》、開拓《かいたく》のために入植《にゅうしょく》した人たちであった。組織《そしき》もないなかで、同志《どうし》は奮闘《ふんとう》していた。

彼《かれ》らは、頬《ほお》を紅潮《こうちょう》させながら、信仰体験《しんこうたいけん》を語《かた》った。当初《とうしょ》、入植した地域《ちいき》には、赤《あか》く濁《にご》った水《みず》しかなく、とても飲料《いんりょう》には適《てき》さなかったため、良質《りょうしつ》の水が出ることを願《ねが》い、真剣《しんけん》に唱題《しょうだい》したところ、新《あたら》しい、冷《つめ》たく澄《す》んだわき水が出たという体験もあった。

開拓地とあって、どの家《いえ》も小《ちい》さく、柱《はしら》に、無造作《むぞうさ》に板を打《う》ちつけた、掘《ほ》っ立て小屋《ごや》のような質素《しっそ》な家である。しかし、メンバーは意気軒昂《いきけんこう》であった。日本から送《おく》られてくる聖教新聞《せいきょうしんぶん》を、すり切れるまで回し読《よ》みしては、信心《しんじん》に励《はげ》んできた。そして、布教《ふきょう》にも力《ちから》を注《そそ》ぎ、信心をする人も次第《しだい》に増《ふ》えてきているという。

「ここは作物《さくもつ》もよく実《みの》ります。いいところです。私たちは、この国を幸《しあわ》せの花咲《はなさ》く楽園《らくえん》にしていくつもりです」

それが、メンバーの決意《けつい》であった。そのパラグアイに、地区《ちく》が誕生《たんじょう》したのだ。

幸福《こうふく》と平和《へいわ》の波《なみ》は、少《すこ》しずつではあるが、着実《ちゃくじつ》に、世界《せかい》の隅々《すみずみ》にまで、広《ひろ》がろうとしていたのである。

九月に入《はい》ると、組座談会《くみざだんかい》は次第に軌道《きどう》に乗《の》り、そこで発心《ほっしん》した友《とも》の体験《たいけん》が、学会本部《がっかいほんぶ》にも、続々《ぞくぞく》と寄《よ》せられるようになった。

山本伸一《やまもとしんいち》は、九月は、十五日に総本山《そうほんざん》に行き、その後《ご》、台風《たいふう》十八号《ごう》（第二室戸《むろと》台風）で被害《ひがい》を受けた大阪《おおさか》の同志《どうし》の激励《げきれい》などのため、関西《かんさい》を訪問《ほうもん》した以外《いがい》は、東京《とうきょう》で過《す》ごした。

十月四日から二十日間にわたる、ヨーロッパ訪問の準備《じゅんび》があったからである。

主《おも》な訪問地は、デンマークのコペンハーゲン、西《にし》ドイツ（当時《とうじ》）のデュッセルドルフ、西ベルリン（当時）、オランダのアムステルダム、フランスのパリ、イギリスのロンドン、スペインのマドリード、スイスのチューリヒ、オーストリアのウィーン、イタリアのローマなどである。
訪問《ほうもん》の目的《もくてき》は、現地《げんち》の会員《かいいん》の指導《しどう》、大客殿《だいきゃくでん》の建築資材《けんちくしざい》・調度品《ちょうどひん》の購入《こうにゅう》、さらに、宗教事情《しゅうきょうじじょう》などの視察《しさつ》である。

伸一《しんいち》が、この時、最《もっと》も心《こころ》を痛《いた》めていたのは、ドイツの人びとのことであった。

――八月十三日の未明《みめい》、東《ひがし》ドイツ（当時《とうじ》）は、突然《とつぜん》、東西《とうざい》ベルリンの境界線《きょうかいせん》に、四十数キロメートルにわたって、鉄条網《てつじょうもう》の「壁《かべ》」を設置《せっち》したのである。

ベルリンはドイツが東西に分けられて以来《いらい》、東ドイツのなかに孤島《ことう》のように存在《そんざい》していた。そして、ベルリンも西《にし》と東に分けられてはいたが、自由《じゆう》に行き来することができた。

しかし、西ベルリンを通《とお》って、東ドイツから西側《にしがわ》に脱出《だっしゅつ》する人が後《あと》を絶《た》たなかったことから、東ドイツ政府《せいふ》は境界線を封鎖《ふうさ》したのである。

東西ベルリンを結《むす》ぶ道路《どうろ》も大半《たいはん》は封鎖され、戦車《せんしゃ》、装甲車《そうこうしゃ》が配置《はいち》された。残《のこ》った道路には、検問所《けんもんじょ》が設《もう》けられ、自由な往来《おうらい》は禁《きん》じられた。地下鉄《ちかてつ》も、境界線で折《お》り返し運転《うんてん》となった。

この鉄条網の「壁」は、十三日以降《いこう》、時を経《へ》るごとに拡張《かくちょう》され、厳重《げんじゅう》になっていった。そして、まもなく、コンクリートやレンガの、冷酷《れいこく》な「壁」が築《きず》かれるに至《いた》ったのである。

突然《とつぜん》の封鎖《ふうさ》によって、家族《かぞく》、親戚《しんせき》、あるいは恋人同士《こいびとどうし》で、離《はな》れ離《ばな》れになってしまった人もいたであろう。

それは、東西冷戦《とうざいれいせん》の縮図《しゅくず》でもあった。イデオロギーが人間《にんげん》を縛《しば》り、人間を分断《ぶんだん》させたのである。

伸一《しんいち》は、ヨーロッパ訪問《ほうもん》を前に、一人《ひとり》誓《ちか》った。

〝今こそ、人間と人間を結《むす》ぶヒューマニズムの哲学《てつがく》を、広《ひろ》く人びとの心《こころ》に、浸透《しんとう》させていかなくてはならない。世界《せかい》の立正安国《りっしょうあんこく》の道《みち》を開くのだ……〟

彼《かれ》は、二十一世紀《せいき》の大空《おおぞら》に向かい、大きく平和《へいわ》の翼《つばさ》を広げようとしていた。

大《たい》　光《こう》

新《あたら》しき元初《がんじょ》の太陽《たいよう》が、悠然《ゆうぜん》と光彩《こうさい》を放《はな》ち、昇《のぼ》る。

大仏法《だいぶっぽう》とともに生きゆく創価学会《そうかがっかい》は、世界《せかい》の太陽である。

その元初の輝《かがや》きは、不信《ふしん》と憎悪《ぞうお》の闇《やみ》を晴《は》らし、地上《ちじょう》に燦《さん》たる平和《へいわ》の光《ひかり》を注《そそ》ぐ。

悲哀《ひあい》と絶望《ぜつぼう》の谷間《たにま》にも、希望《きぼう》の光を降《ふ》らせ、苦《くる》しみの渦巻《うずま》く人間《にんげん》の大地《だいち》を、歓喜《かんき》の花園《はなぞの》に変える。

この太陽をさえぎることは誰《だれ》にもできない。黒《くろ》き妬《ねた》みの雲《くも》を見下《みお》ろし、彼《かれ》は、堂々《どうどう》と、わが軌道《きどう》を進《すす》む。

山本伸一《やまもとしんいち》は、ヨーロッパに向かうジェット機《き》の窓《まど》から、今、まさに昇らんとする太陽を見ていた。

一九六一年（昭和《しょうわ》三十六年）十月四日の午後《ごご》十時半《はん》に羽田《はねだ》を飛《と》び立ってから、五時間近《ちか》くが過《す》ぎている。ジェット機《き》は、経由地《けいゆち》であるアメリカのアラスカ州《しゅう》のアンカレジをめざして飛行《ひこう》していた。

眼下《がんか》に広《ひろ》がる雲海《うんかい》の彼方《かなた》に、真《ま》っ赤《か》な日輪《にちりん》が姿《すがた》を現《あらわ》すと、雲《くも》は薄紅色《うすべにいろ》に光《ひか》り、空《そら》は紫《むらさき》に染《そ》まった。やがて、太陽《たいよう》は、黄金《おうごん》を溶《と》かしたように、厳《おごそ》かに、燦然《さんぜん》と輝《かがや》き、その大光源《だいこうげん》から、無数《むすう》の光《ひかり》の矢《や》が十方《じっぽう》に走《はし》った。刻一刻《こくいっこく》と、空は青《あお》さを増《ま》し、純白《じゅんぱく》の綿《わた》のような雲が太陽を浴《あ》びて、キラキラと光り始《はじ》めた。

伸一《しんいち》は思《おも》った。

〝太陽が一つ輝けば、全世界《ぜんせかい》が照《て》らし出されていく。それは、広宣流布《こうせんるふ》も同じである。一人《ひとり》が立ち上がれば、すべての友《とも》を守《まも》ることができる。そして、社会《しゃかい》の闇《やみ》を破《やぶ》り、正義《せいぎ》の夜《よ》明《あ》けを告《つ》げることもできる。大切《たいせつ》なのは、真剣《しんけん》な一人だ。必死《ひっし》の一人だ。

また、太陽は、万人《ばんにん》の胸中《きょうちゅう》にある。仏法《ぶっぽう》を持《たも》った同志《どうし》は、皆《みな》、太陽となって、友の幸福《こうふく》の道《みち》を照らす人たちである。このヨーロッパ訪問《ほうもん》で、太陽となりゆく人材《じんざい》を、何人《なんにん》見つけ、育《そだ》てることができるかが勝負《しょうぶ》だ……〟

伸一の乗《の》ったジェット機が、給油《きゅうゆ》のためアンカレジに着陸《ちゃくりく》したのは、現地《げんち》時間の午前《ごぜん》十時、日本時間では午前《ごぜん》五時であった。

約《やく》一時間後、アンカレジを出発《しゅっぱつ》。一路《いちろ》、最初《さいしょ》の訪問国《ほうもんこく》である、デンマークのコペンハーゲンに向かった。

北極付近《ほっきょくふきん》を飛行中《ひこうちゅう》に、窓《まど》の外《そと》は、夜《よる》の帳《とばり》に包《つつ》まれた。月《つき》が皓々《こうこう》と輝《かがや》き、空《そら》を照《て》らしていた。美《うつく》しい月光《げっこう》であった。

伸一《しんいち》は、一人《ひとり》、胸《むね》の思《おも》いを和歌《わか》に託《たく》した。

北極に　光《ひかり》まばゆき　大月天《だいがってん》
はるか地球《ちきゅう》の　広布《こうふ》望《のぞ》みて

山本伸一《やまもとしんいち》の一行《いっこう》が乗《の》ったジェット機《き》が、コペンハーゲンに到着《とうちゃく》したのは、現地《げんち》時間の五日の午前七時過《す》ぎであった。日本時間では午後《ごご》三時過ぎである。日本を発《た》って、十七時間近《ちか》くが経過《けいか》していることになる。

上空《じょうくう》から見た時には、コペンハーゲンの街《まち》は、分厚《ぶあつ》い雲《くも》で覆《おお》われていたが、着陸《ちゃくりく》すると、雲は晴《は》れ、快晴《かいせい》となった。

一行《いっこう》が空港《くうこう》のロビーに出ると、蝶《ちょう》ネクタイをした一人《ひとり》の日本人の男性《だんせい》が待《ま》っていた。川崎《かわさき》鋭治《えいじ》である。彼《かれ》は、学会員《がっかいいん》で、フランスが誇《ほこ》る研究《けんきゅう》・教育機関《きょういくきかん》である、パリのコレージュ・ド・フランスの研究員をしている医学博士《いがくはくし》であった。今回《こんかい》の伸一《しんいち》のヨーロッパの旅《たび》に、通訳《つうやく》と案内《あんない》を兼《か》ねて、同行《どうこう》することになっていたのである。

川崎は、一九二三年（大正十二年《たいしょう》）に、新潟県《にいがたけん》の高田市《たかだし》（当時《とうじ》）で生まれた。その後《ご》、一家《いっか》は東京《とうきょう》に移《うつ》り、彼も中学《ちゅうがく》まで東京で育《そだ》った。そして、茨城《いばらき》の水戸《みと》で高校生活《こうこうせいかつ》を送《おく》り、新潟医科《いか》大学《だいがく》（現在《げんざい》の新潟大学医学部）に進《すす》んだ。卒業後《そつぎょうご》も研究室に残《のこ》り、二十八歳で学位《がくい》を取得《しゅとく》して、医学博士となっていた。

さらに、甲状腺《こうじょうせん》ホルモンの研究を始《はじ》め、アメリカに渡《わた》って、ハーバード大学付属病院《ふぞくびょういん》で研究に励《はげ》んだ。やがて、帰国《きこく》し、東大《とうだい》付属病院に勤務《きんむ》したあと、甲状腺の病気《びょうき》の治療《ちりょう》で有名《ゆうめい》な大分県《おおいたけん》の別府《べっぷ》の病院に、副院長《ふくいんちょう》として迎《むか》えられた。

そのころ、川崎は三十代半《だいなか》ばになっていた。そろそろ身を固《かた》めようと考《かんが》えた彼は、妹《いもうと》の栄《え》美子《みこ》に、友達《ともだち》のなかに、これと思《おも》う人がいたら紹介《しょうかい》してくれるように頼《たの》んだ。

妹も、両親《りょうしん》も、既《すで》に学会に入会《にゅうかい》していた。

栄美子は、兄《あに》の鋭治から結婚《けっこん》の希望《きぼう》を聞くと、ぜひ学会の女子部員《じょしぶいん》と一緒《いっしょ》にさせたいと思《おも》った。また、この機会《きかい》に、兄《あに》も信心《しんじん》できるようになればという思いもあった。それまでにも、何度《なんど》か兄に信心の話《はなし》をしてきたが、彼《かれ》は取り合おうとはしなかったのである。

川崎《かわさき》は、学会《がっかい》には、特《とく》に関心《かんしん》もなければ、偏見《へんけん》もなかった。宗教《しゅうきょう》は、なんでもよいように考《かんが》えていた。ただ、彼自身《じしん》、仕事《しごと》では、それなりの実績《じっせき》を上げながらも、いつも、心《こころ》のどこかに空虚感《くうきょかん》があった。

栄美子《えみこ》は言った。

「私が推薦《すいせん》できるのは、皆《みな》、女子部員《じょしぶいん》よ。だから、お兄《にい》さんがよかったら、青年部《せいねんぶ》の面倒《めんどう》をみてくださっている、学会の山本総務《やまもとそうむ》に、お会いしてお願《ねが》いしてみたら……」

川崎鋭治《えいじ》は、自分《じぶん》の結婚《けっこん》のことで、学会の幹部《かんぶ》に会うことには、ためらいがあった。しかし、妹《いもうと》の栄美子の勧《すす》めに従《したが》い、上京《じょうきょう》した折《おり》、彼女《かのじょ》とともに、学会本部《ほんぶ》に山本伸一《しんいち》を訪《たず》ねた。一九五九年（昭和《しょうわ》三十四年）の十月のことである。

伸一は、川崎を温《あたた》かく迎《むか》えた。

「あなたが、栄美子さんのお兄さんですか。お話は栄美子さんから、よく伺《うかが》っております。私にできることなら、なんでも応援《おうえん》させていただきます」

しばらく懇談《こんだん》したあと、伸一は尋《たず》ねた。

「あなたには、本当《ほんとう》の友達《ともだち》はいますか」

瞬間《しゅんかん》、川崎《かわさき》は考《かん》がえた。本当の友人《ゆうじん》といえる人はいなかった。

「いいえ、おりません。初《はじ》めはよくとも、最後《さいご》は、利害《りがい》で離《はな》れていってしまうケースばかりでした」

「そういうものかもしれません。しかし、私は、一生《いっしょう》、あなたと友達でおります。あなたの人生《じんせい》の成功《せいこう》を祈《いの》っています」

伸一《しんいち》と語《かた》り合ったのは、決《けっ》して長《なが》い時間ではなかったが、川崎は、伸一の人柄《ひとがら》に心《こころ》を打たれた。自分《じぶん》に信仰《しんこう》を無理《むり》強いするわけでもなければ、宗教者《しゅうきょうしゃ》にありがちな、どこか高みからものを言うような説教臭《せっきょうくさ》さもなかった。

礼儀《れいぎ》正《ただ》しく、思《おも》いやりにあふれ、それでいて、満々《まんまん》たる情熱《じょうねつ》をたたえていた。

年齢《ねんれい》は自分よりも何歳《なんさい》か若《わか》いはずだが、兄《あに》と話《はな》しているような気さえしてくるのである。

川崎は、伸一を通《とお》して、創価学会《そうかがっかい》に好感《こうかん》をいだき始《はじ》めた。

彼《かれ》は妹《いもうと》の尽力《じんりょく》もあり、六〇年（昭和《しょうわ》三十五年）の一月、女子《じょし》部員《ぶいん》と結婚《けっこん》した。結婚を前にして、彼も入会《にゅうかい》したが、特《とく》に信心《しんじん》に励《はげ》もうという気はなかった。結婚相手《あいて》も学会員であるし、悪《わる》い信仰ではなさそうなので、一応《いちおう》、入会しようという軽《かる》い気持《きも》ちであった。

大分《おおいた》の別府《べっぷ》で、川崎《かわさき》の新婚生活《しんこんせいかつ》が始《はじ》まった。

結婚後《けっこんご》、しばらくして、彼《かれ》は、腹痛《ふくつう》に襲《おそ》われた。同僚《どうりょう》の医師《いし》は、虫垂炎《ちゅうすいえん》（盲腸炎《もうちょうえん》）と診断《しんだん》し、すぐに手術《しゅじゅつ》をした。十日ほどで退院《たいいん》したが、その日、再《ふたた》び、ひどい腹痛が起《お》こった。夜《よる》も眠《ねむ》ることができなかった。

再入院《さいにゅういん》して、検査《けんさ》をしたが、痛《いた》みの原因《げんいん》はわからなかった。医師は、モルヒネを打って痛みを抑《おさ》えたが、薬《くすり》が切れると、七転八倒《しちてんばっとう》の苦《くる》しみである。

川崎は、苦痛《くつう》から逃《のが》れるために、自分《じぶん》でモルヒネを打つようになった。その量《りょう》は次第《しだい》に増《ふ》え、いつしか、モルヒネがなければ、片時《かたとき》も、痛みを我慢《がまん》できないようになった。

病床《びょうしょう》の川崎が、気がかりでならなかったのは、近《ちか》くロンドンで開かれる甲状腺学会《こうじょうせんがっかい》のことであった。彼は、そこで、研究発表《けんきゅうはっぴょう》をすることになっていたのである。それは、医学者《いがくしゃ》として、自分の研究の成果《せいか》を世界《せかい》に問《と》う、大事《だいじ》な檜舞台《ひのきぶたい》でもあった。

しかし、気が焦《あせ》るばかりで、容体《ようだい》はいっこうによくならなかった。痛みのために、夜も眠れず、食欲《しょくよく》もなく、日ごとに痩《や》せていった。

妻《つま》の良枝《よしえ》は、そんな夫《おっと》のことが、心配《しんぱい》でならなかった。ある日、彼女《かのじょ》は、意《い》を決《けっ》して、ベッドに横《よこ》たわる夫に言った。

「あなた、大事《だいじ》なことを忘《わす》れていますよ」

「えっ、大事なこと？　薬《くすり》なら、毎日《まいにち》、飲《の》んでいるじゃないか」

「違《ちが》いますよ。信心《しんじん》ですよ。痛《いた》みの原因《げんいん》もわからないようだし、もう、信心しか方法《ほうほう》はないと思《おも》うの。祈《いの》りとして叶《かな》わざるはなしといわれている御本尊様《ごほんぞんさま》ですもの、本気《ほんき》になって、信心しましょうよ」

川崎《かわさき》は、妻《つま》の言葉《ことば》に、苦笑《くしょう》して答《こた》えた。

「何を言うんだ。病気《びょうき》のことは、医者《いしゃ》の私が一番《いちばん》よく知っている。信仰《しんこう》で病気が治《なお》るなんていうのは迷信《めいしん》だよ」

「でも、医学《いがく》でも、わからないことはたくさんあるわ。現《げん》に、あなたは、こんなに苦《くる》しんでいるじゃありませんか……」

良枝《よしえ》は、その日、彼《かれ》のベッドの横《よこ》で、真剣《しんけん》に唱題《しょうだい》し始《はじ》めた。

川崎は言った。

「頼《たの》むから、それだけはやめてくれ！」

副院長《ふくいんちょう》の自分《じぶん》が、自《みずか》らの腹痛《ふくつう》一つ治せず、妻に拝《おが》んでもらっている姿《すがた》など、決《けっ》して、人に見せたくはないと思ったのである。

しかし、良枝《よしえ》は必死《ひっし》になって、唱題《しょうだい》を続《つづ》けた。すると、不思議《ふしぎ》なことに、川崎《かわさき》の痛《いた》みは治《おさ》まり、よく眠《ねむ》ることができた。

翌日《よくじつ》、彼《かれ》は、自分《じぶん》から妻《つま》に頼《たの》んだ。

「今日《きょう》も、ここで題目《だいもく》を唱《とな》えてくれないか」

「私が唱題しても、よく眠れたんですから、ご自分で唱題すれば、もっと、よく眠れると思《おも》うの。今日は、一緒《いっしょ》に祈《いの》りましょう」

その夜《よ》は、二人《ふたり》で唱題した。彼は、熟睡《じゅくすい》することができた。そして、翌日になると、川崎の顔《かお》や目に、黄疸《おうだん》が出ていた。それによって、医師《いし》は、胆石症《たんせきしょう》の疑《うたが》いをいだき、レントゲンを撮《と》ったところ、大きな石《いし》があることがわかった。すぐに、手術《しゅじゅつ》する必要《ひつよう》があった。

しかし、そうなれば、さらに長《なが》い入院生活《にゅういんせいかつ》を送《おく》らなければならず、間近《まぢか》に迫《せま》ったロンドンでの甲状腺学会《こうじょうせんがっかい》には、参加《さんか》できなくなってしまう。

彼は医師に、手術以外《いがい》の治療《ちりょう》を施《ほどこ》してくれるように頼んだ。だが、当時《とうじ》、手術のほかには、有効《ゆうこう》な治療方法《ほうほう》はないことも、彼自身《じしん》がよく知っていた。

川崎は、藁《わら》をも摑《つか》む心境《しんきょう》になっていた。妻の説得《せっとく》もあり、この際《さい》、本気《ほんき》になって信心《しんじん》をしてみようと思った。毎日《まいにち》、真剣《しんけん》に唱題に励《はげ》んだ。最初《さいしょ》、コーヒーのような色《いろ》をした尿《にょう》が出たが、それが、やがて、薄《うす》くなっていった。

ロンドンへ出発《しゅっぱつ》する直前《ちょくぜん》に、レントゲンを撮《と》ると、なんと、石《いし》はすっかり消《き》えていた。

〝これが、信心《しんじん》の力《ちから》なのか！〟

彼《かれ》は、喜《よろこ》び勇《いさ》んで、ロンドンに向かった。甲状腺学会《こうじょうせんがっかい》での研究発表《けんきゅうはっぴょう》は大成功《だいせいこう》に終《お》わり、その後《ご》、世界《せかい》の著名《ちょめい》な大学《だいがく》や研究所から招請《しょうせい》の話《はなし》がきた。研究生活《せいかつ》に入《はい》ることは、川崎《かわさき》が念願《ねんがん》していたことでもあった。

一九六〇年（昭和《しょうわ》三十五年）の五月に、会長《かいちょう》に就任《しゅうにん》した山本伸一《やまもとしんいち》は、この年の十二月、大分《おおいた》支部《しぶ》の結成大会《けっせいたいかい》に出席《しゅっせき》するため、大分を訪問《ほうもん》した。

伸一は、川崎のことを常《つね》に心《こころ》にかけ、川崎が上京《じょうきょう》した折《おり》には、時間をつくっては、何度《なんど》か会っていた。

この時、伸一は、川崎夫妻《ふさい》を宿舎《しゅくしゃ》の旅館《りょかん》に招《まね》いた。

川崎は、山本会長に、世界の各《かく》研究機関《きかん》から研究員として招請がきており、自分《じぶん》も海外《かいがい》で研究に取り組《く》む考《かんが》えであることを語《かた》った。

それを、わがことのように喜ぶ山本会長に、川崎は心温《あたた》まる思《おも》いがした。

あとの問題《もんだい》は、どの国の研究機関を選《えら》ぶかであった。川崎は迷《まよ》った。

翌《よく》六一年（昭和《しょうわ》三十六年）八月の夏季講習会《かきこうしゅうかい》に参加《さんか》した彼《かれ》は、山本会長《やまもとかいちょう》と会い、指導《しどう》を求《もと》めた。語《かた》らいの末《すえ》に、川崎《かわさき》は、パリのコレージュ・ド・フランスに行くことにした。

伸一《しんいち》は、彼の門出《かどで》を、祝福《しゅくふく》して言った。

「私も十月には、ヨーロッパに行きます。その時には、一緒《いっしょ》に各地《かくち》を回りましょう」

川崎は、山本会長のヨーロッパ訪問《ほうもん》の時には、自分《じぶん》にできることは、なんでもやらせてもらおうと心《こころ》に決めた。川崎がパリに着《つ》いたのは九月二十四日であった。伸一がヨーロッパに出発《しゅっぱつ》する十日前のことである。

山本伸一は、空港《くうこう》に出迎《でむか》えてくれた川崎鋭治《えいじ》と、固《かた》い握手《あくしゅ》を交《か》わし、彼の労《ろう》をねぎらい、同行《どうこう》の幹部《かんぶ》を紹介《しょうかい》した。

今回《こんかい》のヨーロッパ訪問には、副理事長《ふくりじちょう》の十条潔《じゅうじょうきよし》らの壮年《そうねん》のほか、男子部長《だんしぶちょう》の谷田昇一《たにだしょういち》をはじめとする、三人の男子部のメンバーが同行していた。

一行《いっこう》は空港から、バスで市内《しない》に向かった。コペンハーゲンは、落《お》ち着いた感《かん》じの美《うつく》しい街《まち》であった。街の随所《ずいしょ》に紅葉《こうよう》した木々《きぎ》が茂《しげ》り、手《て》入れの行《ゆ》き届《とど》いた芝生《しばふ》が広《ひろ》がっていた。そして、道路《どうろ》には、さっそうと自転車《じてんしゃ》を走《はし》らせる人たちの姿《すがた》が目立った。

公園《こうえん》の前を通《とお》ると、そこに、色《いろ》とりどりのペンキを塗《ぬ》った、掘《ほ》っ立て小屋《ごや》のような家《いえ》が並《なら》んでいた。これは、子供《こども》たちが、自由《じゆう》に設計《せっけい》し、自分《じぶん》たちの手で建《た》てた家であるという。市《し》が、そのための場所《ばしょ》を提供《ていきょう》しているというのだ。

伸一《しんいち》は、デンマークのユニークな教育《きょういく》の一端《いったん》を、垣間《かいま》見た思《おも》いがした。

彼《かれ》は、牧口常三郎《まきぐちつねさぶろう》の『創価教育学体系《そうかきょういくがくたいけい》』の「緒言《しょげん》」(序文《じょぶん》)に書《か》かれた、デンマークの復興《ふっこう》の父《ちち》*グルントウィと、その若《わか》き後継者《こうけいしゃ》*コルのことを思い出した。

この二人《ふたり》の教育者については、かつて、戸田城聖《とだじょうせい》が何度《なんど》となく、伸一に語《かた》ってくれた。

グルントウィは、デンマークが世界《せかい》に誇《ほこ》る大教育者であり、「フォルケホイスコーレ」(国《こく》民高等学校《みんこうとうがっこう》)の創設者《そうせつしゃ》として知られている。しかも、詩人《しじん》であり、牧師《ぼくし》であり、北欧古典文《ほくおうこてんぶん》学《がく》の研究者《けんきゅうしゃ》であり、政治家《せいじか》でもあった。

ニコライ・グルントウィは一七八三年、首都《しゅと》コペンハーゲンのあるシェラン島《とう》の農村《のうそん》に生まれた。

彼が六歳になる年、フランス革命《かくめい》が勃発《ぼっぱつ》する。続《つづ》いて、十九世紀《せいき》の初頭《しょとう》には、ナポレオン戦争《せんそう》がヨーロッパ全土《ぜんど》を巻《ま》き込《こ》んでいく。その折《おり》、デンマークは、イギリスに敗《やぶ》れ、国運《こくうん》は衰退《すいたい》した。封建的《ほうけんてき》な絶対王制《ぜったいおうせい》も揺《ゆ》らぎ始《はじ》めた。

まさに、激動《げきどう》の時代《じだい》に、グルントウィは成長《せいちょう》していったのである。

彼《かれ》は、人間《にんげん》の自由《じゆう》と独立《どくりつ》を求《もと》めた。権威《けんい》主義《しゅぎ》、形式《けいしき》主義を徹底《てってい》して嫌《きら》い、成長するにつれて、既成《きせい》の権威と対立《たいりつ》するようになる。

グルントウィは、本《ほん》の知識《ちしき》を、ただ丸暗記《まるあんき》するだけの、暗記中心《ちゅうしん》の詰《つ》め込《こ》み主義の学校教育《がっこうきょういく》に、大きな疑問《ぎもん》をいだいた。後《のち》に、彼は、自分《じぶん》の教育理念《りねん》をつづった著作《ちょさく》『生《せい》のための学校』のなかで、そうした学校教育を、〝死《し》の文字《もじ》〟を教《おし》える〝死の学校〟だと批判《ひはん》している。

グルントウィは、大地《だいち》に根を張《は》った民衆《みんしゅう》を蔑視《べつし》し、民族《みんぞく》の文化《ぶんか》を軽《かる》くみる大学出《だいがくで》の都会《とかい》のエリートたちに強《つよ》く反発《はんぱつ》した。

〝この貧《まず》しい民衆こそ、「真《しん》のデンマーク人」ではないか〟

彼は、エリートたちの、民衆を見下《みくだ》す傲慢《ごうまん》さが許《ゆる》せなかったのである。

また、民衆の上に君臨《くんりん》して服従《ふくじゅう》を強《し》いる、腐敗《ふはい》した教会《きょうかい》や聖職者《せいしょくしゃ》にも、彼の鋭《するど》い批判の目は向けられた。彼は叫《さけ》んだ。

「まず、人間であれ。それから宗教者《しゅうきょうしゃ》であれ！」

そうした直言《ちょくげん》は、激《はげ》しい攻撃《こうげき》にさらされ、彼の著作は十数年にわたって検閲《けんえつ》を受けたりもした。

グルントウィの人生《じんせい》は、迫害《はくがい》の連続《れんぞく》であった。しかし、彼《かれ》は、信念《しんねん》を曲《ま》げなかった。折《おり》しも、デンマークにも市民革命《しみんかくめい》の波《なみ》が押《お》し寄《よ》せていた。彼は、時代《じだい》の流《なが》れを見すえ、何をもって祖国《そこく》を復興《ふっこう》させるかを考《かんが》えた。

〝これからは、一部《いちぶ》のエリートが、大多数《だいたすう》の民衆《みんしゅう》を支配《しはい》する社会《しゃかい》であってはならない。民衆自身《じしん》が目覚《めざ》めて、政治《せいじ》を監視《かんし》し、自由《じゆう》に発言《はつげん》できる力《ちから》をもってこそ真《しん》の民主《みんしゅ》であり、真の祖国の復興になるはずだ。民衆を聡明《そうめい》にしよう！　民衆を勇敢《ゆうかん》にしよう！　民衆を雄弁《ゆうべん》にしよう！〟

そのために、彼が構想《こうそう》したのが、「フォルケホイスコーレ」であった。これは「民衆の大《だい》学《がく》」を意味《いみ》し、「国民高等学校《こくみんこうとうがっこう》」と訳《やく》されているが、広《ひろ》く民衆のために高等教育《きょういく》の場《ば》を開こうとするものであった。当時《とうじ》、デンマークでは、高等教育を受ける機会《きかい》は、事実上《じじつじょう》、地位《ちい》もあり、富裕《ふゆう》な一握《ひとにぎ》りの恵《めぐ》まれた家《いえ》の子弟《してい》だけしかもてなかったのである。

彼は、この「フォルケホイスコーレ」で、一方的《いっぽうてき》、権威的《けんいてき》な詰《つ》め込《こ》み教育ではなく、教師《きょうし》と学生《がくせい》が共同生活《きょうどうせいかつ》をしながら、自由な対話《たいわ》のなかで学《まな》んでいくという、まったく新《あたら》しい高等教育を構想したのである。それは、人生の知恵《ちえ》を育《はぐく》み、知識《ちしき》を修得《しゅうとく》するとともに、市民こそ社会の主体者《しゅたいしゃ》であるとの自覚《じかく》を培《つちか》うものであった。まさに、人間《にんげん》と人間の触発《しょくはつ》による、生きた教育《きょういく》の場《ば》といってよい。

グルントウィの理念《りねん》に基《もと》づく、最初《さいしょ》の「フォルケホイスコーレ」がオープンしたのは、一八四四年のことであった。

そして、この「フォルケホイスコーレ」が、デンマーク社会《しゃかい》に深《ふか》く根を張《は》り、大発展《だいはってん》していく原動力《げんどうりょく》となったのが、後継者《こうけいしゃ》のクリステン・コルである。

コルは、グルントウィよりも三十歳以上《いじょう》も若《わか》い、少壮気鋭《しょうそうきえい》の教育者であった。

コルも、若くして教育者となったが、やはり、詰《つ》め込《こ》み教育に馴染《なじ》めず、精神的《せいしんてき》にも落《お》ち込んでしまった。そんな時、偶然《ぐうぜん》、グルントウィの思想《しそう》を知るのである。

その後《ご》、コルは、グルントウィの「フォルケホイスコーレ」の構想《こうそう》に共鳴《きょうめい》し、それを実践《じっせん》しようと、学校《がっこう》の設立《せつりつ》に奔走《ほんそう》する。しかし、決《けっ》して裕福《ゆうふく》ではない彼《かれ》は、資金的《しきんてき》に行《ゆ》き詰《づ》まり、グルントウィに援助《えんじょ》を求《もと》めた。一面識《いちめんしき》もない青年《せいねん》の依頼《いらい》ではあったが、グルントウィは、並々《なみなみ》ならぬ情熱《じょうねつ》を感《かん》じたのであろう。コルに対《たい》する援助を快諾《かいだく》するのである。

こうして、コルの「フォルケホイスコーレ」が開校《かいこう》する。一八五一年のことであった。

二人《ふたり》は、いつも、率直《そっちょく》な議論《ぎろん》を交《か》わしながら、同じ理想《りそう》に向かって力《ちから》を合わせていった。

女性《じょせい》も教育を受ける権利《けんり》があるというグルントウィの思想を受け継《つ》ぎ、最初に女性の入学《にゅうがく》を認《みと》めたのも、コルのこの学校《がっこう》であった。

グルントウィの共鳴者《きょうめいしゃ》はたくさんいた。しかし、グルントウィを師《し》と定《さだ》め、彼《かれ》の「生きた言葉《ことば》」を、師の心《こころ》を、教育《きょういく》の現場《げんば》で、そのまま実践《じっせん》していったのは、コルをおいてなかったといわれている。

コルは、生涯《しょうがい》、質素《しっそ》な作業着《さぎょうぎ》で、青年《せいねん》との対話《たいわ》、庶民《しょみん》との対話を続《つづ》けた。その姿《すがた》から、「野良着《のらぎ》のソクラテス」と呼《よ》ばれ、人びとに慕《した》われたのである。

やがて、「フォルケホイスコーレ」は、一八六〇年代《だい》に、最初《さいしょ》の全盛期《ぜんせいき》を迎《むか》えることになる。この時代《じだい》は、実《じつ》は、デンマークの〝受難《じゅなん》の時代〟であった。プロシア、オーストリアとの戦争《せんそう》に敗北《はいぼく》し、デンマークは多くの領土《りょうど》を失《うしな》ったのである。

この時、デンマークは、「外《そと》で失ったものを内《うち》で取り戻《もど》そう」と、祖《そ》国復興《こくふっこう》をめざして、未開拓《みかいたく》の荒《あ》れ地の多かったユトランド（ユラン）半島《はんとう》で、植林運動《しょくりんうんどう》を開始《かいし》している。

そして、「フォルケホイスコーレ」という、グルントウィが種《たね》を植《う》えた〝教育の森《もり》〟も、デンマークの各地《かくち》に広《ひろ》がり、祖国復興を担《にな》う人間《にんげん》の大樹《たいじゅ》を育《そだ》てる力《ちから》となったのである。

当時《とうじ》、新《あら》たに開設《かいせつ》された「フォルケホイスコーレ」を担った人びとの大半《たいはん》が、コルの学校の出身者《しゅっしんしゃ》であったという。このため、グルントウィは「フォルケホイスコーレ」の〝父《ちち》〟、コルは〝母《はは》〟であるといわれている。

牧口常三郎《まきぐちつねさぶろう》は、『創価教育学体系《そうかきょういくがくたいけい》』の「緒言《しょげん》」で、この書《しょ》の発刊《はっかん》は、愛弟子《まなでし》・戸《と》田城聖《だじょうせい》の奮闘《ふんとう》なくしてはありえなかったと述《の》べ、その感謝《かんしゃ》の心情《しんじょう》をグルントウィとコルの師弟《してい》の姿《すがた》に重《かさ》ね合わせている。牧口、戸田の教育観《かん》、学校観《がっこうかん》も、「人間《にんげん》をつくる」「民衆《みんしゅう》を聡明《そうめい》にする」という点《てん》など、グルントウィに近《ちか》いものがあった。

山本伸一《やまもとしんいち》は、コペンハーゲンの街《まち》を車窓《しゃそう》からながめながら、自分《じぶん》もコルのように、先師《せんし》牧口常三郎、恩師《おんし》戸田城聖の教育の理想《りそう》を受け継《つ》ぎ、一刻《いっこく》も早《はや》く、創価教育を実現《じつげん》する学校を、設立《せつりつ》しなければならないと思《おも》った。

間《ま》もなく、一行《いっこう》はホテルに着《つ》いた。

皆《みな》、これで、少《すこ》しは休息《きゅうそく》ができると思っていたが、ホテルのフロントで、正午過《しょうごす》ぎでなければ、チェックインはさせられないと言われてしまった。

十条潔《じゅうじょうきよし》が、渋《しぶ》い顔《かお》で伸一に言った。

「先生《せんせい》、お疲《つか》れなのに大変《たいへん》に申《もう》し訳《わけ》ございませんが、どうしてもだめだと言うんです。まるで人情《にんじょう》というものがありません」

伸一は、笑《わら》いながら、十条をなだめた。

「ホテルの事情《じじょう》もあるんだから、仕方《しかた》がないじゃないか。荷物《にもつ》だけ預《あず》かってもらって、朝食《ちょうしょく》をとって、市内《しない》の見学《けんがく》に行こう」

伸一《しんいち》は、それから、日本に、無事《ぶじ》に到着《とうちゃく》したことを知らせる電報《でんぽう》を打った。

「コペンハーゲン安着《あんちゃく》　留守《るす》をたのむ　山本《やまもと》」

伸一が、すぐに、コペンハーゲンの街《まち》の見学を提案《ていあん》したのは、大客殿《だいきゃくでん》の調度品《ちょうどひん》などを購入《こうにゅう》するために、主《おも》な店《みせ》を下見《したみ》しておく必要《ひつよう》があったからである。

街に出た一行《いっこう》は、調度品を購入する店をはじめ、市庁舎《しちょうしゃ》や警察署《けいさつしょ》、高齢者《こうれいしゃ》アパート、コペンハーゲンの発祥《はっしょう》の地といわれるクリスチャンボー城《じょう》、アマリエンボー宮殿《きゅうでん》、ア*ンデルセンの童話《どうわ》で知られる「人魚姫《にんぎょひめ》の像《ぞう》」などを見て回った。

街の一角《いっかく》には、コペンハーゲンの古《ふる》い街並《まちな》みを再現《さいげん》した模型《もけい》もあった。

また、北欧諸国《ほくおうしょこく》は〝福祉《ふくし》の国〟といわれるだけあって、高齢者アパートの設備《せつび》も、そのころの日本のアパートとは、比較《ひかく》にならないほど整《ととの》っていた。

首都《しゅと》は、国の顔《かお》といってよい。その街の表情《ひょうじょう》には、文化《ぶんか》があり、政治《せいじ》があり、民衆《みんしゅう》の心《こころ》がある。

伸一は、この地にも、やがて地涌《じゆ》の菩薩《ぼさつ》が出現《しゅつげん》することを願《ねが》って、心のなかで題目《だいもく》を唱《とな》え続《つづ》けていた。

一行《いっこう》は、正午《しょうご》にホテルに戻《もど》り、ようやくチェックインすることができた。ホテルの部屋《へや》に入《はい》ると、伸一《しんいち》は、すぐに、日本の同志《どうし》に手紙《てがみ》を書《か》いた。

しばらくすると、同行《どうこう》の幹部《かんぶ》たちが伸一の部屋にやって来た。そして、男子部《だんしぶ》の中国《ちゅうごく》第二部長《ぶちょう》をしている塩田啓造《しおだけいぞう》が、仕事《しごと》でコペンハーゲンに来ており、これから訪《たず》ねたいと、電話《でんわ》してきたことを伝《つた》えた。塩田は、八幡製鉄所《やはたせいてつじょ》の山口県光市《やまぐちけんひかりし》の工場《こうじょう》に技術者《ぎじゅつしゃ》として勤務《きんむ》していたが、パリで開かれた鉄鋼関係《てっこうかんけい》の国際会議《こくさいかいぎ》に、工場長とともに出席《しゅっせき》し、その帰《かえ》りにコペンハーゲンに寄《よ》ったのである。

伸一は言った。

「そうか。出張《しゅっちょう》の忙《いそが》しいなかで、時間をやりくりして、私に会いに来てくれるんだね。その心《こころ》が嬉《うれ》しいじゃないか」

伸一は、日本を出発《しゅっぱつ》してから、ほとんど休《やす》んでいなかった。体調《たいちょう》を考《かんが》えれば、休養《きゅうよう》する必《ひつ》要《よう》があった。しかし、彼《かれ》は、それよりも一人《ひとり》の青年《せいねん》と会って、全力《ぜんりょく》で励《はげ》ましたかった。

「みんなで、塩田君《くん》を歓迎《かんげい》しよう!」

伸一が言うと、川崎鋭治《かわさきえいじ》が口《くち》を開いた。

「先生《せんせい》、人と会われる前に、ゆっくりお休《やす》みになる時間を取られた方《ほう》が……」

川崎《かわさき》は、医師《いし》として、伸一《しんいち》の体《からだ》を心配《しんぱい》していたのである。

「心配してくれてありがとう。でも、大丈夫《だいじょうぶ》だよ。同志《どうし》のため、広宣流布《こうせんるふ》のために生きるのが、私の使命《しめい》なんです。そして、使命を果《は》たすとは、命《いのち》を使《つか》うということだ。その決意《けつい》がなければ、学会《がっかい》のリーダーにはなれません」

その言葉《ことば》は、川崎にとっては、少《すく》なからず衝撃的《しょうげきてき》であった。彼《かれ》は、伸一を学会の会長《かいちょう》として尊敬《そんけい》はしていたが、信仰歴《しんこうれき》も浅《あさ》く、学会の精神《せいしん》もよくわからなかったし、同志を思《おも》う伸一の深《ふか》い心《こころ》も知らなかった。

川崎は、医師として、人のために献身《けんしん》することの意味《いみ》や喜《よろこ》びは知っていた。しかし、本当《ほんとう》に、人びとのことを考《かん》えて、医学《いがく》に取り組《く》んできたかというと、むしろ、自分《じぶん》の学問的《がくもんてき》な興味《きょうみ》の方が優先《ゆうせん》していたように思えるのである。彼は、伸一の姿《すがた》を目にして、自分が恥《は》ずかしく感《かん》じられてならなかった。

その時、伸一が言った。

「そうだ。川崎さんに、学会の金《きん》のバッジを差《さ》し上げましょう」

伸一は、鞄《かばん》からバッジを取り出して、自《みずか》ら、川崎の背広《せびろ》の襟《えり》につけた。

「これは、学会《がっかい》の最高幹部《さいこうかんぶ》のバッジです。あなたもその自覚《じかく》で、ヨーロッパで信心《しんじん》に励《はげ》んでください」

川崎《かわさき》の目が潤《うる》んだ。

しばらくすると、塩田啓造《しおだけいぞう》がやって来た。

山本伸一《やまもとしんいち》をはじめ、皆《みな》で塩田を、温《あたた》かく迎《むか》えた。

「よく来たね。君《きみ》とは、日本ではあまり会えないのに、ここで会えるとは、嬉《うれ》しいよ」

塩田は、仕事《しごと》が多忙《たぼう》なために、普段《ふだん》は、思《おも》うように活動《かつどう》に参加《さんか》することができずにいたのである。

「日本では、なかなか、会合《かいごう》にも出席《しゅっせき》することができず、先生《せんせい》には、ご心配《しんぱい》をおかけしてすいません……」

「いいんだよ。仕事が大変《たいへん》なことはわかっている。ただ、心《こころ》は、一歩《いっぽ》たりとも信心から離《はな》れないことだ。また、こうして、少《すこ》しでも時間があれば、私にぶつかって来る、あるいは、先輩《せんぱい》にぶつかっていくということが大事《だいじ》なんだよ。

私も、なすべき課題《かだい》は山《やま》ほどあるが、時間は限《かぎ》られている。そこで、心がけていることは、一瞬《いっしゅん》たりとも時間を無駄《むだ》にしないということだ。さっきも、日本の同志《どうし》に、手紙《てがみ》を書《か》いていたんだよ」

見ると、机《つくえ》の上には、既《すで》に書《か》き上げられた、二十通《つう》ほどの封書《ふうしょ》や絵葉書《えはがき》があった。

それは、塩田《しおだ》の胸《むね》に、勇気《ゆうき》の炎《ほのお》を燃《も》え上がらせた。

〝忙《いそが》しいのは、自分《じぶん》だけじゃないんだ。先生《せんせい》は、もっと忙しいなか、こうして戦《たたか》われているんだ。ぼくも挑戦《ちょうせん》を忘《わす》れてはいけないんだ！〟

この伸一《しんいち》の行動《こうどう》に胸を打たれたのは、塩田だけではなかった。川崎鋭治《かわさきえいじ》も同様《どうよう》であった。友《とも》の励《はげ》ましに徹《てっ》した山本会長《やまもとかいちょう》の生き方《かた》に、彼《かれ》は大きな感動《かんどう》を覚《おぼ》えた。

伸一は、さらに、言葉《ことば》をついだ。

「塩田君《くん》。人生《じんせい》は長《なが》いようで短《みじか》い。ましてや、青年時代《せいねんじだい》は、あっという間《ま》に過《す》ぎていってしまう。今、学会《がっかい》は、未来《みらい》に向かって、大飛躍《だいひやく》をしようとしている。広宣流布《こうせんるふ》の大闘争《だいとうそう》の『時』が来ているんだ。時は『今』だよ。五十年後になって、さあ戦うぞと言っても、たいした働《はたら》きはできないではないか。

大聖人《だいしょうにん》も『一生空《いっしょうむな》しく過《す》ごして万歳悔《ばんさいく》ゆること勿《なか》れ』（御書《ごしょ》九七〇ページ）と仰《おお》せになっている。

仕事《しごと》も忙しく、大変《たいへん》だとは思《おも》うが、君《きみ》も立ち上がる時だ。君らしく、すべてを工夫《くふう》しながら、君でなければできない戦いを開始《かいし》していくことだよ。そのなかで、自分自身《じしん》も鍛《きた》えられ、人間《にんげん》として大成《たいせい》していくことができるし、永遠《えいえん》の福運《ふくうん》を積《つ》んでいくことにもなる」

伸一《しんいち》は、塩田《しおだ》の求道《きゅうどう》の心《こころ》を感《かん》じていたからこそ、あえて、彼《かれ》に、さらに発心《ほっしん》を促《うなが》したのである。

このあと、彼は、同行《どうこう》の幹部《かんぶ》や塩田と一緒《いっしょ》に、調度品《ちょうどひん》の購入《こうにゅう》に出かけ、燭台《しょくだい》やデスク、陶《とう》器類《きるい》などを丹念《たんねん》に見て回った。

その途中《とちゅう》、伸一は、美《うつく》しい絵皿《えざら》などが飾《かざ》ってある一軒《いっけん》の店《みせ》を見つけると、何枚《なんまい》かの絵皿を買《か》い求《もと》めた。

「お土産《みやげ》ですか」

同行の友《とも》が尋《たず》ねた。

「そうなんだ。亡《な》くなった九州《きゅうしゅう》の柴山美代子《しばやまみよこ》さんが『私の夢《ゆめ》は、ヨーロッパに仏法《ぶっぽう》を弘《ひろ》めに行くことです』と、語《かた》っていたことがあったものでね……」

柴山は、九州第一総支部《そうしぶ》の婦人部長《ふじんぶちょう》をしていたが、四カ月前に、心臓《しんぞう》マヒで急逝《きゅうせい》していた。伸一は、静《しず》かに言葉《ことば》をついだ。

「しかし、柴山さんは、ヨーロッパの土《つち》を踏《ふ》むこともなく、亡くなってしまった。本当《ほんとう》は、一緒に連《つ》れて来てあげたかった。だから、せめて、残《のこ》された子供《こども》さんたちに、お母《かあ》さんが行きたがっていたヨーロッパのお土産《みやげ》を、渡《わた》してあげたいんだよ。

皆《みな》、ともすれば、亡《な》くなった人のことは、忘《わす》れてしまう。しかし、私は、一緒《いっしょ》に戦《たたか》い、苦《く》労《ろう》を分かち合ってくれた同志《どうし》のことを、決《けっ》して、忘れるわけにはいかないんだ。しかも、後《あと》に残《のこ》された家族《かぞく》がいれば、なおさらだよ。私は、そうした家族を、生涯《しょうがい》、見守《みまも》っていきたいと思《おも》っている。いつも、いつも、幸《しあわ》せを祈《いの》っている。本当《ほんとう》の真心《まごころ》の世界《せかい》、人間《にんげん》の世界が学会《がっかい》だもの……」

すると、『聖教《せいきょう》グラフ』の編集部《へんしゅうぶ》の部長《ぶちょう》で、聖教新聞社《しんぶんしゃ》の記者《きしゃ》として同行《どうこう》していた、菅井《すがい》文明《ふみあき》という青年《せいねん》が、思いあたったように、伸一《しんいち》に言った。

「それで先生《せんせい》は、九月に青年部の合同追善法要《ごうどうついぜんほうよう》をされたのですね」

伸一は、九月十一日、広布《こうふ》の途上《とじょう》で若《わか》くして亡くなった同志の追善法要を行《おこな》い、遺族《いぞく》たちを励《はげ》ましていたのである。

「そうです。尊《とうと》い、大切《たいせつ》な同志だもの……。広宣流布《こうせんるふ》に生きる私たちは、三世《さんぜ》まで一緒です。生死《しょうじ》を超《こ》えた、永遠《えいえん》の同志であり、また、妙法《みょうほう》で結《むす》ばれた、永遠の家族です。学会の団結《だんけつ》は、その心《こころ》のうえに成《な》り立っているからこそ強《つよ》いんです。現代《げんだい》の社会《しゃかい》で、本当に人間と人間の心を結びつけていけるのは、学会だけでしょう。

会合《かいごう》などの行事《ぎようじ》の報道《ほうどう》とともに、そうした最《もつと》も麗《うるわ》しい学会《がつかい》の心《こころ》の世界《せかい》を、どう表現《ひようげん》していくのかも、これからの〝聖教《せいきよう》〟の課題《かだい》ではないかね」

菅井《すがい》は、大きく頷《うなず》いた。

辺《あた》りは、次第《しだい》に暗《くら》くなり始《はじ》めていた。

伸一《しんいち》は、購入《こうにゆう》した絵皿《えざら》のうちの二枚《まい》を、塩田啓造《しおだけいぞう》に手渡《てわた》した。

「この一枚は、今日《きよう》の記念《きねん》として、あなたに差《さ》し上げます。そして、もう一枚は、一緒《いつしよ》に来《こ》られている、会社《かいしや》の工場長《こうじようちよう》さんに差し上げてください」

塩田は恐縮《きようしゆく》した。

「大変《たいへん》にありがとうございます。私ばかりでなく、工場長にまで……」

伸一は、大事《だいじ》な青年部員《せいねんぶいん》がお世話《せわ》になっている会社の上司《じようし》に対《たい》して、学会の責任者《せきにんしや》として、お礼《れい》の気持《きも》ちを伝《つた》えたかったのである。

買《か》い物《もの》をすませたあと、伸一は、ホテルの前で塩田と別《わか》れた。

夜《よる》になると、伸一の疲労《ひろう》は、さすがに深《ふか》かった。皆《みな》で食事《しよくじ》をしていた時も、彼《かれ》は何度《なんど》か席《せき》を立って外《そと》に出た。気分《きぶん》が優《すぐ》れなかったのである。

ホテルの部屋《へや》で、医師《いし》である川崎鋭治《かわさきえいじ》に、ビタミン剤《ざい》を注射《ちゆうしや》してほしいと頼《たの》んだが、あいにく川崎《かわさき》は、注射器《ちゅうしゃき》も、注射液《えき》も、持《も》ってきていなかった。

翌日《よくじつ》も、一行《いっこう》は、朝《あさ》から行動《こうどう》を開始《かいし》し、一日《いちにち》は慌《あわ》ただしく過《す》ぎた。

そして、次《つぎ》の日の朝には、西《にし》ドイツ（当時《とうじ》）のデュッセルドルフへ向かった。二時間ほどの空《そら》の旅《たび》である。

コペンハーゲンは快晴《かいせい》であったが、飛行機《ひこうき》が西ドイツ上空《じょうくう》に入《はい》ったころから、次第《しだい》に雲《くも》が張《は》り出し、デュッセルドルフに近《ちか》づくにつれて、雲はますます厚《あつ》くなっていった。

伸一《しんいち》たちは、デュッセルドルフの空港《くうこう》は、天候《てんこう》の関係《かんけい》で着陸《ちゃくりく》できなくなり、飛行機が引き返すことも少《すく》なくないと聞いていたので、無事《ぶじ》に到着《とうちゃく》できるのか心配《しんぱい》であった。

しかし、搭乗機《とうじょうき》は、次第に高度《こうど》を下《さ》げ始《はじ》めた。道路《どうろ》のアスファルトが光《ひか》っている。雨《あめ》が降《ふ》って、道路が濡《ぬ》れているのであろう。

だが、着陸した時には、雨はあがり、雲間《くもま》から太陽《たいよう》の光《ひかり》が差《さ》し込《こ》んでいた。

伸一は、天候に恵《めぐ》まれたことに感謝《かんしゃ》した。

空港には、数人の人が出迎《でむか》えてくれた。

そのうちの一組《ひとくみ》は、戸田城聖《とだじょうせい》の友人《ゆうじん》であった弁護士《べんごし》の小沢清《おざわきよし》の娘《むすめ》と、彼女《かのじょ》の夫《おっと》である。夫の仕事《しごと》の関係で、西ドイツに滞在《たいざい》しているとのことだった。また、もう一組は、西ドイツの

DÜSSELDORF

マンハイムに住《す》む、入会《にゆうかい》して三カ月の日系婦人《にっけいふじん》と、その夫《おっと》であった。さらに、電気関係《でんきかんけい》の会社《かいしゃ》に勤務《きんむ》し、出張《しゅっちょう》でデュッセルドルフへやって来た、唐沢一郎《からさわいちろう》という壮年《そうねん》が駆《か》けつけてくれたのである。

西《にし》ドイツの復興《ふっこう》は目覚《めざ》ましかった。街《まち》の随所《ずいしょ》に、ビルの建設《けんせつ》が進《すす》み、人びとの表情《ひょうじょう》にも活気《かっき》があふれていた。

かつて、戸田城聖《とだじょうせい》は、「水滸会《すいこかい》」の会合《かいごう》の折《おり》に、「西ドイツの復興を見よ。西ドイツに見習《みなら》わなければならない」と語《かた》ったことがあった。敗戦《はいせん》から十六年、確《たし》かに、この国は、見事《みごと》な復興を遂《と》げていた。

山本伸一《やまもとしんいち》は、ホテルに、日系婦人の夫妻《ふさい》と唐沢一郎を招《まね》いて懇談《こんだん》した。特《とく》にドイツの一粒種《ひとつぶだね》となるこの婦人には、記念《きねん》の袱紗《ふくさ》を贈《おく》り、話《はなし》に耳《みみ》を傾《かたむ》け、一期一会《いちごいちえ》の思《おも》いで全魂《ぜんこん》を注《そそ》いで励《はげ》ましていった。

「周囲《しゅうい》に、学会員《がっかいいん》は誰《だれ》もいないし、寂《さび》しく、心細《こころぼそ》いことは、よくわかります。しかし、ひとたび、信心《しんじん》をしたならば、広宣流布《こうせんるふ》をしていくことが、自分《じぶん》の使命《しめい》なのだと決めて、ともかく、一人《ひとり》でも、二人《ふたり》でも、着実《ちゃくじつ》に同志《どうし》を増《ふ》やしていくことです……」

伸一は、真心《まごころ》を込《こ》めて、指導《しどう》を続《つづ》けた。たとえ、入会して日は浅《あさ》くとも、この一人が立ち上がれば、そこから未来《みらい》が開けるからだ。

もちろん、全力《ぜんりょく》で激励《げきれい》したからといって、必《かなら》ず、その人が立ち上がるとは限《かぎ》らない。むしろ、期待通《きたいどお》りに発心《ほっしん》し、育《そだ》ってくれることは稀《まれ》といえよう。しかし、それでもなお、「皆《みな》、地涌《じゆ》の菩薩《ぼさつ》」「皆、人材《じんざい》」と確信《かくしん》して、命《いのち》を削《けず》る思《おも》いで励《はげ》ましていくことが、幹部《かんぶ》の責任《せきにん》である。その積《つ》み重《かさ》ねのなかから、まことの人材が育っていくのである。

伸一《しんいち》たちは、メンバーが帰《かえ》っていくと、街《まち》に出た。

西《にし》ドイツでは、学会員《がっかいいん》の紹介《しょうかい》で、ある企業《きぎょう》の駐在員《ちゅうざいいん》をしている壮年《そうねん》が、ドイツ語《ご》の通訳《つうやく》と案内《あんない》を兼《か》ねて、同行《どうこう》してくれることになっていた。その駐在員の案内で、市内《しない》を巡《めぐ》った。

ライン川沿《がわぞ》いに広《ひろ》がるこのデュッセルドルフは、ルールの大工業地帯《だいこうぎょうちたい》を控《ひか》えた、西ドイツ北西部《ほくせいぶ》の商取引《しょうとりひき》の中心地《ちゅうしんち》である。また、詩人《しじん》の*ハイネを生み、音楽家《おんがくか》の*ブラームス、*シューマン、*メンデルスゾーンを育てた地でもある。スズカケやマロニエの並木《なみき》が続《つづ》く美《うつく》しい街並《まちな》みが、文化《ぶんか》の薫《かお》りを感《かん》じさせた。

市庁舎《しちょうしゃ》の横《よこ》のマルクト広場《ひろば》には、馬《うま》に乗《の》った男性《だんせい》の銅像《どうぞう》が建《た》っていた。

案内役の駐在員が説明《せつめい》してくれた。

「これが、十八世紀《せいき》初《はじ》めに建てられた、ここの領主《りょうしゅ》のヨハン・ウィルヘルムの銅像です。

人びとは親《した》しみを込《こ》めて、ヤン・ウェレムと呼《よ》んでいます」

ヨハン・ウィルヘルムは優《すぐ》れた政治《せいじ》を行《おこな》った領主《りょうしゅ》として知られている。彼《かれ》は、神聖《しんせい》ローマ帝国《ていこく》の皇帝《こうてい》を選挙《せんきょ》する権利《けんり》を与《あた》えられた「選帝侯《せんていこう》」となり、オペラハウスを建《た》て、宮廷画家《きゅうていがか》や音楽家《おんがくか》を大切《たいせつ》にして芸術《げいじゅつ》の振興《しんこう》に寄与《きよ》したほか、定期的《ていきてき》な新聞《しんぶん》の発刊《はっかん》や街灯《がいとう》の設置《せっち》などを行っている。当時《とうじ》、ウィルヘルムによって設《もう》けられた街灯の数《かず》は、パリよりも多かったともいわれる。

また、彼は、常《つね》に民衆《みんしゅう》との親交《しんこう》を心《こころ》がけ、民衆のなかに入《はい》り、ともにビールを飲《の》みながら、快活《かいかつ》に語《かた》り合ったと伝《つた》えられている。

このマルクト広場《ひろば》のウィルヘルムの銅像《どうぞう》は、彼が生前《せいぜん》に建《た》てさせたものだが、これを制作《せいさく》したのが、当時《とうじ》の有名《ゆうめい》な彫刻家《ちょうこくか》*グルペッロであった。

駐在員《ちゅうざいいん》が、銅像を眺《なが》めながら言った。

「実《じつ》は、この銅像の制作に関《かん》する、こんな逸話《いつわ》があるんです。銅像が鋳造《ちゅうぞう》される時、銅が少《すこ》し足《た》りなくなってしまった。すると、それを聞いた町《まち》の人びとは、急《いそ》いで、家《いえ》から銅器《どうき》などを持《も》って来て差《さ》し出した。皆《みな》、ヨハン・ウィルヘルムを誇《ほこ》りに思《おも》い、慕《した》っていたからなんです。

やがて、銅像《どうぞう》が出来《でき》上がると、人びとは朝日《あさひ》に輝《かがや》く銅像を見て、褒《ほ》め称《たた》え、大喜《おおよろこ》びしたそうです。ところが、それが憎《にく》らしくて仕方《しかた》ない人間《にんげん》がいた。この銅像の制作《せいさく》を、引き受けたいと思《おも》っていた者《もの》たちです。そこで、嫉妬心《しっとしん》から、銅像に、ありとあらゆる難癖《なんくせ》をつけはじめた。『馬《うま》に力《ちから》がない』『鼻《はな》の形《かたち》が変《へん》である』『長靴《ながぐつ》が悪《わる》い』……。

人びとは、その非難《ひなん》が妥当《だとう》なものかどうかは、よくわからなかった。しかし、あまり非難が激《はげ》しいので、銅像を褒めることはやめてしまったのです。

グルペッロは、銅像の周《まわ》りに板塀《いたべい》を巡《めぐ》らし、そのなかに弟子《でし》たちと入《はい》った。作業《さぎょう》を始《はじ》めたらしく、なかから、槌《つち》を打つ音《おと》や、何かを削《けず》るような音が聞こえてきました。そして、二、三週間《しゅうかん》が過《す》ぎたころ、板塀が取り除《のぞ》かれました。

すると、盛《さか》んに悪口《わるくち》を言っていた者も、もう難癖はつけなかった。人びとは、再《ふたた》び絶賛《ぜっさん》し、彼《かれ》らも、皆《みな》と一緒《いっしょ》になって、褒め始めたのです。

ウィルヘルムは『どこを直《なお》したのか』と、グルペッロに尋《たず》ねました。

グルペッロは答《こた》えました。

『銅像は直すことはできません。もとのままです。これで、悪口を言った者たちの考《かんが》えは、おわかりいただけると思います』

こういう話《はなし》なんです」

駐在員《ちゅうざいいん》から、グルペッロの逸話《いつわ》を聞くと、伸一《しんいち》は言った。

「おもしろい話ですね。周囲《しゅうい》の評価《ひょうか》には、しばしば、そうしたことがあります。

創価学会《そうかがっかい》もこれまで、根拠《こんきょ》のない、理不尽《りふじん》な非難《ひなん》や中傷《ちゅうしょう》に、幾度《いくど》となくさらされてきました。結局《けっきょく》、それらは、学会の前進《ぜんしん》を恐《おそ》れ、嫉妬《しっと》する人たちが、故意《こい》に流《なが》したものでした。

しかし、それを一部《いちぶ》のマスコミが書《か》き立てると、自分《じぶん》で真実《しんじつ》を確《たし》かめようとはせずに、皆《みな》、同じことを言うようになる。また、学会に接《せっ》して、すばらしいと思《おも》っていた人も、自分の評価を口《くち》にしなくなってしまう場合《ばあい》がある。風向《かざむ》き一つで変わってしまう、そんな煙《けむり》のような批判《ひはん》に一喜《いっき》一憂《いちゆう》していたら、本当《ほんとう》の仕事《しごと》はできません。

私は、学会の真価《しんか》は、百年後、二百年後にわかると思っています。すべては、後世《こうせい》の歴史《れきし》が証明《しょうめい》するでしょう」

一行《いっこう》は、マルクト広場《ひろば》から、ライン川《がわ》の岸辺《きしべ》にやって来た。ここで、伸一は、石《いし》を拾《ひろ》い集《あつ》めた。大客殿《だいきゃくでん》の主柱《しゅちゅう》となるコンクリートの土台《どだい》には、世界広宣流布《せかいこうせんるふ》の意義《いぎ》を込《こ》めて、世界各《かく》地《ち》の石を埋《う》めることになっていたのである。

石を集め終《お》わると、一行は、しばらくラインの河畔《かはん》にたたずんでいた。

その時、同行《どうこう》メンバーの一人《ひとり》で、男子部《だんしぶ》の幹部《かんぶ》である黒木昭《くろきあきら》が、伸一《しんいち》に語《かた》りかけた。

「こうしてライン川《がわ》を見ていると、あのハイネが作《つく》った＊『ローレライ』の歌《うた》を思《おも》い出しますね」

黒木は、黒豹《くろひょう》を思わせるたくましい風貌《ふうぼう》をしていたが、早稲田大学《わせだだいがく》の英文学科《えいぶんがっか》を出た文学《ぶんがく》青年《せいねん》であり、英語《えいご》の心得《こころえ》もあった。

伸一は、頷《うなず》いて言った。

「そうだね。『ローレライ』の詩《し》の舞台《ぶたい》は、もっと上流《じょうりゅう》だけど、ライン川は詩情《しじょう》を感《かん》じさせるね。いつかローレライ伝説《でんせつ》の地も訪《たず》ねてみたいが、今回《こんかい》は、そんな余裕《よゆう》はないな。ところで、独裁者《どくさいしゃ》ヒトラーが支配《しはい》していた時代《じだい》には、この『ローレライ』の歌は、〝読《よ》み人知《びと》らず〟にされていたらしいね」

「えっ、あんなに有名《ゆうめい》な歌がですか……。どうしてなんでしょうか」

黒木が驚《おどろ》いた顔《かお》をした。

「それは、ハイネがユダヤ人だったからだよ。ナチスは、過去《かこ》の文学や芸術《げいじゅつ》に至《いた》るまで、ユダヤの影響《えいきょう》が認《みと》められるものは徹底的《てっていてき》に排除《はいじょ》したんだ。

もちろん、『ローレライ』の歌は、あまりにも有名すぎて、作品《さくひん》までは抹殺《まっさつ》できない。しし、それでも作者《さくしゃ》のハイネの名前《なまえ》を消《け》して、永遠《えいえん》にその功績《こうせき》を葬《ほうむ》ろうとしたんだよ」

フインの川面《かわも》に、夕日《ゆうひ》が揺《ゆ》れていた。

伸一《しんいち》は、厳《きび》しい顔《かお》をして、語気《ごき》を強《つよ》めて語《かた》っていった。

「『ローレライ』の歌《うた》の作詩者《さくししゃ》の名を消したのは、ナチスのユダヤ人迫害《はくがい》の、ほんの一端《いったん》にすぎない。

ヒトラーの戦争《せんそう》は一面《いちめん》、『ユダヤ人への戦争』だった。ドイツ国内《こくない》はもちろん、ナチスが侵略《しんりゃく》した地域《ちいき》で、約《やく》六百万人ものユダヤ人が殺《ころ》されたといわれているんだから……」

思《おも》いがけず、ナチスのユダヤ人迫害の話《はなし》になり、同行《どうこう》の友《とも》も、にわかに真剣《しんけん》な顔で耳《みみ》をそばだてていた。

――ヒトラーは、彼《かれ》の政治《せいじ》活動《かつどう》の初《はじ》めから終《お》わりまで、ユダヤ人への憎悪《ぞうお》を燃《も》やし続《つづ》けていた。

たとえば、最初《さいしょ》の政治的な発言《はつげん》とされる、一九一九年に書《か》かれた文書《ぶんしょ》には、早《はや》くも「反《はん》ユダヤ主義《しゅぎ》の究極《きゅうきょく》の目標《もくひょう》は、断固《だんこ》としてユダヤ人そのものを除去《じょきょ》することにあらねばならない」という一節《いっせつ》が見える（W・マーザー編『ヒトラー自身《じしん》のヒトラー』西義之訳、読売新聞社）。

また、彼の自伝《じでん》『わが闘争《とうそう》』では、「このユダヤ人問題《もんだい》を解決《かいけつ》することなしに、ドイツの再生《さいせい》や興隆《こうりゆう》を別《べつ》に試《こころ》みることはすべてまったく無意味《むいみ》であり、不可能《ふかのう》でありつづける」とし、執拗《しつよう》なユダヤ人攻撃《こうげき》を、叫《さけ》んでいる（A・ヒトラー著『わが闘争《とうそう》』平野一郎・将積茂訳、角川書店）。

そして、彼《かれ》が引き起《お》こした戦争《せんそう》の敗北《はいぼく》が決定的《けっていてき》であった、一九四五年（昭和《しょうわ》二十年）の四月の時点《じてん》でも、ヒトラーは、ユダヤ人虐殺《ぎゃくさつ》を自画自賛《じがじさん》していた。

「私がドイツと中部《ちゅうぶ》ヨーロッパからユダヤ人を根《ね》絶やしにしてしまったことに対《たい》して、ひとびとは国家《こっか》社会主義《しゃかいしゅぎ》に永遠《えいえん》に感謝《かんしゃ》するであろう」（M・ボアマン記録『ヒトラーの遺言《ゆいごん》』篠原正瑛訳・解説、原書房）

数百万人の無辜《むこ》の民衆《みんしゅう》を大虐殺*（ホロコースト）の地獄《じごく》に突《つ》き落《お》としながら、何《なん》の良心《りょうしん》の呵責《かしゃく》もなく、こう言って憚《はばか》らなかったのである。

アドルフ・ヒトラーは、一八八九年四月、オーストリアの税関吏《ぜいかんり》の子として生まれた。十三歳で父《ちち》を、十八歳で母《はは》を亡《な》くし、ウィーンに出て、画家《がか》を志《こころざ》すが果《は》たせなかった。

一九一三年、兵役《へいえき》を拒否《きょひ》してドイツのミュンヘンに逃《のが》れるが、第一次世界大戦《だいいちじせかいたいせん》が始《はじ》まると、ドイツ軍《ぐん》に志願兵《しがんへい》として入隊《にゅうたい》した。

敗戦後《はいせんご》、彼は、ミュンヘンの反動的《はんどうてき》な弱小政党《じゃくしょうせいとう》であったドイツ労働者党《ろうどうしゃとう》に入党《にゅうとう》する。大衆《たいしゅう》の不満《ふまん》や欲望《よくぼう》を扇動《せんどう》する才《さい》に長《た》けた彼《かれ》は、たちまち頭角《とうかく》を現《あらわ》し、党勢《とうせい》を拡大《かくだい》していく。
ヒトラーは党内《とうない》で影響力《えいきょうりょく》を強《つよ》めて、次々《つぎつぎ》と権限《けんげん》を掌中《しょうちゅう》に収《おさ》め、党名《とうめい》も国家社会主義《こっかしゃかいしゅぎ》ドイツ労働者党《ろうどうしゃとう》（この通称《つうしょう》がナチスである）に変更《へんこう》する。そして、とうとう独裁的《どくさいてき》な党首《とうしゅ》の座《ざ》に就《つ》くに至《いた》るのである。

ヒトラーがナチスの党首になったのは一九二一年七月。そして、彼がドイツの首相《しゅしょう》に任命《にんめい》され、遂《つい》にナチス政権《せいけん》が誕生《たんじょう》するのは、十一年半後《はんご》の、三三年一月三十日であった。

それから一カ月後、ベルリンの国会議事堂《こっかいぎじどう》が炎上《えんじょう》するという事件《じけん》が起《お》こった。すると、ナチスは、この事件は共産《きょうさん》主義者の陰謀《いんぼう》だと騒《さわ》ぎ、人びとの不安《ふあん》と危機感《ききかん》を利用《りよう》して、共産主義者など反《はん》ナチ勢力《せいりょく》に大弾圧《だいだんあつ》を加《くわ》えていった。

さらに、国難《こくなん》に対処《たいしょ》すると称《しょう》して、巧妙《こうみょう》に世論《よろん》を操作《そうさ》し、国会の選挙《せんきょ》に勝利《しょうり》すると、議会《ぎかい》に圧力《あつりょく》をかけ、ヒトラーに全権《ぜんけん》を委任《いにん》する法案《ほうあん》を承認《しょうにん》させてしまう。

続《つづ》いて、ナチス以外《いがい》の政党《せいとう》を解散《かいさん》・禁止《きんし》し、翌年《よくねん》の八月には、ヒトラーは首相と大統領《だいとうりょう》を兼《か》ねた「総統《そうとう》」に就任《しゅうにん》するのである。

こうして、*ドイツ第三帝国《だいさんていこく》——ヒトラー独裁の暗黒時代《あんこくじだい》が始《はじ》まったのである。

山本伸一《やまもとしんいち》は、かいつまんで、ヒトラーが独裁者となるまでの経緯《けいい》を語《かた》った。

すると、黒木昭《くろきあきら》が、不可解《ふかかい》そうな顔《かお》で尋《たず》ねた。

「でも、どうしてヒトラーの独裁《どくさい》を許《ゆる》してしまったのでしょうか。ドイツには、当時《とうじ》、世界《せかい》で最《もっと》も民主的《みんしゅてき》といわれた*ワイマール憲法《けんぽう》があったはずなんですが……」

「うん、それは、大事《だいじ》な問題《もんだい》だね」

伸一《しんいち》は、さらに、歴史的《れきしてき》な背景《はいけい》を語《かた》っていった。

――第一次世界大戦《だいいちじせかいたいせん》の末期《まっき》、革命《かくめい》が起《お》こり、皇帝《こうてい》はドイツを去《さ》った。帝政《ていせい》の崩壊《ほうかい》、敗戦《はいせん》、そして、ワイマール憲法のもとで民主政治《せいじ》の時代《じだい》が始《はじ》まる。

しかし、長《なが》らく封建的《ほうけんてき》な体制《たいせい》に馴染《なじ》み、近代市民国家《きんだいしみんこっか》としての伝統《でんとう》が浅《あさ》かったドイツでは、憲法の理想主義的《りそうしゅぎてき》な理念《りねん》に比《くら》べて、社会《しゃかい》の実態《じったい》は、いまだ家父長的《かふちょうてき》な封建主義が根強《ねづよ》かった。

つまり、民主という時代の流《なが》れに対《たい》し、人びとの意識《いしき》が立ち遅《おく》れていたといえよう。

しかも、ドイツは、*ベルサイユ条約《じょうやく》によって、莫大《ばくだい》な賠償《ばいしょう》を課《か》せられていた。それは、ドイツ経済《けいざい》に大変《たいへん》な重荷《おもに》になったばかりか、結果的《けっかてき》に、深刻《しんこく》な経済危機《きき》を招《まね》き、民衆《みんしゅう》の生活《せいかつ》を破壊《はかい》させた。特《とく》に、一九二三年に起こったドイツ貨幣《かへい》（マルク）の大暴落《だいぼうらく》は、目を覆《おお》うばかりであった。八月に、戦前《せんぜん》の貨幣価値《かち》の百十万分《ぶん》の一になったかと思《おも》うと、十月には、なんと六十億分《おくぶん》の一に下落《げらく》してしまった。当時《とうじ》、丸《まる》二日間、働《はたら》いて、やっとバター一ポンド（約《やく》四百五十三グラム）が買《か》えるような惨状《さんじょう》であったという。

こうした経済《けいざい》の破綻《はたん》が、国民《こくみん》の生活《せいかつ》を窮地《きゅうち》に追《お》い込《こ》んでいたのである。

経済の混乱《こんらん》による生活苦《く》のなかで、保守勢力《ほしゅせいりょく》や大衆《たいしゅう》は、その不満《ふまん》のはけ口《ぐち》をユダヤ人に向け、彼《かれ》らに非難《ひなん》が集中《しゅうちゅう》していった。

当時《とうじ》のドイツには、全人口《ぜんじんこう》の約《やく》一パーセントにあたる五十数万人のユダヤ人が住《す》んでいたとされる。

ユダヤ人は長《なが》い間《あいだ》、流浪《るろう》を強《し》いられながらも、独自《どくじ》の宗教的《しゅうきょうてき》な共同体《きょうどうたい》を守《まも》り抜いてきた。しかし、キリスト教社会《きょうしゃかい》にあって、ユダヤ人は異質《いしつ》な存在《そんざい》とされ、一般《いっぱん》の市民《しみん》と同等《どうとう》の諸権《しょけん》利《り》は与《あた》えられず、租税《そぜい》、職業《しょくぎょう》、結婚《けっこん》など生活全般《ぜんぱん》にわたって徹底《てってい》して差別《さべつ》された。住む場所《ばしょ》も、市民とは切り離《はな》され、「ゲットー」と呼《よ》ばれる、城壁《じょうへき》の外《そと》の強制居住地区《きょうせいきょじゅうちく》とされた。そのうえに、疫病《えきびょう》が流行《りゅうこう》すれば、ユダヤ人が井戸《いど》に毒《どく》を入れたといって虐殺《ぎゃくさつ》され、ユダヤ教では幼児《ようじ》を生け贄《にえ》にするといっては迫害《はくがい》されてきた。

ユダヤ人は、こうつぶやくほかなかった。

「海《うみ》は底《そこ》知れない、ユダヤ人の悩《なや》みも底知れない」（ユダヤの格言《かくげん》）

彼《かれ》らが、ようやく人間《にんげん》らしい権利《けんり》を得《え》るのは、近代《きんだい》のフランス革命《かくめい》の時代《じだい》に入《はい》ってからである。しかし、市民社会《しみんしゃかい》の形成《けいせい》が遅《おく》れたドイツでは、ユダヤ人が市民権を獲得《かくとく》するのは、十九世紀《せいき》の後半《こうはん》であった。

だが、それとても、極《きわ》めて不安定《ふあんてい》なものであり、反《はん》ユダヤ主義者《しゅぎしゃ》たちは、ユダヤ人の宗教的《しゅうきょうてき》な共同体《きょうどうたい》を、「国家《こっか》の中《なか》の国家」と言って危険視《きけんし》していた。

つまり〝ユダヤ人の忠誠《ちゅうせい》は、彼らだけの「国家内《ない》国家」に対《たい》するもので、彼らがキリスト教《きょう》国家に対して忠誠であるわけがない〟というのである。

ユダヤ人が互《たが》いに強《つよ》く結《むす》び合っていたのは確《たし》かだが、実際《じっさい》には、彼らは、ドイツ国民《こくみん》として、懸命《けんめい》に国家に貢献《こうけん》しようとしてきたのである。それにもかかわらず、ユダヤ人が、流浪《るろう》の歴史《れきし》のなかで世界《せかい》に散在《さんざい》し、国家を超《こ》えて国際的《こくさいてき》に結びついていることから、〝国際ユダヤ主義〟だとして、国家にとって危険極まりないものと喧伝《けんでん》されてきた。

そして、第一次《だいいちじ》世界大戦《たいせん》で、ドイツの経済《けいざい》が危機《きき》に瀕《ひん》すると、一部《いちぶ》のユダヤ人に財界人《ざいかいじん》がいたことなどから、根拠《こんきょ》のない噂《うわさ》が流《なが》されたのである。

「ユダヤ人が、大儲《おおもう》けするために戦争《せんそう》を起《お》こしたのだ」

「戦場《せんじょう》に出て戦《たたか》うのはドイツ人、陰《かげ》で社会をあやつり、甘《あま》い汁《しる》を吸《す》うのがユダヤ人だ」

しかし、事実《じじつ》は、多くのユダヤ人がドイツのために血《ち》を流《なが》していた。この大戦《たいせん》では、全《ぜん》ドイツのユダヤ人の、実《じつ》に二割近《わりちか》くにあたる十万人が従軍《じゅうぐん》し、戦死者《せんししゃ》は一万二千人にも上《のぼ》ったといわれるのである。

ヒトラーが政治活動《せいじかつどう》を開始《かいし》したのは、このように、ドイツ国内《こくない》に、ユダヤ人へのゆえなき反発《はんぱつ》が高まっていた時代《じだい》であった。

彼《かれ》は、アーリア人種《じんしゅ》が、他《た》のあらゆる人種に優越《ゆうえつ》するとし、その頂点《ちょうてん》にドイツ民族《みんぞく》を置《お》いた。そして、奴隷的《どれいてき》な条約《じょうやく》である、ベルサイユ条約を破棄《はき》して、ドイツ民族にふさわしい「生存圏《せいぞんけん》」の確保《かくほ》、領土《りょうど》の拡張《かくちょう》をと訴《うった》えていった。

その一方《いっぽう》で、彼は、ユダヤ人がアーリア人種の純血性《じゅんけつせい》を侵《おか》し、ドイツの衰退《すいたい》をもたらす劣《れっ》等《とう》人種であるとして、徹底的《てっていてき》な排斥《はいせき》を主張《しゅちょう》したのである。だが、そもそも〝ユダヤ人種〟や〝アーリア人種〟という「人種」自体《じたい》が、存在《そんざい》しない。反ユダヤ主義《しゅぎ》は、まさに、政治的な「人種差別《さべつ》主義」であった。

今日《こんにち》のイスラエルの帰還法《きかんほう》の定義《ていぎ》では、ユダヤ人とは、〝ユダヤ人の母親《ははおや》から生まれた人、およびユダヤ教《きょう》に改宗《かいしゅう》した人〟をさす。つまり、ユダヤ教に基《もと》づく独自《どくじ》の宗教的《しゅうきょうてき》・文化的《ぶんかてき》な伝統《でんとう》を共有《きょうゆう》する人びとをいうのである。

だが、ヒトラーは〝ユダヤ人は、決《けっ》して「宗教《しゅうきょう》」ではなく、「人種《じんしゅ》」である〟と強弁《きょうべん》し、ありとあらゆるウソを捏造《ねつぞう》していった。

その代表的《だいひょうてき》なものが、「ユダヤ人がドイツを支配《しはい》しようとしている」ということであった。ヒトラーは、〝ユダヤ人は「宗教」を称《しょう》することによって、自《みずか》らの政治的《せいじてき》な野望《やぼう》を隠《かく》している。自分《じぶん》はこのユダヤ人の「野望」を叩《たた》きつぶすだけなのだ〟と、弾圧《だんあつ》を正当化《せいとうか》し、こう喧伝《けんでん》していった。

――ユダヤ人は、「寄生虫《きせいちゅう》」であり、その金融資本《きんゆうしほん》の力《ちから》で労《ろう》なくして巨利《きょり》を得《え》ている。「吸血虫《きゅうけつちゅう》」のように、ドイツ人の毛穴《けあな》から生き血《ち》を吸《す》っている。現世主義者《げんせしゅぎしゃ》のユダヤ人は金《かね》と権力《けんりょく》をひたすら求《もと》め、そのためには、いかなる手段《しゅだん》も選《えら》ばない。ユダヤ人こそ「われわれのすべての苦《くる》しみの原因《げんいん》」であり、「南京虫《なんきんむし》のように」除去《じょきょ》しなければ、自分たちが食《く》われてしまう。

危険《きけん》な事態《じたい》は、人びとが気づかないうちに進行《しんこう》している。既《すで》に、政治、経済《けいざい》、官界《かんかい》、学術《がくじゅつ》界《かい》へと、ユダヤ人はあらゆる分野《ぶんや》に忍《しの》び込《こ》み、背後《はいご》で牛耳《ぎゅうじ》っている。今のワイマール政府《せいふ》も、議会《ぎかい》も、ユダヤ人の「手先《てさき》」なのだ――と。

これらは、すべて悪意《あくい》のデマであった。だが、こうしたデマも、反《はん》ユダヤ主義の風潮《ふうちょう》のなかで、「ウソも百回言えば本当《ほんとう》になる」とばかりに、繰《く》り返し喧伝《けんでん》されることで、巨大《きょだい》な力《ちから》をもったのである。

権力《けんりょく》の魔性《ましょう》の虜《とりこ》となり、ドイツを、さらには、世界《せかい》を支配《しはい》しようとの野望《やぼう》をいだいていたのは、ヒトラー自身《じしん》であった。しかし、彼《かれ》はそれを、そっくり、ユダヤ人のこととしたのである。邪悪《じゃあく》な権力者が、ともすれば用《もち》いる、卑劣《ひれつ》な排斥《はいせき》の手法《しゅほう》といえよう。

ヒトラーが喧伝したことを、具体的《ぐたいてき》に検証《けんしょう》してみればどうなるか。

たとえば、ユダヤ人の手先《てさき》だと非難中傷《ひなんちゅうしょう》されたワイマール政府《せいふ》にしても、ヒトラーが政権《せいけん》を握《にぎ》るまでの十四年間に、閣僚《かくりょう》の数《かず》は、延《の》べ四百人近《ちか》くに上《のぼ》ったが、このうち、ユダヤ系《けい》の大臣《だいじん》は、わずか五人に過《す》ぎなかったという。しかも、皆《みな》、短期間《たんきかん》で交代《こうたい》しているのである。とても「ユダヤ人が牛耳《ぎゅうじ》っている」とはいえまい。

また、一部《いちぶ》のユダヤ人が金融業界《きんゆうぎょうかい》に力《ちから》をもっていたことは事実《じじつ》だが、それには、歴史的《れきしてき》な背景《はいけい》がある。中世以来《ちゅうせいいらい》、キリスト教会《きょうかい》が、金《かね》を貸《か》して生業《なりわい》とすることをキリスト教徒《きょうと》に禁《きん》じたため、差別《さべつ》され、職《しょく》を得《え》られぬユダヤ人たちは、やむなく、それを生業としてきたのである。好《この》んで、金融業界に狙《ねら》いを定《さだ》めたのでもなければ、社会《しゃかい》を、支配《しはい》しようとしたわけでもない。

さらに、ユダヤ人が、学術《がくじゅつ》・芸術《げいじゅつ》などの世界《せかい》で、多くの偉人《いじん》を輩出《はいしゅつ》してきたことは確《たし》かである。たとえば、ノーベル賞《しょう》が制定《せいてい》されてから、ヒトラー政権《せいけん》の誕生《たんじょう》までで、ドイツ国籍《こくせき》の受賞者《じゅしょうしゃ》は三十八人を数《かぞ》えている。そのうち、相対性理論《そうたいせいりろん》で知られる世界的な物理学者《ぶつりがくしゃ》アインシュタインなど、十一人がユダヤ系《けい》であった。実《じつ》に、全体《ぜんたい》の三割近《わりちか》くにあたっている。

だが、これもユダヤ人が「教育《きょういく》」を大切《たいせつ》にしてきた賜物《たまもの》であった。迫害《はくがい》され、土地《とち》を追《お》われても、教育さえあれば、どこでも生きていけるからだ。まさに苦難《くなん》の嵐《あらし》をバネに、多大《ただい》な努力《どりょく》を重《かさ》ねてきたのである。この教育の伝統《でんとう》が、優秀《ゆうしゅう》な才能《さいのう》を生む土壌《どじょう》となったのである。また、そうした優《すぐ》れた知性《ちせい》は、本来《ほんらい》、ユダヤ人社会《しゃかい》のみならず、ドイツの社会全体を、ひいては人類《じんるい》を豊《ゆた》かにするものであったといえよう。偏狭《へんきょう》なユダヤ人憎悪《ぞうお》は、こうした精神的《せいしんてき》な財産《ざいさん》さえも拒否《きょひ》したのである。

さらに、ヒトラーは、ユダヤ人の謀議《ぼうぎ》の記録《きろく》と称《しょう》する『シオンの議定書《ぎていしょ》』という、かつて流布《るふ》した偽造文書《ぎぞうぶんしょ》まで持《も》ち出し、ユダヤ人の「世界支配《しはい》の陰謀《いんぼう》」があると攻撃《こうげき》した。出所《しゅつしょ》不明《ふめい》の〝怪《かい》文書〟による中傷《ちゅうしょう》である。これもまた、不当《ふとう》な弾圧《だんあつ》を行《おこな》う際《さい》、権力者《けんりょくしゃ》が用《もち》いる常《じょう》套手段《とうしゅだん》といってよい。

しかも、ヒトラーは、ユダヤ人が〝議定書〟を執拗《しつよう》に否定《ひてい》すること自体《じたい》が、この書の真実《しんじつ》性《せい》の証拠《しょうこ》だとまで言ったのである。

当時《とうじ》の多くのマスコミは、ヒトラーの代弁者《だいべんしゃ》となり、反《はん》ユダヤ主義《しゅぎ》を煽《あお》る記事《きじ》を書《か》き立てた。それが、いかに真実《しんじつ》とかけ離《はな》れたものであったかを物語《ものがた》る、こんなジョークが伝《つた》えられている。

——一人《ひとり》のユダヤ人の男《おとこ》が、ナチス系《けい》の新聞《しんぶん》を、なぜか満足《まんぞく》げに読《よ》んでいた。

「どうして、そんな新聞を読むのかね」

ほかのユダヤ人が尋《たず》ねると、その男は言った。

「ユダヤの新聞は、ユダヤ人への迫害《はくがい》の話《はなし》ばかりだが、この新聞には、俺《おれ》たちが一番金持《いちばんかねも》ちで、世界《せかい》を支配《しはい》していると書いてあるんだもの」

ともあれ、ヒトラーは自分《じぶん》の気に入らないものは、すべてユダヤ人に結《むす》びつけた。

民主主義《みんしゅしゅ》も、議会《ぎかい》主義も、自由《じゆう》主義も、国際《こくさい》主義も、また、人びとの自由と平等《びょうどう》を広《ひろ》げる人権思想《じんけんしそう》も、いっさいが〝ユダヤ人がアーリア人を支配しようとして考《かん》え出した道具《どうぐ》〟だと見た。だが、そのような強大《きょうだい》な〝支配者ユダヤ人〟がどこにいるというのか。結局《けっきょく》、ヒトラーの妄想《もうそう》のなかにすぎない。にもかかわらず、彼《かれ》の偏見《へんけん》と差別意識《さべついしき》に満《み》ちた妄想は、文字通《もじどお》り、狂気《きょうき》の暴走《ぼうそう》を始《はじ》めてしまったのである。

こうして作《つく》られた虚構《きよこう》の「ユダヤ人問題《もんだい》」を「最終解決《さいしゆうかいけつ》」するために、ユダヤ人の「排《はい》除《じよ》」を叫《さけ》び、それは遂《つい》に、〝アウシュビッツ〟*に代表《だいひよう》される「ユダヤ人絶滅計画《ぜつめつけいかく》」にまで行き着《つ》いてしまうのである。

なんという狂気《きようき》か。なんという惨劇《さんげき》か。

ヒトラーの政権《せいけん》に抗議《こうぎ》し、アメリカに亡命《ぼうめい》していた物理学者《ぶつりがくしや》のアインシュタインは、その迫害者《はくがいしや》の心理《しんり》を、次《つぎ》のように鋭《するど》く分析《ぶんせき》している。

「ユダヤ人についての憎悪感《ぞうおかん》は民衆《みんしゆう》の啓蒙《けいもう》を忌《い》み嫌《きら》うべき理由《りゆう》をもつ人々《ひとびと》によるものなのです。この種《しゆ》の人々は、他《た》の何物《なにもの》にもまして知的独立《ちてきどくりつ》の精神《せいしん》に富《と》む人々の感化《かんか》を恐《おそ》れています。(中略《ちゆうりやく》)彼《かれ》らはユダヤ人をドグマを無批判《むひはん》に受け入れるように仕向《しむ》けることのできない非《ひ》同化的《どうかてき》な一要素《いちようそ》と見なしており、したがってユダヤ人なるものが存在《そんざい》するかぎり、それが大《たい》衆《しゆう》の広範《こうはん》な啓蒙を主張《しゆちよう》し続《つづ》けることによって彼らの権威《けんい》を脅《おびや》かすものと考《かんが》えているのです」

(「なぜ人々はユダヤ人を憎《にく》むのか?」=井上健・中村誠太郎編訳『アインシュタイン選集3』所収。共立出版)

この指摘《してき》のように、権力《けんりよく》の亡者《もうじや》は、民衆が賢《かしこ》くなり、自分《じぶん》たちの思《おも》い通《どお》りにならなくなることを、何よりも恐れる。それゆえに、民衆を目覚《めざ》めさせ、自立《じりつ》させようとする宗教《しゆうきよう》や運動《うんどう》を、権力《けんりょく》は徹底的《てっていてき》に排除《はいじょ》しようとするのである。それは、いつの時代《じだい》も変わらざる構図《こうず》といえよう。

ヒトラーが権力を掌握《しょうあく》すると、それを待《ま》っていたかのように、ユダヤ人に対《たい》する暴行《ぼうこう》や略《りゃく》奪《だつ》が相次《あいつ》いだ。

当然《とうぜん》、国際的《こくさいてき》な非《ひ》難《なん》が強《つよ》まり、ドイツ製品《せいひん》のボイコットまで起《お》こった。すると、ナチスは、この責任《せきにん》はユダヤ人にあると言い出し、〝懲《こ》らしめ〟のためと称《しょう》して、国内《こくない》のユダヤ人ボイコット運動《うんどう》に移《うつ》った。

さらに、次々《つぎつぎ》に、反《はん》ユダヤ立法《りっぽう》が行《おこな》われる。ユダヤ人を狙《ねら》い撃《う》ちし、追《お》い詰《つ》めるために、道理《どうり》を曲《ま》げ、〝民主憲法《みんしゅけんぽう》〟を踏《ふ》みにじり、悪法《あくほう》を量産《りょうさん》していった。ナチス政権《せいけん》の誕生《たんじょう》から五年ほどで、そうした法律《ほうりつ》や規定《きてい》は、実《じつ》に一千件《けん》を超《こ》えるといわれている。

まさに、白昼堂々《はくちゅうどうどう》、ユダヤ人は、人間《にんげん》として、ドイツの市民《しみん》として、生きる権利《けんり》を制限《せいげん》され、自由《じゆう》を奪《うば》われていったのである。

また、ナチスは、ユダヤ人の経済力《けいざいりょく》の破壊《はかい》と収奪《しゅうだつ》を目論《もくろ》んだ。一九三八年に、ユダヤ人の財産登録《ざいさんとうろく》を義務化《ぎむか》すると、これをもとに、情《なさ》け容赦《ようしゃ》なく、財産を没収《ぼっしゅう》していった。

いったい「生き血《ち》」を吸《す》っていたのはナチスか、ユダヤ人か。真実《しんじつ》は明《あき》らかであろう。

なかでも、ユダヤ人の運命《うんめい》に、決定的《けっていてき》な影響《えいきょう》を与《あた》えたのは、一九三五年に制定《せいてい》された、悪《あく》名《めい》高い＊ニュルンベルク法《ほう》であった。これによって、ユダヤ人は、法的《ほうてき》に、ドイツ人に従属《じゅうぞく》する別《べつ》の人種《じんしゅ》、〝二級市民《きゅうしみん》〟と規定《きてい》され、公民権《こうみんけん》を奪《うば》われたのである。

その際《さい》、ナチスが定《さだ》めた〝ユダヤ人の定義《ていぎ》〟では、祖父母《そふぼ》の代《だい》まで遡《さかのぼ》って、ユダヤ教徒《きょうと》かどうかが基準《きじゅん》になっていた。このことからも、「ユダヤ人は人種である」とのナチスの主張《しゅちょう》がウソであったことは明白《めいはく》であろう。結局《けっきょく》、それは、特定《とくてい》の宗教《しゅうきょう》を信《しん》じる国民《こくみん》への差別《さべつ》を合《ごう》法化《ほうか》するものであった。

一九三八年十一月には、ユダヤ系青年《けいせいねん》による、ドイツ外交官《がいこうかん》の暗殺事件《あんさつじけん》をきっかけに、ドイツ全土《ぜんど》で、ユダヤ人に対《たい》する大迫害《だいはくがい》が起《お》こる。夜陰《やいん》に乗《じょう》じて、シナゴーグ（ユダヤ教の会堂《かいどう》）や、ユダヤ人の商店《しょうてん》が壊《こわ》され、百人近《ちか》いユダヤ人が殺《ころ》された。さらに、二万から三万人が逮捕《たいほ》され、強制収容所《きょうせいしゅうようじょ》に送《おく》られた。

いわゆる「水晶《すいしょう》の夜《よる》」である。破壊《はかい》の嵐《あらし》のあと、ガラスの破片《はへん》が散乱《さんらん》していたことから、こう名付《なづ》けられた。ユダヤ人にとって、最悪《さいあく》の〝ポグロム（迫害・虐殺《ぎゃくさつ》）の夜〟であった。

これらは、すべて、一九三九年の九月一日、ドイツがポーランドに電撃的《でんげきてき》に侵攻《しんこう》し、第二《だいに》次世界大戦《じせかいたいせん》が勃発《ぼっぱつ》する前のことである。

山本伸一《やまもとしんいち》は、ヒトラーのユダヤ人迫害《はくがい》の経緯《けいい》を語《かた》ったあと、強《つよ》い口調《くちょう》で言った。

「忘《わす》れてならないのは、ヒトラーも、表向《おもてむ》きは民主主義《みんしゅしゅぎ》に従《したが》うふりをし、巧《たく》みに世論《よろん》を扇《せん》動《どう》し、利用《りよう》していったということだ。

民衆《みんしゅう》が、その悪《あく》の本質《ほんしつ》を見極《みきわ》めず、権力《けんりょく》の魔性《ましょう》と化《か》した独裁者《どくさいしゃ》の扇動に乗《の》ってしまったことから、世界《せかい》に誇《ほこ》るべき〝民主憲法《けんぽう》〟も、まったく有名無実《ゆうめいむじつ》になってしまった。これは、歴《れき》史《し》の大事《だいじ》な教訓《きょうくん》です」

十条潔《じゅうじょうきよし》が、憤《いきどお》りを浮《う》かべながらつぶやいた。

「こんなにひどいことが行《おこな》われていたのに、ナチスに抵抗《ていこう》する動《うご》きはなかったのでしょうか……」

伸一は言った。

「もちろん、抵抗した人たちもいる。しかし、本気《ほんき》になって抵抗しようとした時には、ナチスは、ドイツを意《い》のままに操《あやつ》る、巨大《きょだい》な怪物《かいぶつ》に育《そだ》ってしまっていた。結局《けっきょく》、立ち上がるのが遅《おそ》すぎたのだ。多くの人びとは、ナチスのユダヤ人迫害を目にしても、黙《だま》って何もしなかった。無関心《むかんしん》を装《よそお》うしかなかった。それが、ナチスの論理《ろんり》に与《くみ》することになった。

牧口先生《まきぐちせんせい》は、『よいことをしないのは悪《わる》いことをするのと、その結果《けっか》において同じである』と言われているが、『悪《あく》』を前にして、何もしないで黙《だま》っていたことが、悪に加担《かたん》する結果になってしまったわけだね」

たとえば、ドイツのキリスト教会《きょうかい》からは、後《のち》に、強《つよ》い抵抗運動《ていこううんどう》も起《お》こっているが、ナチスの政権《せいけん》ができた当初《とうしょ》は、むしろ協力的《きょうりょくてき》であった。

キリスト教会における、反《はん》ナチ闘争《とうそう》の中心的人物《ちゅうしんてきじんぶつ》となった牧師《ぼくし》マルティン・ニーメラー*は、ナチスの暴虐《ぼうぎゃく》が進《すす》んでいくのを目の当《ま》たり《あ》にして、自分《じぶん》がどう思《おも》ったかを、概要《がいよう》、次《つぎ》のように回想《かいそう》したという。

——ナチスが共産主義者《きょうさんしゅぎしゃ》を襲《おそ》った時、不安《ふあん》にはなったが、自分は共産主義者ではなかったので抵抗しなかった。ナチスが社会主義者《しゃかいしゅぎしゃ》を攻撃《こうげき》した時も不安はつのったが、やはり抵抗しなかった。次《つ》いで、学校《がっこう》、新聞《しんぶん》、ユダヤ人……と、ナチスは攻撃を加《くわ》えたが、まだ何もしなかった。そして、ナチスは、遂《つい》に教会を攻撃した。自分はまさに教会の人間《にんげん》であり、そこで初《はじ》めて抵抗した。しかし、その時には、もはや手遅《ておく》れであった——と。

こうした悲惨《ひさん》な時代《じだい》を生きた人びとは、すべてが起こってしまったあとに、その教訓《きょうくん》として、次のような格言《かくげん》を、苦《にが》い思いで噛《か》み締《し》めたという。

すなわち、「発端《ほったん》に抵抗《ていこう》せよ」「終末《しゅうまつ》を考慮《こうりょ》せよ」と。

悪《あく》の芽《め》に気がついたら、直《ただ》ちに摘《つ》み取ることだ。悪の〝発端〟を見過《みす》ごし、その拡大《かくだい》を放置《ほうち》すれば、やがて、取り返しのつかない〝終末〟をもたらすことになる。

ラインの川面《かわも》は、金波《きんぱ》から赤紫《あかむらさき》に変わり、街《まち》の明《あ》かりを映《うつ》し始《はじ》めていた。

山本伸一《やまもとしんいち》は、静《しず》かに言葉《ことば》をついだ。

「最初《さいしょ》から迫害《はくがい》のターゲットになっていた、ユダヤ人たちにとっては、ナチスの本性《ほんしょう》はあまりにも明白《めいはく》であったはずだ。ところが、一般《いっぱん》のドイツ人にしてみれば、ナチスの暴虐《ぼうぎゃく》も、自分《じぶん》たちに火の粉《こ》が降《ふ》りかかるまでは、対岸《たいがん》の火事《かじ》でしかなかった。その意識《いしき》、感覚《かんかく》が、『悪』を放置してしまったんです」

谷田昇一《たにだしょういち》が、深《ふか》い感慨《かんがい》を込《こ》めて言った。

「人間《にんげん》は、他《た》の人が迫害にさらされていても、それが自分にも起《お》こり得《う》ることだとは、なかなか感《かん》じられないということなんですね……」

伸一が答《こた》えた。

「そうかもしれない。しかし、ナチスにとっては、ユダヤ人への偏見《へんけん》や悪感情《かんじょう》が広《ひろ》がり、ユダヤ人と他の人びとの間《あいだ》に、意識的な隔《へだ》たりが大きくなればなるほど、迫害も、支配《しはい》も容易《ようい》になり、好都合《こうつごう》ということになる。それは、ある意味《いみ》で、民衆自身《みんしゅうじしん》の意識《いしき》の問題《もんだい》といえるかもしれない。

ともかく、民衆の側《がわ》に、国家権力《こっかけんりょく》の横暴《おうぼう》に対《たい》して、共通《きょうつう》した危機《きき》意識がなかったことが、独裁権力《どくさいけんりょく》を容易にした理由《りゆう》の一つといえるだろうね。

今、学会《がっかい》がなそうとしていることは、民衆の心《こころ》と心の、強固《きょうこ》なスクラムをつくることでもある」

伸一《しんいち》の話《はなし》に頷《うなず》きながら、谷田《たにだ》が言った。

「今のお話は、本当《ほんとう》に大事《だいじ》な問題だと思《おも》います。日本にも平和《へいわ》と民主《みんしゅ》のすばらしい憲法《けんぽう》があっても、それが踏《ふ》みにじられることにもなりかねないですね」

「そうなんだよ。たとえば、明治《めいじ》憲法でも、条件付《じょうけんつ》きながら、信教《しんきょう》の自由《じゆう》は認《みと》められていた。それが、なぜ、かつての日本に、信教の自由がなくなってしまったのか。

政府《せいふ》は、神社《じんじゃ》は『宗教《しゅうきょう》に非《あら》ず』と言って、神道《しんとう》を国教化《こっきょうか》していった。やがて、*治安維持法《ちあんいじほう》によって、言論《げんろん》、思想《しそう》の自由を蹂躙《じゅうりん》し、*宗教団体法《だんたいほう》によって、宗教の統制《とうせい》、管理《かんり》に乗《の》り出した。そして、いつの間《ま》にか、日本には、信教の自由はおろか、何《なん》の自由もなくなっていた。

小《ちい》さな穴《あな》から堤防《ていぼう》が破《やぶ》られ、濁流《だくりゅう》に流《なが》されていくように。

こうした事態《じたい》が、これから先も起《お》こりかねない。しかも、『悪《あく》』は最初《さいしょ》は残忍《ざんにん》な本性《ほんしょう》は隠《かく》し、『善《ぜん》』や『正義《せいぎ》』の仮面《かめん》を被《かぶ》っているものだ。だからこそ、『悪』に気づいたら、断固《だんこ》、立ち上がるべきだよ。それを、私たち日本人も、決《けっ》して忘《わす》れてはならない」

日の落《お》ちたラインの川面《かわも》を渡《わた》る風《かぜ》は、肌寒《はださむ》かった。伸一《しんいち》は、同行《どうこう》のメンバーと一緒《いっしょ》に、岸辺《きしべ》を歩《ある》き始《はじ》めた。彼《かれ》は、しみじみとした口調《くちょう》で語《かた》った。

「ヒトラーの蛮行《ばんこう》が残《のこ》したものは、結局《けっきょく》、無《む》数《すう》の死《し》と破壊《はかい》であった。犠牲《ぎせい》になった人たちのことを考《かんが》えると、胸《むね》が痛《いた》んでならない。また、最《もっと》も苦《くる》しんだユダヤの人びとが幸福《こうふく》になれないなら、人間《にんげん》の正義はいったいどこにあるのだろうか」

このあと、伸一は、皆《みな》と一緒に、河畔《かはん》のレストランで夕食《ゆうしょく》をとった。

明日《あす》は、いよいよベルリンへ行く日である。

伸一が、ベルリンの現状《げんじょう》について、同行してくれることになっている駐在員《ちゅうざいいん》の壮年《そうねん》に尋《たず》ねた。すると、その壮年は、まじまじと伸一の顔《かお》を見つめて言った。

「山本先生《せんせい》、どうしてもベルリンに行かれるおつもりですか」

「はい。それが今回《こんかい》の旅《たび》の目的《もくてき》の一つですから」

駐在員は、身を乗《の》り出すようにして語っていった。

「おやめになった方《ほう》がいいと思《おも》いますがね。はっきり言って、今は危険《きけん》です。新聞《しんぶん》を見ても、ベルリンの境界線《きょうかいせん》では、毎日《まいにち》のように、発砲事件《はっぽうじけん》が報《ほう》じられています。東《ひがし》側《がわ》から逃亡《とうぼう》を企《くわだ》てた人が、東ドイツ（当時《とうじ》）の兵士《へいし》たちに射殺《しゃさつ》されているんです。周囲《しゅうい》は警戒《けいかい》も厳重《げんじゅう》で、写真《しゃしん》一つ撮《と》るにも、警官《けいかん》の指示《しじ》に従《したが》わなければ、大変《たいへん》なことになります。そんなところには、あまりお連《つ》れしたくないというのが、私の正直《しょうじき》な気持《きも》ちなんです」

伸一《しんいち》は、微笑《ほほえ》みを浮《う》かべながら、しかし、情熱《じょうねつ》を込《こ》めて語《かた》り始《はじ》めた。

「お気持ちは、よくわかります。また、大変にありがたいお心遣《こころづか》いであると思います。しかし、私は、仏法者《ぶっぽうしゃ》として、不幸《ふこう》に泣《な》く人びとを救《すく》い、世界《せかい》の恒久平和《こうきゅうへいわ》を築《きず》かなくてはなりません。そのためにベルリンの壁《かべ》の前に立ち、分断《ぶんだん》された悲惨《ひさん》なドイツの現実《げんじつ》を、生命《せいめい》に焼《や》きつけておきたいんです。

そして、魂魄《こんぱく》を留《とど》めて、東西《とうざい》ドイツの融合《ゆうごう》を、いや世界の東西冷戦《れいせん》の終結《しゅうけつ》を祈《いの》り、それをもって、私の、また、創価学会《そうかがっかい》の平和への旅立《たびだ》ちとしたいんです。

ご苦労《くろう》をおかけすることになりますが、よろしくお願《ねが》いいたします」

こう言って、深々《ふかぶか》と頭《あたま》を下《さ》げた。駐在員《ちゅうざいいん》の壮年《そうねん》は、驚《おどろ》いたように伸一を見た。

「よくわかりました。ご案内《あんない》いたします」

伸一《しんいち》は、皆《みな》の顔《かお》を見て言った。

「さあ、明日《あした》は、世界平和《せかいへいわ》への幕《まく》を開こう！」

翌《よく》十月八日の午前《ごぜん》十一時二十五分《ふん》、一行《いっこう》は、デュッセルドルフの空港《くうこう》を発《た》ち、西《にし》ベルリン（当時《とうじ》）に向かった。

機中《きちゅう》、山本伸一《やまもとしんいち》は一人《ひとり》、ベルリンの、ドイツの分断《ぶんだん》の歴史《れきし》を思《おも》った。

――第二次《だいにじ》世界大戦《たいせん》で敗《やぶ》れたドイツは、占領政策《せんりょうせいさく》に基《もと》づき、ソ連《れん》、アメリカ、イギリス、フランスの四カ国《こく》の管理下《かんりか》に置《お》かれた。そして、ドイツのほぼ半分《はんぶん》にあたる東部地域《とうぶちいき》をソ連が、また、北西《ほくせい》地域をイギリスが、南西《なんせい》地域をアメリカが、西部《せいぶ》地域をフランスが管理し、分割統治《ぶんかつとうち》されることになった。

さらに、それまでのドイツの首都《しゅと》であったベルリンについては、同じく四管理地域に分けられ、やはり、東《ひがし》半分をソ連が受けもち、西《にし》半分についても三分割し、北《きた》から仏《ふつ》、英《えい》、米《べい》の三国《ごく》が受けもつことになった。しかし、ベルリン全体《ぜんたい》に関《かか》わる諸事項《しょじこう》については、四カ国の軍司《ぐんし》令官《れいかん》からなる管理委員会《いいんかい》が、共同《きょうどう》で対処《たいしょ》し、統治にあたることになっていた。

このベルリンは、ソ連の管理地域、すなわち、後《のち》の東ドイツのほぼ中央《ちゅうおう》に位置《いち》していた。いわば、ソ連にとっては、自分《じぶん》たちの管理地域の中心《ちゅうしん》に、自由主義《じゆうしゅぎ》陣営《じんえい》の地域が存在《そんざい》し、他国《たこく》の軍隊《ぐんたい》が居座《いすわ》っていることになる。

それが、ドイツの戦後《せんご》の問題《もんだい》を、一層《いっそう》、複雑《ふくざつ》なものにしていったのである。

また、ドイツのソ連管理地域《れんかんりちいき》では、土地改革《とちかいかく》や大企業《だいきぎょう》の人民所有《じんみんしょゆう》などが行《おこな》われ、盛《さか》んに社《しゃ》会主義化《かいしゅぎか》が進《すす》められていった。

一方《いっぽう》、米《べい》、英《えい》、仏《ふつ》の三国《ごく》の管理地域では、マーシャル・プラン*による経済復興《けいざいふっこう》の計画《けいかく》が進められており、三管理地域の統合《とうごう》へと、事態《じたい》は動《うご》き始《はじ》めていた。

この占領政策《せんりょうせいさく》の違《ちが》いが、両《りょう》地域の溝《みぞ》を深《ふか》めていったといえよう。

そして、ドイツは東西《とうざい》の分断《ぶんだん》へと加速《かそく》していくことになる。東西両陣営《じんえい》の亀裂《きれつ》と対立《たいりつ》の構《こう》図《ず》が、そのままドイツに持《も》ち込《こ》まれていったのである。

一九四八年の三月、米、英、仏の三国とベネルクス三国(ベルギー、オランダ、ルクセンブルク)は、西側《にしがわ》管理地域を西側陣営に組《く》み込むことを決め、経済統合に着手《ちゃくしゅ》し、六月には新通《しんつう》貨《か》のドイツマルクが発行《はっこう》された。

すると、ソ連は、自国《じこく》の管理地域で独自《どくじ》の通貨改革を行《おこな》うとともに、報復措置《ほうふくそち》として、米、英、仏の三国管理地域から、ソ連管理地域を通過《つうか》してベルリンに至《いた》るいっさいの道路《どうろ》や鉄道《てつどう》、水路《すいろ》を封鎖《ふうさ》した。これによって、西ベルリンへの、食糧《しょくりょう》、物資《ぶっし》の西側からの補給路《ほきゅうろ》が断《た》たれてしまったのである。西《にし》ベルリンの市民《しみん》の心《こころ》は、暗闇《くらやみ》に包《つつ》まれた。

東西《とうざい》の〝冷戦《れいせん》〟は、〝熱戦《ねっせん》〟に変わり始《はじ》めるかに見えた。

しかし、アメリカ、イギリス、フランスの三国《ごく》は、大空輸《だいくうゆ》計画《けいかく》を練《ね》り、空路《くうろ》、あらゆる食糧《しょくりょう》や物資《ぶっし》を西ベルリンに送《おく》った。そのため、ソ連《れん》による封鎖《ふうさ》は功《こう》を奏《そう》さず、やがて封鎖も解除《かいじょ》されるに至《いた》ったが、市民の不安《ふあん》は消《き》えることはなかった。

人びとの願《ねが》いは、祖国《そこく》ドイツが一つの国として、再建《さいけん》への道《みち》を踏《ふ》み出すことであった。

だが、そんな悲願《ひがん》をよそに、一九四九年、ドイツは分断《ぶんだん》され、自由主義国《じゆうしゅぎこく》のドイツ連邦共和国《れんぽうきょうわこく》（西ドイツ）と、社会主義国《しゃかい》のドイツ民主《みんしゅ》共和国（東《ひがし》ドイツ）が誕生《たんじょう》したのである。

そして、東ベルリン（当時《とうじ》）は、東ドイツの首都《しゅと》となった。しかし、それでも、ベルリンのなかでは、東西の行き来は比較的《ひかくてき》自由であり、東ベルリンに住《す》んで、西ベルリンに働《はたら》きに出る人もあれば、その逆《ぎゃく》のケースもあった。

また、それだけに、西側陣営《にしがわじんえい》にしてみれば、西ベルリンは、東側陣営に対《たい》する自由主義の「ショーウインドー」として、貴重《きちょう》な意味《いみ》をもっていた。

一方《いっぽう》、ソ連にすれば、東ドイツが社会主義国として出発《しゅっぱつ》したにもかかわらず、その領内《りょうない》に、依然《いぜん》として、自由主義の「ショーウインドー」が存在《そんざい》し、しかも、西側諸国《しょこく》の軍隊《ぐんたい》が駐《ちゅう》留《りゅう》していることを、放置《ほうち》しておくわけにはいかなかった。

さらに、当時《とうじ》、東《ひがし》ドイツを脱出《だつしゅつ》して、西《にし》ドイツに亡命《ぼうめい》する人が後《あと》を絶《た》たなかったのである。東ドイツを脱出した人の数《かず》は、一九四九年から六一年までで、およそ二百五十万から三百五十万人にも上《のぼ》ったという。そして、そのうちの約半数《やくはんすう》が二十五歳以下《いか》の青年層《せいねんそう》であり、それが、東ドイツの深刻《しんこく》な労働力不足《ろうどうりょくぶそく》をもたらしていた。しかも、その脱出の際《さい》、多くは、東ベルリンから西ベルリンに入《はい》り、そこで、西側《にしがわ》の機関《きかん》に申《もう》し出て、航空機《こうくうき》で西ドイツに送《おく》ってもらうという方法《ほうほう》をとっていたのである。

一九五八年の十一月、ソ連《れん》のフルシチョフ首相《しゅしょう》は、米《べい》、英《えい》、仏《ふつ》の三国《ごく》に対《たい》し、ベルリンの四カ国共同管理権《こくきょうどうかんりけん》を破棄《はき》し、六カ月以内《いない》に駐留軍《ちゅうりゅうぐん》を撤退《てったい》させ、ベルリンを「非武装《ひぶそう》の自由都《じゆうと》市《し》」とする提案《ていあん》を突《つ》きつけた。その狙《ねら》いは、西ベルリンから三国の軍隊《ぐんたい》を引き揚《あ》げさせ、やがては、東ドイツに編入《へんにゅう》することにあったといわれている。

一九六一年六月、ソ連のフルシチョフ首相とアメリカのケネディ大統領《だいとうりょう》による米《べい》ソ首脳会《しゅのうかい》談《だん》が、オーストリアのウィーンで行《おこな》われた。フルシチョフは、ここでも、ベルリンの自由都市化の要求《ようきゅう》を突きつけた。しかし、このベルリン問題《もんだい》では、両者《りょうしゃ》の意見《いけん》は真《ま》っ向《こう》から食《く》い違《ちが》い、なんの進展《しんてん》も見られなかった。

ケネディは、七月二十五日に演説《えんぜつ》を行《おこな》い、ベルリンの米《べい》、英《えい》、仏《ふつ》の駐留権《ちゆうりゆうけん》を維持《いじ》すると訴《うった》えた。そして、西《にし》ベルリンは、西側陣営《にしがわじんえい》にとって、自由《じゆう》のショーウインドーや、東《ひがし》ドイツの共産主義政権《きようさんしゆぎせいけん》からの避難口《ひなんぐち》である以上《いじよう》の、重要《じゆうよう》な意味《いみ》をもっているとし、断固《だんこ》、守《まも》り抜くことを宣言《せんげん》した。

それから一週間《しゆうかん》あまりが過《す》ぎた八月三日、モスクワでワ*ルシャワ条約機構《じようやくきこう》の首脳会議《しゆのうかいぎ》が開かれ、東側諸国《ひがしがわしよこく》は東西《とうざい》ベルリンの境界《きようかい》を、通常《つうじよう》の国境《こつきよう》と同様《どうよう》の管理下《かんりか》に置《お》くことを決定《けってい》した。それは、ベルリンの「壁《かべ》」の建設《けんせつ》を意味していた。

一九六一年の八月十三日は日曜日《にちようび》であった。

この日の未明《みめい》から早朝《そうちよう》にかけて、東ドイツの人民軍《じんみんぐん》と人民警察《けいさつ》が、戦車《せんしゃ》、装甲車《そうこうしゃ》、トラックなどで、続々《ぞくぞく》と、東西ベルリンの境界にやってきた。

夜明《よあ》け前の闇《やみ》のなかで、彼《かれ》らは、手際《てぎわ》よく、境界線に沿《そ》って鉄条網《てつじようもう》などでバリケードをつくり始《はじ》めた。また、東西を結《むす》ぶ地下鉄《ちかてつ》、高架線《こうかせん》、道路《どうろ》を次々《つぎつぎ》と封鎖《ふうさ》していった。

東西ベルリンが、完全《かんぜん》に分断《ぶんだん》されたのだ。

地下鉄などは、境界で折《お》り返しとなり、自動車《じどうしゃ》、通行人《つうこうにん》が通《とお》れるのは、ブランデンブルク門《もん》など、十三カ所《しょ》に限定《げんてい》され、そこには、検問所《けんもんじょ》が設《もう》けられた。

そして、東《ひがし》ドイツ国民《こくみん》、東ベルリン市民《しみん》が、西《にし》ベルリンに入《はい》るには、東ドイツ政府《せいふ》の発行《はっこう》する特別許可証《とくべつきょかしょう》が必要《ひつよう》となり、西ベルリンで働《はたら》くことも禁《きん》じられた。

一方《いっぽう》、西ベルリン市民は身分証明書《みぶんしょうめいしょ》を提示《ていじ》すれば、東ベルリンに入ることはできるが、西ドイツ国民が東ベルリンに入るには、東ドイツ政府が発行する、有効期間《ゆうこうきかん》一日《いちにち》の特別許可証が必要となったのである。そこには、権力《けんりょく》の魔性《ましょう》の傲慢《ごうまん》と狂気《きょうき》が渦巻《うずま》いていた。

東西《とうざい》ベルリンの境界線《きょうかいせん》が封鎖《ふうさ》されたことを知った市民は、驚《おどろ》き、戸惑《とまど》い、そして、憤《いきどお》った。ブランデンブルク門の前には、約《やく》五千人の西ベルリン市民が抗議《こうぎ》に押《お》し寄《よ》せ、それを、西ベルリンの警官隊《けいかんたい》が引き戻《もど》すという一幕《ひとまく》もあった。また、東ベルリン側《がわ》でも、封鎖に憤った人びとが街路《がいろ》に集《あつ》まり、逮捕者《たいほしゃ》も出る騒《さわ》ぎとなった。

ベルリンの人びとは、長《なが》く同じベルリン市民として暮《く》らしてきた。ところが、この「壁《かべ》」によって、同胞《どうほう》が、愛《あい》し合う恋人同士《こいびとどうし》が、家族《かぞく》が、一夜《いちや》にして、完全《かんぜん》に引き離《はな》されてしまったのである。人間《にんげん》と人間の絆《きずな》を、権力が、生木《なまき》を裂《さ》くように、無残《むざん》にも断《た》ち切ったのだ。

山本伸一《やまもとしんいち》は、分断《ぶんだん》によって、ドイツの人びとが、いかに苦《くる》しんでいるかと思《おも》うと、心《こころ》が痛《いた》んだ。

デュッセルドルフの空港《くうこう》を発《た》った時には、晴《は》れていたが、飛行機《ひこうき》が東《ひがし》ドイツの上空《じょうくう》に差《さ》しかかったころから、外《そと》は厚《あつ》い雲《くも》に覆《おお》われ始《はじ》めた。

伸一《しんいち》には、それが、ベルリンの人びとの悲《かな》しみを表《あらわ》しているかのようにも感《かん》じられた。

午後《ごご》一時前、飛行機は西《にし》ベルリンのテンペルホーフ空港に着陸《ちゃくりく》した。

ベルリンは雨《あめ》であった。

伸一の一行《いっこう》は、空港からホテルに向かい、打ち合わせをすませると、市内《しない》に車《くるま》を走《はし》らせた。しとしとと、雨が降《ふ》り続《つづ》き、空《そら》は暗《くら》かった。

通称《つうしょう》〝クーダム通《どお》り〟といわれる繁華街《はんかがい》を行くと、買《か》い物《もの》などを楽《たの》しむ大勢《おおぜい》の人たちで賑《にぎ》わい、活気《かっき》にあふれていた。

しばらく走ると、削《けず》られた歯《は》のように、塔《とう》の一部《いちぶ》が破壊《はかい》されたネオ・ロマネスク風《ふう》の教会《きょうかい》があった。*ウィルヘルム皇帝記念《こうていきねん》教会である。第二次世界大戦《だいにじせかいたいせん》で、戦火《せんか》を浴《あ》びて崩《くず》れ落《お》ちたものだが、戦争《せんそう》の悲惨《ひさん》さを伝《つた》えるために、そのまま残《のこ》してあるという。

間《ま》もなく〝六月十七日通り〟と呼《よ》ばれる大通りに出た。彼方《かなた》に、古代《こだい》ギリシャの神殿《しんでん》を模《も》した石《いし》の門《もん》が見えた。それが、ブランデンブルク門であった。この門の手前《てまえ》までが西ベルリンであるという。

門《もん》の上には、四頭立《とうだ》ての古代《こだい》ローマの二輪戦車《りんせんしゃ》を駆《か》る、平和《へいわ》の女神《めがみ》の彫刻《ちょうこく》の後《うし》ろ姿《すがた》が、かすかに見えた。十八世紀《せいき》の終《お》わりに、本来《ほんらい》は、「平和の門」として建《た》てられたブランデンブルク門が、東西冷戦《とうざいれいせん》による分断《ぶんだん》の象徴《しょうちょう》となっているのである。

車《くるま》で、門の四、五百メートルほど前まで行くと、柵《さく》が設《もう》けられていた。伸一《しんいち》たちは、一度《いちど》、ここで車を降《お》り、霧雨《きりさめ》に煙《けむ》る通《とお》りに立った。

空《そら》は、次第《しだい》に明《あか》るくなりつつあった。

そこから先は、歩行者《ほこうしゃ》は入《はい》れないという。ただし、外国人《がいこくじん》に限《かぎ》り、自動車《じどうしゃ》に乗《の》ったままなら、二百メートルほど手前《てまえ》まで行くことができるとのことであった。

ここには、全《まった》く平和はなかった。

周囲《しゅうい》には、機関銃《きかんじゅう》を備《そな》えつけたイギリス軍《ぐん》の装甲車《そうこうしゃ》が走《はし》り、要所《ようしょ》要所に西《にし》ドイツの警察官《けいさつかん》が立っていた。そして、ブランデンブルク門を挟《はさ》んで、その向こうには、東《ひがし》ドイツ側《がわ》の兵士《へいし》らしき人影《ひとかげ》が見える。緊張《きんちょう》した雰囲気《ふんいき》が伝《つた》わってくる。周《まわ》りには、何人《なんにん》かの見物人《けんぶつにん》がいたが、皆《みな》、声《こえ》を押《お》し殺《ころ》すようにして、何かを囁《ささや》き合っていた。

伸一たちは、車で、行けるところまで行くことにした。

門《もん》に向かって左側《ひだりがわ》に、第二次世界大戦《だいにじせかいたいせん》のソ連《れん》の戦勝記念碑《せんしょうきねんひ》があり、その脇《わき》にはベルリンに一番乗《いちばんの》りしたという戦車《せんしゃ》が飾《かざ》られている。ソ連の戦勝記念碑が、自由主義陣営《じゆうしゅぎじんえい》となった西《にし》ベルリン側にあることが、事態《じたい》の複雑《ふくざつ》さを感《かん》じさせた。

そのすぐ近《ちか》くの木立《こだち》のなかには、イギリス軍《ぐん》の野営《やえい》テントが見える。

ブランデンブルク門に近づくと、周囲《しゅうい》には柵《さく》や鉄条網《てつじょうもう》が張《は》り巡《めぐ》らされていた。

警戒《けいかい》は、一層《いっそう》、もののしさを増《ま》し、門の向こうには、銃《じゅう》を持《も》って立つ東《ひがし》ドイツ側の兵士《へいし》の姿《すがた》を、はっきりと見ることができた。

道路《どうろ》に、ドイツ語《ご》で書《か》かれた立て札《ふだ》があった。案内《あんない》の駐在員《ちゅうざいいん》が、それを指《ゆび》さして、教《おし》えてくれた。

「あそこには『注意《ちゅうい》！ あなたは、今、西ベルリンを離《はな》れる』と書かれているんです」

かつては、誰《だれ》も意識《いしき》することなく、ここを通《とお》り、西側から東側へ、また、東側から西側へと、行き来していたのであろう。

伸一は、車《くるま》を降《お》りて、ブランデンブルク門の真下《ました》に立ちたかったが、それは許《ゆる》されぬことであった。

一行《いっこう》は、そのまま車で、フランス軍の管理地域《かんりちいき》にあたる、ベルナウアー通《どお》りに向かった。

ここは、境界線《きょうかいせん》にあり、沿道《えんどう》の建物《たてもの》は東《ひがし》ベルリンに属《ぞく》しているが、その手前《てまえ》にある歩道《ほどう》は、西《にし》ベルリンに属している。

建物の上の方《ほう》の窓《まど》は、そのままだが、出入《でい》り口《ぐち》や、一、二階《かい》の窓は、レンガで塞《ふさ》がれていた。閉《と》ざされた一つの出入り口の前に、一抱《ひとかか》えほどもある花束《はなたば》が置《お》かれてあった。

伸一《しんいち》は、車《くるま》のドライバーから、西ベルリンに逃亡《とうぼう》しようとして、老婦人《ろうふじん》が四階の窓から飛《と》び降《お》り、死亡《しぼう》したのだと聞かされた。

さらに、そこから百メートルほど先の路上《ろじょう》にも花束が置かれ、五、六人が、それを囲《かこ》むようにして、東側《ひがしがわ》の建物を見上げていた。

ドライバーの壮年《そうねん》が、車を止《と》めて、山本《やまもと》伸一たちにドイツ語《ご》で教《おし》えてくれた。

「数日前に、この建物の屋上《おくじょう》で、西ベルリンに脱出《だっしゅつ》しようとした東ドイツの人が、東ドイツの警官《けいかん》と格闘《かくとう》し、飛び降りたんです。西ベルリンの警官が手当《てあ》てをしたんですが、即死《そくし》でした。

壁《かべ》がつくられてからというもの、境界線では、いつもこんなことばかりです。

警備《けいび》の兵士《へいし》が目をそらしているすきに、赤《あか》ん坊《ぼう》を鉄条網越《てつじょうもうご》しに、西側《にしがわ》に住《す》んでいる夫《おっと》に手《て》渡《わた》した婦人もいました。彼女《かのじょ》は、夫とも、子供《こども》とも別《わか》れて、これから先も、東ベルリンで暮《く》らしていくんでしょう。でも、怪我《けが》一つせず、子供《こども》だけでも西側《にしがわ》に脱出《だっしゅつ》させることができたんだから、まだ、よかったんですよ。

三階《がい》の窓《まど》から、綱《つな》を垂《た》らして逃《に》げようとして、壁《かべ》にこすられて手足《てあし》が血《ち》だらけになっていた婦人《ふじん》もいたし、足を挫《くじ》いてしまった男性《だんせい》もいましたからね。しかし、それでも、射殺《しゃさつ》されないだけ、幸運《こううん》だったんです。

見てください。その角《かど》の柱《はしら》を。銃弾《じゅうだん》の跡《あと》があるでしょう。東《ひがし》から西に逃げようとして、撃《う》ち殺《ころ》されてしまったんです。まるで、虫《むし》ケラみたいにね」

通訳《つうやく》を通《とお》して聞くドライバーの話《はなし》に、伸一《しんいち》の胸《むね》は詰《つ》まった。

ドライバーは、さらに話《はな》し続《つづ》けた。

「ドイツは、確《たし》かに戦争《せんそう》に負《ま》けた。敗戦国《はいせんこく》です。しかし、同じドイツ人が、親戚《しんせき》が、家族《かぞく》が、一緒《いっしょ》に暮《く》らす権利《けんり》はあるはずだ。私たちは、もともと国の中《なか》を自由《じゆう》に行き来して、一緒に、仲良《なかよ》く暮らしてきたんだ……」

こう語《かた》るドライバーの目には、涙《なみだ》が潤《うる》んでいた。

「東ベルリンに、どなたか、ご家族の方《かた》がいるんですか」

伸一が尋《たず》ねた。

「伯母《おば》がいます。もう、高齢《こうれい》です。私の大好《だいす》きな伯母です……」

ドライバーは涙《なみだ》を拭《ぬぐ》い、上着《うわぎ》のポケットからタバコを取り出し、火をつけた。

伸一《しんいち》たちは、ここで車《くるま》を降《お》りることにした。

街角《まちかど》のコンクリートの柱《はしら》には、ドライバーが言ったように、弾痕《だんこん》がくっきりと刻《きざ》まれ、そこにチョークで印《しるし》がつけられていた。警察官《けいさつかん》が、それを指《ゆび》さして教《おし》えてくれた。

伸一は、弾痕を見ていると、自分《じぶん》の胸《むね》が弾丸《だんがん》で撃《う》ち抜かれたような思《おも》いにかられた。

「酷《ひど》いものだな……」

誰《だれ》に言うともなく、彼《かれ》はつぶやいた。

しばらく行くと、レンガ塀越《べいご》しに、東《ひがし》ベルリンのなかが見える一角《いっかく》があった。そこには、二、三十人ほどの人が集《あつ》まり、東ベルリンの方《ほう》に向かって、時折《ときおり》、手を振《ふ》っていた。

伸一が、東ベルリンの方を眺《なが》めると、彼方《かなた》の建物《たてもの》の窓《まど》に小《ちい》さな人影《ひとかげ》が見えた。ここに集まっている人の縁者《えんじゃ》なのであろう。その人影は、こちらに向かって、盛《さか》んに手を振っていたかと思うと、サッと隠《かく》れるように、建物のなかに姿《すがた》を消《け》した。

東ベルリンで警備《けいび》に当《あ》たっている兵士《へいし》らに見つかると、西《にし》ドイツに内通《ないつう》している者《もの》と見なされてしまう恐《おそ》れがあるからであろう。

分断《ぶんだん》の現実《げんじつ》を思《おも》い知らされ、同行《どうこう》のメンバーは、言葉《ことば》を失《うしな》っていた。

また、ベルナウアー通《どお》り近《ちか》くの境界通路《きょうかいつうろ》では、数人の西《にし》ベルリン市民《しみん》が、検問所《けんもんじょ》の東《ひがし》ベルリンの警察官《けいさつかん》に、通路の向こうでたたずむ老婦人《ろうふじん》へ、伝言《でんごん》を頼《たの》んでいる光景《こうけい》に出あった。

若《わか》い警察官は、その依頼《いらい》を聞き入れ、老婦人に伝言を伝《つた》えた。

老婦人は、こちらを見ながら、何度《なんど》も頷《うなず》いた。すると、それを見ていた、傍《かたわ》らの兵士《へいし》が彼女《かのじょ》に歩《あゆ》み寄《よ》り、犬《いぬ》でも追《お》い払《はら》うように、立ち去《さ》るように命《めい》じた。

西ベルリンの人たちは、老婦人の姿《すがた》が見えなくなるまで、いつまでも、いつまでも、傘《かさ》や手を振《ふ》っていた。寂《さび》しく、悲《かな》しい光景《こうけい》であった。

このあと、一行《いっこう》は、車《くるま》で境界線を回った。レンガやコンクリートの壁《かべ》が、どこまでも続《つづ》いていた。その壁の前で、じっとたたずむ人びとの姿があった。

眼前《がんぜん》に立ち塞《ふさ》がる壁の高さは、わずか、三、四メートルにすぎない。取り除《のぞ》こうと思《おも》えば、すぐに、壊《こわ》すことができよう。

だが、その壁が、自由《じゆう》を奪《うば》い、人間《にんげん》と人間を、同胞《どうほう》を、家族《かぞく》を引き裂《さ》いているのだ。

何たる人間の悪業《あくごう》よ！　人間は何のために生まれてきたのかと、山本伸一《やまもとしんいち》は、炎《ほのお》のような強《つよ》い憤《いきどお》りを感《かん》じた。

——人間《にんげん》がともに生き、心《こころ》を分かち合うことを拒否《きょひ》し、罪悪《ざいあく》とする。それは、人間に、人間であるなということだ。そんな権利《けんり》など誰《だれ》にもあるわけがない。

だが、壁《かべ》はつくられた。まぎれもなく人間によって。東西《とうざい》の対立《たいりつ》といっても、人間の心に巣《す》くう権力《けんりょく》の魔性《ましょう》がもたらしたものだ。

そして、このドイツに限《かぎ》らず、韓《かん》・朝鮮半島《ちょうせんはんとう》も、ベトナムも、分断《ぶんだん》の悲劇《ひげき》に襲《おそ》われた。いや、それだけではない。ナチスによる、あのユダヤの人びとの大量殺戮《たいりょうさつりく》も、あらゆる戦争《せんそう》も、核兵器《かくへいき》も、皆《みな》、権力の魔性の産物《さんぶつ》にほかならない。

伸一《しんいち》の脳裏《のうり》に、戸田城聖《とだじょうせい》の第一の遺訓《いくん》となった*「原水爆禁止宣言《げんすいばくきんしせんげん》」がまざまざと蘇《よみがえ》った。

——あの宣言の精神《せいしん》も、〝人間の生命《せいめい》に潜《ひそ》む魔性の爪《つめ》をもぎ取れ〟ということであった。

魔性に打ち勝つ力《ちから》はただ一つである。それは、人間の生命に内在《ないざい》する仏性《ぶっしょう》の力だ。

仏性とは慈悲《じひ》の生命であり、破壊《はかい》から創造《そうぞう》へ、分断から融合《ゆうごう》へと向かう、平和《へいわ》を創造する原動力《げんどうりょく》である。人間の胸中《きょうちゅう》に、この仏性の太陽《たいよう》を昇《のぼ》らせ、魔性の闇《やみ》を払《はら》い、人と人とを結《むす》びゆく作業《さぎょう》が、広宣流布《こうせんるふ》といってよいだろう。

車《くるま》は、再《ふたた》び、ブランデンブルク門《もん》を望《のぞ》む、柵《さく》の前に出た。伸一は、もう一度《いちど》、ここで車を降《お》りた。

いつの間《ま》にか、雨《あめ》はすっかり上がり、空《そら》は美《うつく》しい夕焼《ゆうや》けに染《そ》まっていた。荘厳《そうごん》な夕映《ゆうば》えであった。太陽《たいよう》は深紅《しんく》に燃《も》え、黄金《おうごん》の光《ひかり》が空を包《つつ》んでいた。それは、緊迫《きんぱく》の街《まち》に一時《ひととき》の安《やす》らぎを与《あた》え、心《こころ》を和《なご》ませた。

一行《いっこう》が夕焼けを眺《なが》めていると、近《ちか》くにいたドライバーの壮年《そうねん》が、笑《え》みを浮《う》かべて教《おし》えてくれた。

「こんな美しい夕焼けの時には、私たちは、こう言うのです。『天使《てんし》が空から降《お》りて来た』と……」

辺《あた》りの塔《とう》も、ビルも、そして、閉《と》ざされた道《みち》も、ブランデンブルク門《もん》も、金色《こんじき》に彩《いろど》られていた。

伸一《しんいち》は思《おも》った。

〝太陽が昇《のぼ》れば、雲《くも》は晴《は》れ、すべては黄金の光に包まれる。そして、人間《にんげん》の心に生命《せいめい》の太陽が輝《かがや》くならば、必《かなら》ずや、世界《せかい》は平和《へいわ》の光に包まれ、人類《じんるい》の頭上《ずじょう》には、絢爛《けんらん》たる友情《ゆうじょう》の虹《にじ》がかかる……〟

彼《かれ》は、ブランデンブルク門を仰《あお》ぎながら、同行《どうこう》の友《とも》に力強《ちからづよ》い口調《くちょう》で言った。

「三十年後には、きっと、このベルリンの壁《かべ》は取り払《はら》われているだろう……」

仲一《しんいち》は、単《たん》に、未来《みらい》の予測《よそく》を口《くち》にしたのではない。願望《がんぼう》を語《かた》ったのでもない。それは、やがて、必《かなら》ず、平和《へいわ》を希求《ききゅう》する人間《にんげん》の良心《りょうしん》と英知《えいち》と勇気《ゆうき》が勝利《しょうり》することを、彼《かれ》が強《つよ》く確信《かくしん》していたからである。また、世界《せかい》の平和の実現《じつげん》に、生涯《しょうがい》を捧《ささ》げ、殉《じゅん》じようとする、彼の決意《けつい》の表《ひょう》明《めい》にほかならなかった。

一念《いちねん》は大宇宙《だいうちゅう》をも包《つつ》む。それが仏法《ぶっぽう》の原理《げんり》である。

〝戦《たたか》おう。この壁《かべ》をなくすために。平和のために。戦いとは触発《しょくはつ》だ。人間性を呼《よ》び覚《さ》ます対話《たいわ》だ。そこに、わが生涯をかけよう〟

仲一は、一人《ひとり》、ブランデンブルク門《もん》に向かい、題目《だいもく》を三唱《さんしょう》した。

「南無妙法蓮華経《なむみょうほうれんげきょう》……」

深《ふか》い祈《いの》りと誓《ちか》いを込《こ》めた仲一の唱題《しょうだい》の声《こえ》が、ベルリンの夕焼《ゆうや》けの空《そら》に響《ひび》いた。

（第四巻終了）

語句の解説

《「春嵐」の章》

[22]

単己《たんご》の菩薩《ぼさつ》 法華経《ほけきょう》の従地涌出品《じゅうじゆじゅっぽん》で、地涌《じゆ》の菩薩が、それぞれさまざまな数の眷属《けんぞく》を率《ひき》いて出現した模様《もよう》が描《えが》かれているが、その中で随伴者《ずいはんしゃ》を持たず、一人で現れた菩薩のこと。

地涌《じゆ》の菩薩《ぼさつ》 法華経《ほけきょう》の中で、釈尊滅後《しゃくそんめつご》の弘教《ぐきょう》を誓《ちか》って大地の底《そこ》（妙法蓮華経の世界をさす）から出現し、末法《まっぽう》における妙法流布《みょうほうるふ》を託《たく》された菩薩のこと。日蓮大聖人は、御自身が地涌の菩薩の指導者・上《じょう》行《ぎょう》菩薩の再誕《さいたん》（内証《ないしょう》は久遠元初《くおんがんじょ》の本仏）であるとされるとともに、さらに末法に妙法を信受《しんじゅ》し、大聖人の門下《もんか》として広宣流布の使命に生きる人は皆《みな》、地涌の菩薩であると説かれている。

[62]

寺檀制度《じだんせいど》 江戸《えど》時代に確立《かくりつ》した制度で檀家《だんか》制度ともいう。江戸幕府《ばくふ》が民衆統制《とうせい》のため、すべての人びとを仏教各派《かくは》の寺に所属する檀徒《だんと》とし、これを戸籍《こせき》に利用した。また、寺が、檀家について、キリシタンや日蓮宗不受不施派《ふじゅふせは》などの禁制《きんせい》宗派の信徒《しんと》ではないことを証明《しょうめい》する制度を、寺請《てらうけ》制度といった。これらによって、民衆は寺の厳《きび》しい監督下《かんとくか》に置《お》かれることになった。

[70]

三類《さんるい》の強敵《ごうてき》 末法《まっぽう》において、法華経《ほけきょう》を信受《しんじゅ》し、弘《ひろ》める人（法華経の行者）を迫害《はくがい》する三種の敵人《てきじん》のこと。

法華経勧持品《かんじほん》で、菩薩《ぼさつ》が悪世《あくせ》の弘通《ぐずう》を誓《ちか》った〝二十行の偈《げ》〟から、中国の妙楽大師《みょうらくだいし》（七一一〜七八二年）が立て分けたもの。①俗衆増上慢《ぞくしゅぞうじょうまん》＝仏法を知らない民衆が悪口罵詈《あっくめり》等の迫害をする。②道門増《どうもん》上慢＝慢心《まんしん》で邪智《じゃち》な僧が誹謗《ひぼう》・迫害する。③僣聖増上慢《せんしょう》＝あたかも聖人《しょうにん》・賢人《けんじん》のように世の尊敬《そんけい》を受けている高僧《こうそう》等が、権力者を動かして迫害する。

《「凱旋」の章》

99 **十四誹謗《じゅうしひぼう》** 法華経譬喩品《ほけきょうひゆほん》に説かれた十四種の法華経誹謗のこと。御書では、「松野殿御返事《まつのどのごへんじ》」（一三八二㌻）等に引かれている。①憍慢《きょうまん》（おごりたかぶって正法《しょうほう》を侮《あなど》る）、②懈怠《けだい》（仏道修行を怠《おこた》る）、③計我《けいが》（自分勝手な考えで判断する）、④浅識《せんしき》（浅い知識に執着《しゅうじゃく》して正法を批判し、または求めない）、⑤著欲《じゃくよく》（欲望に執着して仏法を求めない）、⑥不解《ふげ》（正法の教えを理解しようとしない）、⑦不信《ふしん》（正法を信じない）、⑧顰蹙《ひんじゅく》（正法を非難《ひなん》する）、⑨疑惑《ぎわく》（教えを疑《うたが》い惑《まど》う）、⑩誹謗（正法を謗《そし》り、悪口を言う）、また⑪軽善《きょうぜん》、⑫憎善《ぞうぜん》、⑬嫉善《しつぜん》、⑭恨善《こんぜん》の四つは、正法を行ずる人への誹謗で、軽蔑《けいべつ》したり、憎《にく》んだり、嫉《そね》んだり、恨《うら》んだりすること。

102 **柔和忍辱《にゅうわにんにく》の鎧《よろい》** 柔和とは、性質が素直《すなお》で、正法《しょうほう》に従順《じゅうじゅん》なこと。忍辱は、さまざまな侮辱《ぶじょく》を耐《た》え忍《しの》ぶこと。いかなる迫害《はくがい》や逆境《ぎゃっきょう》にあっても、心が動揺《どうよう》しない強固《きょうこ》な信心の姿《すがた》を「鎧」にたとえたもの。法《ほ》華経法師品《けきょうほっしほん》には「如来《にょらい》の衣《ころも》とは柔和忍辱の心是《こ》れなり」、勧持品《かんじほん》には「当《まさ》に忍辱の鎧を著《き》るべし」とある。

117 「声仏事《こえぶつじ》を為《な》す」 仏が声をもって衆生《しゅじょう》を説法教化《せっぽうきょうけ》することで、仏道修行における「声」の働《はたら》きの重要《じゅうよう》性《せい》を示《しめ》している。

123 依正不二《えしょうふに》 依報《えほう》と正報《しょうほう》が二にして不二であること。正報とは生命活動を営《いとな》む主体をいい、その身がよりどころとする環境《かんきょう》・国土を依報という。両者は深い次元《じげん》で相互《そうご》に関連しあっていることを示《しめ》した原理。

128 水戸光圀《みとみつくに》 一六二八～一七〇〇年。江戸《えど》時代前期の名君と称《しょう》された、水戸藩《はん》第二代藩主《はんしゅ》・徳川光圀のこと。水戸黄門《こうもん》の名でも知られ、『水戸黄門漫遊記《まんゆうき》』等による逸話《いつわ》が広く流布している。各地の学者を招いて、神武《じんむ》天皇から南北朝末期《まつき》までを収めた『大日本史』を編纂《へんさん》した。

129 阿那律《あなりつ》、須菩提《しゅぼだい》、摩訶迦葉《まかかしょう》、目連《もくれん》、舎利弗《しゃりほつ》 釈尊《しゃくそん》の十大弟子に挙《あ》げられている高弟《こうてい》。阿那律は釈尊のいとこにあたり、天眼《てんげん》（天界の衆生《しゅじょう》がもつ眼）第一といわれた。須菩提は思索《しさく》に優《すぐ》れ、よく空理《くうり》を理解したため解空《げくう》第一といわれた。摩訶迦葉は乞食行《こつじきぎょう》などの厳《きび》しい修行に徹《てっ》し、頭陀《ずだ》第一といわれた。釈尊の死後、第一回の仏典《ぶってん》結集を行った中心的人物。目連は神通《じんずう》第一、舎利弗は智慧《ちえ》第一といわれ、この二人は釈尊の弟子の双璧《そうへき》とされる。

134 雪山童子《せっせんどうじ》 釈尊《しゃくそん》が過去世《かこせ》で修行を積《つ》んでいた時の名。鬼《おに》（実は帝釈天《たいしゃくてん》の化身《けしん》）に我が身を投げて、仏の教《おし》えを求めた。その求道心によって、未来の成仏《じょうぶつ》が約束された。涅槃経《ねはんぎょう》などに説かれる。

薬王菩薩《やくおうぼさつ》 過去世《かこせ》において、法華経《ほけきょう》を聞いた報恩《ほうおん》に身や臂《ひじ》を焼いて仏に供養《くよう》した。法華経薬王菩薩本《ほん》事品《じほん》に説かれる。

聖徳太子《しょうとくたいし》　五七四〜六二二年。用明《ようめい》天皇の皇子《おうじ》。推古《すいこ》天皇の治世《ちせい》に、摂政《せっしょう》として「十七条の憲法」の制定など、優《すぐ》れた政治を行った。また、深く仏教を信奉《しんぽう》し、興隆《こうりゅう》に努《つと》めた。

南条時光《なんじょうときみつ》　一二五九〜一三三二年。鎌倉幕府《かまくらばくふ》の御家人《ごけにん》で、駿河国《するがのくに》（静岡県）富士郡上野郷《うえのごう》の地頭《じとう》。十代で大聖人に帰依《きえ》し、日興上人《にっこうしょうにん》を師兄《しけい》と仰《あお》いで純粋《じゅんすい》な信心に励《はげ》んだ。熱原《あつはら》の法難《ほうなん》では、果敢《かかん》に外護《げご》の任《にん》を果《は》たし、大聖人より「上野賢人《けんじん》」と称賛《しょうさん》されている。

135 **阿育（アショーカ）大王**《だいおう》　紀元《きげん》前三世紀の人。インドのマウリヤ朝の第三代の王。仏教に帰依《きえ》し、「法」の精神に基《もと》づいた善政《ぜんせい》を行った。

144 **「国士訓」**《こくしくん》　戸田第二代会長が、『大白蓮華』第四十二号（昭和二十九年十月発行）に寄稿《きこう》した巻頭言《かんとうげん》「青年よ国士たれ」のことで、後に「国士訓」と呼ばれ、男子部の不滅《ふめつ》の指針《ししん》となった。苦悩の民衆を救《すく》う青年の使命が示《しめ》され、「一人立て！」との期待《きたい》がつづられている。

《「青葉」の章》

153 **『管子』**《かんし》　古代《こだい》中国の政治・経済等を論じた書。春秋《しゅんじゅう》時代の斉《せい》国の宰相《さいしょう》・管仲《かんちゅう》（？〜前六四五年）の著《ちょ》とされる。その中に「一年の計は穀《こく》を樹《う》うるに如《し》くは莫《な》く、十年の計は木を樹うるに如くは莫く、終身《しゅうしん》の計は人を樹うるに如くは莫し」とある。

163 **止暇断眠**《しかだんみん》　「暇《いとま》を止《と》め、眠《ねむ》りを断《た》つ」と読む。寸暇《すんか》を惜《お》しんで精進《しょうじん》すること。御書には「我が門家《もんけ》は夜は眠りを断ち昼は暇を止めて之《これ》を案ぜよ一生空《むな》しく過《すご》して万歳悔《ばんさいく》ゆること勿《なか》れ」（九七〇ページ）と述べられている。

164 **ガガーリン**　一九三四〜六八年。ソ連の宇宙飛行士。六一年四月十二日午前九時七分に打ち上げられた有人ロケット・ボストーク1号に乗り、人類初の地球周回《しゅうかい》飛行に成功し、同日午前十時五十五分に帰還《きかん》した。有人宇宙飛行時代の先駆者《せんくしゃ》となった。

174 **チャップリン**　一八八九〜一九七七年。ロンドン生まれ。映画俳優《はいゆう》・監督《かんとく》。チョビ髭《ひげ》に山高帽《やまたかぼう》、ドタ靴姿《ぐつすがた》の扮装《ふんそう》は有名。ヒトラーを風刺《ふうし》した「チャップリンの独裁者《どくさいしゃ》」をはじめ、「モダン・タイムス」「ライムライト」など、人間性抑圧《よくあつ》に抗議《こうぎ》し、人間愛をうたい上げた名作を多数制作《せいさく》した。

175 **ヒトラー**　一八八九〜一九四五年。ドイツの政治家。ナチス（国家社会主義ドイツ労働者党）を率《ひき》いて、反ユダヤ主義、ベルサイユ条約《じょうやく》の破棄《はき》などを主張《しゅちょう》。社会不安に乗《じょう》じて、政権を奪取《だっしゅ》し、独裁《どくさい》政治を行い、第二次世界大戦を引き起こした。四五年四月、敗戦直前《はいせんちょくぜん》に自殺《じさつ》するが、ナチズムと呼ばれた全体主義体制と、そのユダヤ人絶滅政策《ぜつめつせいさく》は、二十世紀最大の犯罪《はんざい》として断罪《だんざい》された。

214 **小樽問答《おたるもんどう》**　一九五五年（昭和三十年）三月十一日、北海道・小樽市公会堂で行われた創価学会と日蓮宗（身延派《みのぶは》）との公開《こうかい》問答。小樽法論ともいう。学会側の大勝利に終わったこの問答の模様《もよう》は、小説『人間革命』第九巻の「小樽問答」の章に詳《くわ》しい。

219 **ジャンヌ・ダルク**　一四一二〜三一年。フランスの国民的英雄《えいゆう》。英仏《えいふつ》百年戦争の末期《まつき》の一四二九年、フランスの領土《りょうど》の大半が英軍に占領《せんりょう》されかかっていた時、わずか十七歳の少女であった彼女が軍を率《ひき》いて英軍を撃破《げきは》。その後、捕《と》らえられて火刑《かけい》になるが、彼女の存在は仏軍を奮《ふる》い立たせ、英勢力を一掃《いっそう》する転機《てんき》をつくった。

《「立正安国」の章》

267 **立教開宗**《りっきょうかいしゅう》　教義を立て、宗教を開くこと。日蓮大聖人は、建長《けんちょう》五年（一二五三年）四月二十八日、清澄寺《せいちょうじ》において、末法《まっぽう》の一切衆生《いっさいしゅじょう》を救済《きゅうさい》する根本の大法《だいほう》である「南無妙法蓮華経」を説き出《いだ》され、忍難弘通《にんなんぐずう》の大法戦を開始された。

『吾妻鏡《あずまかがみ》』　鎌倉幕府《かまくらばくふ》が編纂《へんさん》した編年体《へんねんたい》の公的記録。東鑑《あずまかがみ》とも書く。治承《じしょう》四年（一一八〇年）から文永《ぶんえい》三年（一二六六年）までの事跡《じせき》を収《おさ》める。

269 **大集経**《だいじゅっきょう》　大方等《だいほうどう》大集経のことで、方等部に属する経典《きょうてん》。この中に、正法《しょうほう》が滅《めつ》する時、その国には、穀貴《こっき》（飢饉《ききん》等）、兵革《ひょうかく》（戦争等）、疫病《えきびょう》（伝染病《でんせんびょう》等）の災《わざわ》いが起きることが説かれている。

270 **爾前権教**《にぜんごんきょう》　爾前は「爾《そ》の前」、権教は「権《かり》の教え」の意で法華経《ほけきょう》が説かれる以前の仮《かり》の諸経教《しょきょうぎょう》のこと。天台大師《てんだいだいし》が立て分けたもので、五十年に及ぶ釈尊《しゃくそん》の説法のうち、法華経以前の四十二年間の説法を総称《そうしょう》したもの。

伝教《でんぎょう》　七六七～八二二年。平安《へいあん》時代初期《しょき》に活躍《かつやく》した日本天台《てんだい》宗の開祖《かいそ》・最澄《さいちょう》のこと。天台の法門を会得《えとく》し、唐《とう》に渡って、帰国後、諸宗の誤《あやま》りを正し、法華経《ほけきょう》を宣揚《せんよう》した。大乗戒壇《だいじょうかいだん》の建立《こんりゅう》に努《つと》め、没後《ぼつご》、比叡山延暦寺《ひえいざんえんりゃくじ》に建立された。

271 **法然**《ほうねん》　一一三三～一二一二年。法然は、浄土《じょうど》三部経といわれる無量寿経《むりょうじゅきょう》、観《かん》無量寿経、阿弥陀経《あみだきょう》を依《え》経《きょう》とした浄土宗（念仏宗）の開祖《かいそ》。念仏宗では、この世を穢土《えど》（苦しみの充満《じゅうまん》する穢《けが》れた国土）であるとし、一心に阿弥陀仏の名を称《とな》えることで死後、西方極楽浄土《さいほうごくらくじょうど》に往生《おうじょう》できると説いている。

272 **一念三千《いちねんさんぜん》**　衆生《しゅじょう》の一念に三千の諸法が備《そな》わること。瞬間《しゅんかん》瞬間に生起《せいき》する衆生の心を「一念」といい、現象《げんしょう》世界の全体を「三千」という数で表《あらわ》す。天台大師《てんだいだいし》が法華経《ほけきょう》に基《もと》づき体系づけた法門で、一切《いっさい》衆生の成仏《じょうぶつ》の理論的根拠《こんきょ》とされる。日蓮大聖人は、この一念三千の生命を「南無妙法蓮華経」と説き明《あ》かされ、事実の上で万人が成仏する道を開かれた。

273 **三災七難《さんさいしちなん》**　三種の災害《さいがい》と七種の災難のこと。三災に大小があり、大の三災は火災、水災、風災で、小の三災は穀貴《こっき》（飢饉《ききん》等）、兵革《ひょうかく》（戦争等）、疫病《えきびょう》（伝染病《でんせんびょう》等）をいう。七難は経典《きょうてん》によって、内容は異《こと》なるが、薬師経《やくしきょう》には以下の七種の難が説かれている。①人衆疾疫難《にんしゅしつえきなん》（伝染病等で多くの人が死ぬ）、②他国侵逼難《たこくしんぴつなん》（他国から侵略《しんりゃく》される難）、③自界叛逆難《じかいほんぎゃくなん》（仲間《なかま》同士の争《あらそ》い、自国内の戦争）、④星宿変怪難《しょうしゅくへんげなん》（天体の運行《うんこう》の異変《いへん》、彗星《すいせい》の出現）、⑤日月薄蝕難《にちがつはくしょくなん》（日食《にっしょく》、月食《げっしょく》）、⑥非時風雨難《ひじふううなん》（季節《きせつ》はずれの暴風雨《ぼうふうう》）、⑦過時不雨難《かじふうなん》（雨期《うき》に雨が降《ふ》らない天候《てんこう》の異変《いへん》）。

274 **北条時頼《ほうじょうときより》**　一二二七〜六三年。鎌倉幕府《かまくらばくふ》の第五代執権《しっけん》。幕政《ばくせい》の刷新《さっしん》に努《つと》め、北条氏の執権の権威《けんい》を確《かく》立《りつ》した。一二五六年、執権職を退《しりぞ》き入道《にゅうどう》したが（最明寺《さいみょうじ》入道と呼ばれた）、その後も幕政を左右《さゆう》する最高権力者であった。

宿屋入道《やどやにゅうどう》　宿屋左衛門《さえもん》入道光則《みつのり》のこと（生没年《せいぼつねん》不明）。北条時頼《ほうじょうときより》・時宗《ときむね》親子に側近《そっきん》として仕《つか》えた武士。日蓮大聖人は、当時、寺社奉行《じしゃぶぎょう》であった宿屋入道を通じて、「立正安国論」を時頼に提出《ていしゅつ》された。

彼は律《りつ》と念仏《ねんぶつ》を信受《しんじゅ》していたが、後年、大聖人に帰依《きえ》したと伝《つた》えられている。

282 **ケネディ**　一九一七～六三年。米国の政治家（民主党）。四十三歳の若さで第三十五代大統領《だいとうりょう》に就任《しゅうにん》（一九六一年一月）。ニューフロンティア政策《せいさく》を掲《かか》げて宇宙開発や人種問題に取り組む一方、六二年にはキューバ危機《きき》を乗り切って米ソ和解《わかい》の道を開いた。部分的核実験停止条約《かくじっけんていしじょうやく》の調印《ちょういん》など、現実的な平和路線《ろせん》を選択《せんたく》したが、六三年、遊説先《ゆうぜいさき》のダラスで暗殺《あんさつ》された。

283 **フルシチョフ**　一八九四～一九七一年。ソ連の政治家。スターリン没後《ぼつご》、共産党第一書記、さらに首相に就任《しゅうにん》。スターリン批判《ひはん》を行う一方、東西の緊張緩和《きんちょうかんわ》を進めるが、キューバ危機《きき》、中ソ対立を招《まね》いた政策上《せいさくじょう》の失敗《しっぱい》や党内抗争《こうそう》から、一九六四年、失脚《しっきゃく》した。

ベルリン問題《もんだい》　第二次世界大戦の後、ドイツ・ベルリンの地位をめぐり、東西間に起こった係争《けいそう》問題。市の東側をソ連が、西側を米英仏三国が統治《とうち》していたが、一九六一年八月、東ドイツは突如《とつじょ》、東西ベルリンの境界《きょうかい》に「壁《かべ》」を建設した。この「ベルリンの壁」は、八九年に撤去《てっきょ》されるまで、長らく東西冷戦《れいせん》の象徴《しょうちょう》であった。

285 **仁王経《にんのうきょう》**　「仁王般若波羅蜜経《はんにゃはらみつきょう》」の略《りゃく》。正法《しょうほう》が滅《めっ》して思想が乱《みだ》れる時に起こる七難《しちなん》などが示されている。なお、この経に説かれる国土安穏《あんのん》の方途《ほうと》は、一応は般若波羅蜜を行ずることにあるが、末法《まっぽう》においては、正法である日蓮大聖人の仏法を広宣流布することに帰結《きけつ》される。

《「大光」の章》

306 **グルントウィ**　一七八三～一八七二年。デンマークの大教育者。思想家、政治家、詩人等としても著名《ちょめい》。聖職者《せいしょくしゃ》や学者養成《ようせい》の権威的《けんいてき》な学校ではなく、民主社会の主体者たる市民を育《そだ》てる〝開かれた教育〟をめざし、「フォルケホイスコーレ」（国民高等学校）を創設。人間教育を通し、祖国《そこく》の発展に寄与《きよ》した。

コル　一八一六～七〇年。デンマークの教育者。グルントウィの思想に共鳴し、「フォルケホイスコーレ」の普及《ふきゅう》に尽力《じんりょく》。デンマークの民衆教育に多大《ただい》な影響《えいきょう》を与えた。

312 **アンデルセン**　一八〇五～七五年。デンマークの童話《どうわ》作家・詩人《しじん》。最初の小説『即興詩人《そっきょうしじん》』で名声《めいせい》を得《え》て、童話『人魚姫《にんぎょひめ》』で童話作家としての地歩《ちほ》を築いた。『親指姫《おやゆびひめ》』『みにくいアヒルの子』などの約百五十編の童話は、今なお世界中で愛読されている。

323 **ハイネ**　一七九七～一八五六年。詩人《しじん》、評論家《ひょうろんか》。ロマン豊《ゆた》かな作品で名声《めいせい》を得《え》たが、封建的《ほうけんてき》なドイツからフランスに亡命《ぼうめい》。自由解放《かいほう》の闘士《とうし》として、貴族《きぞく》、教会などの政治的、宗教的権威《けんい》を批判《ひはん》した詩、評論を書いた。主な作品に『歌の本』『ドイツ・冬物語』など。

ブラームス　一八三三～九七年。作曲家。ドイツ古典《こてん》音楽の伝統《でんとう》を尊重《そんちょう》し、独自《どくじ》の様式《ようしき》を確立《かくりつ》した。バッハ、ベートーベンとならび、ドイツ音楽の「三大B」といわれる。

シューマン　一八一〇～五六年。ロマン派を代表する作曲家。

メンデルスゾーン　一八〇九～四七年。作曲家、指揮者《しきしゃ》としても活躍《かつやく》。バッハの死後、演奏《えんそう》されず埋《う》もれていた宗教音楽を復興《ふっこう》させた。

324 **グルペッロ**　一六四四～一七三〇年。ガブリエル・ド・グルペッロは、フランドル（ベルギー西部を中心に、オランダの一部、フランス北端にまたがる地方名）の彫刻家《ちょうこくか》。スペイン王の宮廷《きゅうてい》彫刻家を経《へ》て、ヨハン・ヴィルヘルムに仕《つか》える。一七一一年に建てたヴィルヘルムの騎馬像《きばぞう》は、ドイツにおける重要《じゅうよう》なバロック様式《ようしき》の作品の一つとされる。

327 **「ローレライ」**　ハイネの叙情詩《じょじょうし》を集大成《しゅうたいせい》した『歌の本』の中の「帰郷《ききょう》」に収録《しゅうろく》されている名詩。ローレライは「魔《ま》の岩」の意。ライン川中流にある岩山から、美しい歌声で船乗りを誘《さそ》う魔女《まじょ》の伝説をうたったもの。

329 **大虐殺《だいぎゃくさつ》（ホロコースト）**　ヨーロッパで行われたナチスによるユダヤ人の大量虐殺のこと。ナチス政権誕生《たんじょう》の一九三三年から敗戦《はいせん》の四五年までの間に、約六百万人のユダヤ人が虐殺され、そのうち十五歳以下の子供は、約百五十万人といわれる。

330 **ドイツ第三帝国《だいさんていこく》**　ヒトラー率《ひき》いるナチスによる全体主義のドイツ国家（一九三三～四五年）のこと。神聖《しんせい》ローマ帝国（九六二～一八〇六年）を第一帝国、ホーエンツォレルン家支配のドイツ帝国（一八七一～一九一八年）を第二帝国とし、それらに次ぐ、第三の帝国を意味する。

331 **ワイマール憲法《けんぽう》**　一九一九年八月に発布《はっぷ》された「ドイツ共和国憲法」の通称《つうしょう》。ドイツ革命《かくめい》（一九一八年）によって成立したワイマール共和国の憲法のこと。第一条で国民主権を明記《めいき》するなど、当時、世界で最《もっと》も民主的な憲法といわれた。

ベルサイユ条約《じょうやく》　第一次世界大戦の戦後処理《しょり》のため、一九一九年六月、フランスのベルサイユ宮殿で調印《ちょういん》された連合国とドイツとの講和《こうわ》条約。ドイツの海外植民地《しょくみんち》の破棄《はき》、多大《ただい》な賠償支払《ばいしょうしはら》いなどが定《さだ》められた。

339　**アウシュビッツ**　ポーランド南部の都市・オシフィエンチムのドイツ語名。ナチスによって強制《きょうせい》収容所《しゅうようじょ》（ユダヤ人絶滅《ぜつめつ》を主目的とした〝絶滅収容所〟）が置《お》かれた。一九四五年一月二十七日の解放《かいほう》までに、毒ガス等により、約二百万人のユダヤ人のほか、多数の非《ひ》ユダヤ人が虐殺《ぎゃくさつ》されたといわれる。

341　**ニュルンベルク法《ほう》**　一九三五年、ニュルンベルクでのナチス党大会で採択《さいたく》された「公民法《こうみんほう》」「血液保《けつえきほ》護法《ごほう》」などユダヤ人差別を正当化《せいとうか》した法律の総称《そうしょう》。以後、ユダヤ人は、公民権を奪《うば》われ、ドイツ人との結婚を禁《きん》じられるなど、合法的に迫害《はくがい》されていった。

343　**マルティン・ニーメラー**　一八九二～一九八四年。ドイツの牧師《ぼくし》。神学者《しんがくしゃ》。ヒトラー政権が誕生《たんじょう》した後、反ナチの〝ドイツ教会闘争《とうそう》〟の指導者として戦う。このため、一九三七年から終戦《しゅうせん》まで強制収《きょうせいしゅう》容所《ようじょ》に抑留《よくりゅう》された。

345　**治安維持法《ちあんいじほう》**　天皇《てんのう》を中心とする国家体制の変革《へんかく》、私有財産制度《しゆうざいさんせいど》を否認《ひにん》する者を処罰《しょばつ》する法律。一九二五年（大正十四年）制定。以後、二度の改正と拡大解釈により、〝自由抑圧法《よくあつほう》〟の性格を強化し、言論、思想、宗教等の統制、弾圧《だんあつ》に猛威《もうい》をふるった。

宗教団体法《しゅうきょうだんたいほう》　宗教団体を国家の統制下《とうせいか》に置《お》くことを目的に、一九四〇年（昭和十五年）に施行《しこう》された法律。治安維持法《ちあんいじほう》とともに、思想統制の手段として利用された。

349 **マーシャル・プラン**　アメリカの国務長官マーシャルの提案《ていあん》に基《もと》づき、一九四八年から実施《じっし》されたヨーロッパ経済復興援助《ふっこうえんじょ》計画。アメリカの援助で欧州諸国の経済復興を図《はか》ったが、ソ連、東欧《とうおう》諸国は、この計画への参加を拒否《きょひ》した。

352 **ワルシャワ条約機構《じょうやくきこう》**　一九五五年、ソ連、東欧《とうおう》の社会主義国八カ国が加盟《かめい》して発足《ほっそく》した、東欧諸国の相互安全保障《そうごあんぜんほしょう》機構。西側のNATO《ナトー》（北大西洋条約機構）に対抗《たいこう》して結成された。

354 **ウィルヘルム皇帝記念教会《こうていきねんきょうかい》**　ドイツ皇帝ウィルヘルム一世（一七九七～一八八八年）の死後、一八九五年に建てられた教会。ウィルヘルム一世は、プロイセン王に即位後、ビスマルクを宰相《さいしょう》に起用《きよう》し、ドイツ統一政策《せいさく》を推進《すいしん》。七一年、ドイツ帝国の初代皇帝となった。

362 **「原水爆禁止宣言《げんすいばくきんしせんげん》」**　戸田城聖《とだじょうせい》第二代会長が、逝去《せいきょ》前年の一九五七年（昭和三十二年）九月八日、横浜・三ツ沢の競技場で発表した原水爆禁止に関する宣言。世界の民衆は生存《せいぞん》の権利をもっており、核兵器を使用する者は、それを脅《おびや》かす魔物《まもの》（サタン）であると断《だん》じた。さらに、その思想を全世界に広めることを、青年たちに「第一の遺訓《いくん》」として託《たく》した。

主な参考文献

「立正安国」の章

『吾妻鏡〈全3巻〉』国書刊行会編（名著刊行会）
『史料綜覧　巻5』東京大学史料編纂所編（東京大学出版会）
『日本災異誌』小鹿島果編（思文閣）
『北条九代記・重編応仁記』國民文庫刊行会編（國民文庫刊行会）
『保暦間記』〈『群書類従26輯』所収〉塙保己一編纂（続群書類従完成会）
『鎌倉　北條一族』奥富敬之著（新人物往来社）
『日本の歴史10　蒙古襲来』網野善彦著（小学館）
『蒙古襲来』阿部征寛著（教育社歴史新書）
『よみがえる中世3　武士の都　鎌倉』石井進・大三輪龍彦編（平凡社）
『検証・ベルリンの壁』J・ペッチュル著、坂本明美訳（三修社）
『現代史ベルリン　増補』永井清彦著（朝日選書）

『ベルリン　カラーブックス66』近藤常恭著（保育社）

「大光」の章

『「フォルケホイスコーレ」の世界』O・コースゴール＆清水満編著（新評論）
『北方の思想家　グルントヴィ』K・タニング著、渡部光男訳（杉山書店）
「北欧文化に学ぶ　デンマーク復興の父N・F・S・グルントヴィ」＝『望星学塾』一九九四年第二号所収（東海大学望星学塾）
『ラインの伝説』近江太郎著（行有恒学舎出版部）
『ライン河の文化史』小塩節著（講談社学術文庫）
『ユダヤ人はなぜ殺されたか〈1・2〉』L・S・ダビドビッチ著、大谷堅志郎訳（サイマル出版会）
『ホロコースト全史』M・ベーレンバウム著、芝健介日本語版監修（創元社）
『写真記録　アウシュヴィッツ〈全6巻〉』大江一道監修、野村路子編集構成（ほるぷ出版）
『ナチス・ドキュメント』W・ホーファー著、救仁郷繁訳（ぺりかん社）
『わが闘争〈上下〉』A・ヒトラー著、平野一郎・将積茂訳（角川文庫）
『第三帝国の興亡〈全5巻〉』W・シャイラー著、井上勇訳（東京創元社）
『アドルフ・ヒトラー〈I・II〉』A・バロック著、大西尹明訳（みすず書房）
『ヒトラー〈上下〉』J・C・フェスト著、赤羽龍夫・関楠生・永井清彦・佐瀬昌盛訳（河出書房

新社）
『ヒトラーとナチス』H・グラーザー著、関楠生訳（現代教養文庫）
『アドルフ・ヒトラー』村瀬興雄著（中公新書）
『ナチズム』村瀬興雄著（中公新書）
『ユダヤ人とドイツ』大澤武男著（講談社現代新書）
『ヒトラーとユダヤ人』大澤武男著（講談社現代新書）
『世界の歴史15　ファシズムと第二次大戦』村瀬興雄編（中公文庫）
『ファシズム』山口定著（有斐閣選書）
『ヒトラーの抬頭』山口定著（朝日文庫）
『声なき蜂起』G・ヴァイゼンボルン著、佐藤晃一訳編（岩波書店）
『彼らは自由だと思っていた』M・マイヤー著、田中浩・金井和子訳（未来社）
『ユダヤ笑話集』三浦靱郎訳編（現代教養文庫）
『ユダヤの笑話と格言』S・ラントマン編、三浦靱郎訳（現代教養文庫）
『フルシチョフ回想録』S・タルボット編、タイム・ライフ・ブックス編集部訳（タイム・ライフ・インターナショナル）
『フルシチョフ最後の遺言〈下〉』佐藤亮一訳（河出書房新社）
『ケネディ〈上〉』A・M・シュレジンガー著、中屋健一訳（河出書房新社）

『東西両ドイツの分裂と再統一』山田晨著（有信堂高文社）

『現代ドイツ史入門』W・マーザー著、小林正文訳（講談社現代新書）

＊

『新編　日蓮大聖人御書全集（創価学会版）』の引用については（御書〇〇㌻）と表記

新・人間革命　第4巻

発行日　一九九九年二月十一日
第三刷　一九九九年二月十三日
著　者　池田大作
発行者　原田光治
発行所　聖教新聞社
〒一六〇-八〇七〇　東京都新宿区信濃町一八
電話　〇三―三三五三―六一一一（大代表）
振替　〇〇一五〇―四―七九四〇七
印刷所　明和印刷株式会社
製本所　牧製本印刷株式会社
＊
定価はカバーに表示してあります

5/11/07 読了